Graded German Short Stories

Graded
German Short Stories

EDITED BY
CURTIS C. D. VAIL
UNIVERSITY OF WASHINGTON

OXFORD UNIVERSITY PRESS
NEW YORK

Preface

This book owes its origin to a widespread belief that the most popular *Novellen* of nineteenth-century Germany should form a part of our German curriculum. These *Novellen* have rarely failed to capture the interest of American students; but, in spite of their enthusiasm for the stories themselves, many students have been unable to read them with profit or pleasure because of the difficulty of the sentence structure and vocabulary. The purpose of this edition is to make possible a reading that realistically conforms to the student's early training and preparation, as well as to the objectives of foreign language study.

Two volumes of the monumental Modern Foreign Language Study of 1925–29 — the word list by Bayard Q. Morgan and the idiom list by Edward F. Hauch — have given us the basic materials on which we must concentrate in the early stages of the study of German and on which we must build any reading knowledge. The present editor has made the attempt to bring into line with the results of these researches — as far as that could be done without violence to the stories themselves — the four nineteenth-century German *Novellen* that for years have proved to be the most popular in the American classroom: *Germelshausen, Immensee, L'Arrabbiata,* and *Höher als die Kirche.* The order of the stories is, of course, not based on their popularity, but rather on their degree of difficulty. Not only is each story to a degree more difficult than the preceding one, but the editing also calls progressively for more word-building and more imagination on the part of the student.

With but few deviations, the following types of vocabulary are distinguished in this volume: (1) Basic words that are on the elementary level of the AATG word list,[1] or simple compounds of such words (e.g. *Begleiter* from *begleiten*), or cognates which may easily be recognized (e.g. *Akzent*). These words the student is expected to know already. If he does not, he must look them up in the general vocabulary in the back of the book. (2) The words on the intermediate level of the AATG list, or derivatives listed for any of the words on the elementary or intermediate level of this list. The first time these words occur, the meaning is given in a footnote, since the student is not expected to have encountered them previously. Here attention is often called to the basic or root word. (3) Words that do not occur in the AATG word list at all. The meaning of all such words is given in italics in parenthesis in the body of the text, as they occur.

The object of the editing process has been to eliminate, as far as possible, words of the type mentioned as number three above, and to delete, again as far as possible, the words of the second type that occur only once or twice in these four stories. This necessitated a frequency count of all the words above the basic list in the four stories. This collation permitted not only deletions in a controlled manner, but very frequently made possible the replacement of deleted words by other words already of fair frequency. Thus a great increase in repetition has been one of the objectives of the editing process. The lessening of the vocabulary burden has really been tremendous — for example, over 300 entries were deleted from *Höher als die Kirche*. This lessening has also been matched by an increase in the use of basic words.

It is hoped that such gains may far outweigh certain losses. If in places the style has suffered or the language become halting, the editor asks the indulgence of the instructor, feeling, as he does, that the student in his earlier stages would rarely note

[1] Bayard Q. Morgan and Walter Wadepuhl, editors, published by F. S. Crofts & Co., New York, for the American Association of Teachers of German. Words on the first year high school level of the New York State *Basic German Word Lists* are also counted as basic vocabulary.

Preface

these poetic sacrifices, which have been offered on the altar of a better approach to a reading knowledge of German.

No editorial process should ever be permitted to lead to a deadening of the student's imaginative powers. On the contrary, he should be led to sort out the component parts of compounds, and to master the meanings of verbal prefixes and other word-building elements. It is well known that the dictionary-chaser rarely becomes a good linguist, and that normal reading habits and techniques are of far more value than the mere knowledge of isolated words.

The *Fragen* are intended to be few so that they may merely suggest to the student the sort of question his instructor may ask.

The English-to-German exercises focus their main attention on the more frequent idioms of the Hauch *German Idiom List* (The Macmillan Co., 1929). They should serve as a device to fix these frequent locutions in the student's mind. Accordingly, they do not diverge too greatly from the German text, but attempt to repeat these idioms as they occur. Subjunctive and passive constructions are quite infrequent out of deference to those not yet ready to work on an active mastery of these forms.

Although this work had its inception a few years ago, the editing of the texts themselves was undertaken more recently. It is my pleasure to acknowledge the tireless aid received throughout the entire task of the editing from two of my colleagues, Professor Ernest O. Eckelman and Professor Frederick W. Meisnest, with whom it has been my privilege to be associated. I am also deeply indebted to Kathryn McArdle Conrad for her many and arduous labors on the vocabulary, and to my colleague, Dr. Felice Ankele, for reading the page proofs.

Curtis C. D. Vail

University of Washington
January 1, 1941

Contents

WOODCUTS BY KURT WERTH

Germelshausen

Friedrich Gerstäcker

FRIEDRICH GERSTÄCKER (1816–72), the son of a celebrated tenor, was born in Hamburg. When his father died in 1825, Gerstäcker was obliged to go into business, although he soon abandoned it to try his hand at farming. In 1837 he started on the first of his many travels, coming to America to seek his fortune. Here he wandered about working at various odd jobs in the southern and western part of the United States. In 1843 he started writing the first of his many travelogues and narratives, like *Die Flußpiraten des Mississippi*, which drew heavily on the local color of the places he had visited. The popularity of such novels in Germany, incidentally, is to be traced to the influence of James Fenimore Cooper, who had a great vogue there.

Six years later, aided financially by the German government, Gerstäcker was again able to travel extensively, until 1852 — in South America, California, Australia, the Dutch East Indies, and elsewhere. In 1860 he visited the German colonies in six countries of South America, and in 1862 accompanied a nobleman on a trip to Egypt and Abyssinia. His last voyage was again to the Americas when, in 1867, he visited the United States, Mexico, Venezuela, and the West Indies. The remaining four years of his life he spent in literary pursuits at home.

The general popularity of the so-called 'exotic novel' in the Germany of that day had much to do with the popularity of Gerstäcker's travel narratives. But the best sellers of one age are not often the books that hold the interest of future generations; while Gerstäcker's fame among his contemporaries rested upon his exotic novels, one of the few works he wrote in a German setting, *Germelshausen*, has been and still is the basis for his fame in the generations that followed. This story was written in 1862.

2

1

Der Wanderer

Im Herbst des Jahres 1847 wanderte ein junger, lebensfrischer Bursche,[1] den Tornister (*knapsack*) auf dem Rücken, den Stab[2] in der Hand, langsam und behaglich[3] den breiten Weg entlang, der von Marisfeld hinauf nach Wichtelhausen führt.

Es war kein Handwerksbursch,[4] der Arbeit suchend von Ort zu[5] Ort ging; das sah man ihm auf den ersten Blick an, hätte ihn nicht schon die kleine, saubere[5] Mappe (*portfolio*) verraten,[6] die er auf den Tornister geschnallt[7] trug. Den Künstler[8] konnte er überhaupt nicht verleugnen.[9] Der auf einer Seite sitzende, breiträndige[10] Hut, das lange, blonde Haar, der weiche,[11] noch ganz junge, aber volle[10] Bart — alles sprach dafür, selbst der ziemlich alte, schwarze Rock, der ihm jedoch bei dem warmen Morgen ein wenig zu heiß werden

---

[1] der Bursche *lad, fellow*
[2] der Stab *staff, stick*
[3] behaglich *comfortably, at ease*
[4] der Handwerksbursch *artisan*
[5] sauber *neat*
[6] verraten *to betray*
[7] schnallen *to buckle, strap*
[8] der Künstler (from die Kunst) *artist*
[9] verleugnen (from leugnen *to deny*) *to deny, disavow*
[10] breiträndig (= mit einem breiten Rand) *broad-brimmed*
[11] weich *soft*

3

mochte. Er hatte ihn aufgeknöpft,[12] und das weiße Hemd darunter — denn er trug keine Weste — wurde um den Hals von einem schwarzseidenen [13] Tuche zusammengehalten.

Als er ein Viertelstündchen von Marisfeld sein mochte, läutete [14] es dort zur Kirche, und er blieb stehen, stützte [15] sich auf seinen Stab und lauschte [16] aufmerksam [17] den vollen Glockentönen,[18] die gar wundervoll zu ihm herüberschallten.[19]

Das Läuten war lange vorüber,[20] und noch immer stand er dort und blickte träumerisch [21] hinaus auf die Berge. Sein Geist war daheim bei den Seinen, in dem kleinen, freundlichen Dorfe am Taunusgebirge,[22] bei seiner Mutter, bei seinen Schwestern, und es schien fast, als ob sich eine Träne [23] in sein Auge drängen [24] wollte. Sein leichtes, fröhliches Herz aber ließ die schweren, traurigen Gedanken nicht aufkommen. Nur den Hut nahm er ab und grüßte mit einem herzlichen [25] Lächeln in der Richtung,[26] in der er die Heimat wußte, und dann fester seinen Stock fassend, schritt er munter [27] die Straße entlang, der begonnenen Bahn folgend.

Die Sonne brannte indessen [28] ziemlich warm auf den breiten, eintönigen [29] Weg nieder, auf dem der Staub [30] in dicker Kruste lag, und unser Wanderer hatte schon eine Zeitlang (*for a time*) nach rechts und links geschaut,[31] ob er nicht irgend einen bequemeren [32]

[12] auf=knöpfen (from der Knopf) *to unbutton*
[13] schwarzseiden (= aus schwarzer Seide) *black silk*
[14] läuten (from der Laut *sound*) *to sound, ring*
[15] stützen *to prop, support*
[16] lauschen *to listen*   [17] aufmerksam *attentively*
[18] Glockentöne (= die Töne der Glocke) *tones of the bell*
[19] herüber=schallen *to sound across*
[20] vorüber *past*
[21] träumerisch (from träumen) *dreamily*
[22] das Taunusgebirge (der Berg = *mountain*, das Gebirge = *mountain chain*) *the Taunus Mountains*
[23] die Träne *tear*
[24] sich drängen *to press, come*
[25] herzlich (from das Herz) *hearty, cordial*
[26] die Richtung *direction*
[27] munter *cheerfully*   [28] indessen *meanwhile*
[29] eintönig (ein= = *mono-*) *monotonous*
[30] der Staub *dust*
[31] schauen *to look*   [32] bequem *comfortable*

4

Fußpfad [33] entdecken [34] könne. Rechts zweigte [35] allerdings einmal
ein Weg ab, der ihm aber keine Besserung [36] versprach und auch zu
weit aus seiner Richtung führte; er ging also noch eine Zeitlang
weiter, bis er endlich an ein klares Bergwasser kam, an dem er die
Reste [37] einer alten, steinernen [38] Brücke erkennen konnte. Drüben 5
hin (*on the other side*) lief ein Pfad, der in das Tal [39] hineinführte;
doch mit keinem bestimmten Ziel vor sich, — da er ja nur dem
schönen Werratale zu zog, seine Mappe zu bereichern,[40] — sprang er
auf einzelnen, großen Steinen trockenen Fußes über den Bach zu der
Wiese drüben und schritt hier, auf dem elastischen Gras und im 10
Schatten dichter Büsche, rasch [41] und sehr zufrieden vorwärts.

„Jetzt hab' ich den Vorteil," lachte er dabei vor sich hin, „daß
ich gar nicht weiß, wohin ich komme. Hier steht kein Wegweiser
(*signpost*), der einem immer schon Stunden vorher sagt, wie der
nächste Ort heißt, und dann jedesmal mit der Entfernung [42] un= 15
recht [43] hat. Wie die Leute hier nur ihre Stunden messen, möcht'
ich wissen! Sehr still ist's aber hier auf der Wiese, — freilich, am
Sonntage haben die Bauern draußen nichts zu tun, und wenn sie
die ganze Woche hinter ihrem Pfluge (*plow*) oder neben dem Wagen
herlaufen müssen, gehen sie am Sonntag nicht gern spazieren,[44] 20
schlafen morgens in der Kirche und strecken die Beine dann nach dem
Mittagessen unter den Wirtstisch. — Wirtstisch — hm — ein Glas
Bier wäre jetzt bei der Hitze [45] gar nicht so übel [46] — aber bis ich
das bekommen kann, löscht [47] auch der klare Bach hier den Durst." —
Und damit warf er Tornister und Hut ab, stieg zum Wasser nieder 25
und trank nach Herzenslust.

Dadurch etwas abgekühlt, fiel sein Blick [48] auf einen alten, wun=

---

[33] der Fußpfad *footpath*   [34] entdecken *to discover*
[35] ab=zweigen (from der Zweig) *to branch off*
[36] die Besserung *betterment, improvement*
[37] die Reste (plural) *remains*   [38] steinern (= aus Stein) *stone*
[39] das Tal *dale, valley*   [40] bereichern (from reich) *to enrich*
[41] rasch *rapidly*   [42] die Entfernung *distance*
[43] unrecht haben *to be wrong*   [44] spazieren=gehen *to take a walk*
[45] die Hitze *heat*   [46] übel *bad*
[47] löschen *to quench*   [48] der Blick *glance, gaze*

derlichen [49] Baum, den er rasch und mit geübter Hand zeichnete, und jetzt vollständig erfrischt [50] und ausgeruht,[51] nahm er seinen leichten Tornister wieder auf und setzte seinen Weg, wohin er ihn auch führte, fort.[52]

2

Das Mädchen

5 Eine Stunde mochte er noch so gewandert sein, hier ein Felsstück, dort ein Gebüsch,[1] da wieder einen Eichenast [2] in seine Mappe sammelnd; die Sonne war dabei höher und höher gestiegen, und er wollte eben schneller schreiten, um wenigstens [3] im nächsten Dorfe das Mittagessen nicht zu versäumen,[4] als er vor sich im Tale, dicht am Bache
10 und an einem alten Steine, auf dem früher vielleicht einmal ein Heiligenbild [5] gestanden hatte, eine Bäuerin sitzen sah, die den Weg, den er kam, herabschaute.

Von den Büschen gedeckt, hatte er sie früher sehen können, als sie ihn; dem Ufer des Baches aber folgend, trat er kaum über das
15 Gebüsch hinaus, das ihn bis dahin ihren Blicken entzogen hatte, als sie aufsprang und mit einem Freudenschrei [6] ihm entgegeneilte.[7]

Arnold, wie der junge Maler [8] hieß, blieb überrascht [9] stehen und sah bald, daß es ein bildhübsches,[10] kaum siebzehnjähriges [11] Mädchen

---

[49] wunderlich *strange, odd*
[50] erfrischt (from frisch) *refreshed*
[51] ausgeruht (aus + ruhen) *rested up*
[52] fort=setzen *to continue*

[1] das Gebüsch (from der Busch) *clump of bushes* — see note 22, Chap. 1
[2] der Eichenast (die Eiche + der Ast *branch*) *oak limb*
[3] wenigstens *at least*
[4] versäumen *to miss*
[5] das Heiligenbild (der Heilige = einer, der heilig ist) *image of a saint*
[6] der Freudenschrei (die Freude + der Schrei from schreien) *cry of joy*
[7] entgegen=eilen (entgegen *towards*) *to hasten towards*
[8] der Maler (from malen *to paint*) *painter*
[9] überrascht *surprised*
[10] bildhübsch (hübsch = schön) *pretty as a picture*
[11] siebzehnjährig = siebzehn Jahre alt

6

war, das in eine sehr schöne Bauerntracht (*peasant costume*) gekleidet, die Arme gegen ihn ausgestreckt, auf ihn zuflog. Arnold wußte freilich, daß sie ihn für einen andern hielt und dieses freudige Begegnen nicht ihm galt — das Mädchen erkannte ihn auch kaum, als sie erschrocken [12] stehenblieb, erst blaß [13] und dann über und über rot 5 wurde und endlich ganz scheu [14] sagte:

„Seid nicht böse, fremder Herr — ich — ich glaubte" —

„Daß es dein Schatz wäre, mein liebes Kind, nicht wahr?" lachte der junge Bursch, „und jetzt bist du zornig, daß dir ein anderer und fremder Mensch in den Weg läuft? Sei nicht böse, daß ich's nicht bin." 10

„Ach, wie könnt Ihr nur so reden," flüsterte [15] das Mädchen ängstlich [16] — „wie dürft' ich böse sein — aber wenn Ihr wüßtet, wie sehr ich mich darauf gefreut hatte!"

„Dann verdient er's aber auch nicht, daß du noch länger auf ihn wartest," sagte Arnold, dem jetzt erst die wunderbare Anmut [17] des 15 einfachen Bauernkindes auffiel. [18] „Wär' ich an seiner Stelle, so hättest du nicht eine einzige Minute vergebens [19] auf mich warten sollen."

„Wie Ihr nur so wunderlich redet," sagte das Mädchen verschämt, [20] „wenn er hätte kommen können, wär' er gewiß schon da. Vielleicht ist 20 er wohl krank oder — oder gar — tot," setzte sie langsam und recht aus vollem Herzen seufzend [21] hinzu.

„Und hat er so lange nichts von sich hören lassen?"

„Gar sehr, sehr lange nicht."

„Dann ist er wohl weit von hier daheim?" 25

„Weit? gewiß — schon eine recht lange Strecke [22] von da," sagte das Mädchen, „in Bischofsroda."

„Bischofsroda?" rief Arnold, „da hab' ich jetzt vier Wochen gewohnt und kenne jedes Kind im ganzen Dorfe. Wie heißt er?"

---

[12] erschrocken (from erschrecken) *frightened*
[13] blaß *pale*
[14] scheu *shy, timid*
[15] flüstern *to whisper*
[16] ängstlich (from die Angst) *anxious*
[17] die Anmut *charm, grace*
[18] auf=fallen *to become noticeable, be striking*
[19] vergebens *in vain*
[20] verschämt *ashamed, bashful*
[21] seufzen *to sigh*
[22] die Strecke *stretch, distance*

„Heinrich — Heinrich Vollgut," sagte das Mädchen verschämt — „des Schulzen (*mayor's*) Sohn in Bischofsroda."

„Hm," meinte Arnold, „bei dem Schulzen bin ich ein= und aus=gegangen, der aber heißt Bäuerling, soviel ich weiß, und den Namen
5 Vollgut hab' ich im ganzen Dorfe nicht gehört."

„Ihr werdet wohl nicht alle Leute dort kennen," meinte das Mäd=chen, und durch den traurigen Zug,[23] der über dem lieben Gesicht lag, stahl sich doch ein leises Lächeln, das ihr gar so gut und noch viel besser als die frühere Traurigkeit stand.

10 „Aber von Bischofsroda," meinte der junge Maler, „kann man über die Berge recht gut in zwei oder höchstens drei Stunden her=überkommen."

„Und doch ist er nicht da," sagte das Mädchen, wieder mit einem schweren Seufzer,[24] „und doch hat er mir's so fest versprochen."

15 „Da kommt er auch gewiß," erwiderte Arnold treuherzig; denn wenn man d i r einmal etwas versprochen hat, müßte man ja ein Herz von Stein haben, wenn man nicht Wort hielte — und das hat dein Heinrich gewiß nicht."

„Nein," sagte das Mädchen treuherzig, — „aber jetzt wart' ich doch
20 nicht länger auf ihn, denn zu Mittag muß ich daheim sein, sonst schilt [25] der Vater."

„Und wo bist du daheim?"

„Dort gleich im Tale — hört Ihr die Glocke? — eben ist der Gottesdienst [26] zu Ende."

25 Arnold horchte,[27] und gar nicht weit entfernt [28] konnte er das langsame Schlagen einer Glocke hören; aber nicht voll und tief tönte [29] es zu ihm herüber, sondern scharf und disharmonisch, und als er nach der Gegend [30] dort hinschaute, war es fast, als ob ein dichter Rauch [31] über jenem Teile des Tales läge.

30 „Eure Glocke ist gesprungen," lachte er, „die klingt [32] bös."

---

23 der Zug *expression*   24 der Seufzer (from seufzen) *sigh*
25 schelten *to scold*   26 der Gottesdienst *divine service, church service*
27 horchen *to listen*   28 entfernt *removed, distant*
29 tönen *to sound*   30 die Gegend *region, vicinity*
31 der Rauch *smoke*   32 klingen *to sound*

8

„Ja, ich weiß wohl," erwiderte das Mädchen, „hübsch klingt sie nicht, und wir hätten uns eine neue schon gießen lassen, aber es fehlt immer an Geld und an Zeit dazu, denn hier in unserer Gegend sind keine Glockengießer.[33] Doch was tut's; wir kennen sie einmal und wissen, was es bedeutet, wenn es schlägt — dazu dient auch die 5 gesprungene."

„Und wie heißt dein Dorf?"

„Germelshausen."

„Und wie kann ich von dort nach Wichtelhausen kommen?"

„Recht leicht — den Fußweg hinüber ist's kaum ein halbes Stünd= 10 chen — vielleicht nicht einmal so weit, wenn Ihr schnell schreitet."

„Dann geh' ich mit durch dein Dorf, Schatz, und wenn ihr ein gutes Wirtshaus im Orte habt, eß' ich dort auch zu Mittag."

„Das Wirtshaus ist nur zu gut," sagte das Mädchen seufzend, in= dem sie einen Blick zurückwarf, ob der Erwartete denn noch nicht käme. 15

„Und kann ein Wirtshaus je zu gut sein?"

„Für den Bauer ja," sagte das Mädchen ernst, indem es jetzt an seiner Seite langsam im Tale hinschritt, „der hat auch des Abends nach der Arbeit noch manches im Hause zu tun, was er versäumt, wenn er bis spät in die Nacht im Wirtshause sitzt." 20

„Aber ich versäume heut' nichts mehr."

„Ja mit den Stadtherren ist es etwas anderes — die arbeiten doch nichts und versäumen deshalb auch nicht viel; muß doch der Bauer das Brot für sie verdienen."

„Doch nicht," lachte Arnold; „verdienen müssen wir es selber, und 25 manchmal sauer genug, denn was der Bauer tut, läßt er sich auch gut bezahlen."

„Aber Ihr arbeitet doch nichts?"

„Und warum nicht?"

„Eure Hände sehen nicht danach aus." 30

„Dann will ich dir gleich einmal beweisen, wie und was ich arbeiten kann," lachte Arnold. „Setz' dich einmal da auf den flachen Stein unter den alten Fliederbusch (*lilac bush*)."

[33] der Glockengießer *bell pourer = bell founder*

9

„Aber was soll ich dort?"

„Setz' dich nur hin," rief der junge Maler, der rasch seinen Tor=
nister abwarf und Mappe und Bleistift herausnahm.

„Aber ich muß heim!"

5 „In fünf Minuten bin ich fertig — ich möchte auch gern eine
Erinnerung [34] an dich mitnehmen in die Welt; selbst dein Heinrich
wird nichts dagegen haben."

„Eine Erinnerung an mich? — wie könnt Ihr das?"

„Ich will dein Bild mitnehmen."

10 „Ihr seid ein Maler?"

„Ja."

„Das wäre schon gut — dann könntet Ihr in Germelshausen
gleich die Bilder in der Kirche wieder einmal frisch malen, die sehen
so alt und bös aus."

3

Gertrud

15 „Wie heißt du?" fragte jetzt Arnold, der indessen schon seine Mappe
geöffnet hatte und die schönen Züge [1] des Mädchens rasch zeichnete.

„Gertrud."

„Und was ist dein Vater?"

„Der Schulze im Dorfe. — Wenn Ihr ein Maler seid, dürft Ihr
20 auch nicht ins Wirtshaus gehen; da nehm' ich Euch gleich mit nach
Hause, und nach dem Essen könnt Ihr alles mit dem Vater be=
sprechen." [2]

„Über die Kirchenbilder?" lachte Arnold.

„Ja, gewiß," sagte ernsthaft [3] das Mädchen, „und Ihr müßt dann

---

[34] die Erinnerung *remembrance, reminder*

[1] die Züge (plu.) *features* — see note 23, Chap. 2
[2] besprechen (the prefix be= makes a verb transitive) *to discuss*
[3] ernsthaft (the suffix =haft means "having the quality of") *earnest,
serious*

10

bei uns bleiben, recht, recht lange Zeit, bis — wieder unser Tag kommt und die Bilder fertig sind."

„Nun, davon sprechen wir nachher,[4] Gertrud," sagte der junge Maler, fleißig dabei mit seinem Bleistift arbeitend, — „aber wird dein Heinrich nicht bös werden, wenn ich auch manchmal — oder 5 recht oft bei euch bin, und — recht viel mit dir schwatze?"[5]

„Der Heinrich?" sagte das Mädchen, „der kommt jetzt nicht mehr."

„Heute wohl nicht, aber dann vielleicht morgen?"

„Nein," sagte Gertrud vollkommen ruhig, „da er bis elf Uhr nicht da war, bleibt er aus, bis einmal wieder unser Tag ist." 10

„Euer Tag? was meinst du damit?"

Das Mädchen sah ihn groß und ernst an, aber sie antwortete nicht auf seine Frage, und während ihr Blick auf die hoch über ihnen hinziehenden Wolken gelenkt[6] wurde, hatte ihr Gesicht einen Ausdruck von Schmerz und Traurigkeit. 15

Gertrud war in diesem Augenblick wirklich engelschön, und Arnold vergaß in dem Interesse, das er an seinem Porträt von ihr nahm, alles andere. Es blieb ihm auch nicht mehr viel Zeit. Das junge Mädchen stand plötzlich auf, und ein Tuch[7] über den Kopf werfend, sich vor den Sonnenstrahlen[8] zu schützen,[9] sagte sie: 20

„Ich muß fort — der Tag ist so kurz, und sie erwarten mich daheim."

Arnold hatte aber sein kleines Bild auch fertig, und nach ein paar Minuten weiterer Arbeit daran sagte er, ihr das Blatt entgegenhaltend: 25

„Hab' ich dich getroffen?"

„Das bin ich!" rief Gertrud rasch und fast erschrocken.

„Nun, wer denn sonst?" lachte Arnold.

„Und das Bild wollt Ihr behalten und mit Euch nehmen?" fragte das Mädchen scheu, fast ängstlich. 30

---

[4] nachher *afterwards, later*
[5] schwatzen *to chat, gossip*
[6] lenken *to direct*   [7] das Tuch *cloth, scarf, kerchief*
[8] der Sonnenstrahl (= der Strahl der Sonne) *ray of the sun*
[9] schützen *to protect*

„Gewiß will ich," rief der junge Mann, „und wenn ich dann weit, weit von hier bin, noch oft und fleißig an dich denken."

„Aber wird das mein Vater leiden?"

„Daß ich an dich denke? — kann er mir das verbieten?"[10]

5 „Nein — aber — daß Ihr das Bild da mit Euch — in die Welt hinaus nehmt?"

„Er kann es nicht hindern, mein Herz," sagte Arnold freundlich — „aber gefiele es dir selber, es in meinen Händen zu wissen?"

„Mir? — recht gut!" erwiderte nach kurzem Überlegen[11] das Mäd= 10 chen, „wenn — nur nicht — ich muß doch den Vater darum fragen."

„Du bist ein närrisches[12] Kind," lachte der junge Maler, „selbst eine Prinzessin[13] hätte nichts dagegen, daß ein Künstler ihre Züge für sich zeichnet. Dir geschieht kein Schaden[14] dadurch. Aber so lauf doch nur nicht so, du wildes Ding; ich gehe ja mit — oder willst du 15 mich hier ohne Mittagessen zurücklassen? Hast du die Kirchenbilder vergessen?"

„Ja, die Bilder," sagte das Mädchen, stehenbleibend und auf ihn wartend; Arnold aber, der seine Mappe rasch wieder zusammenge= bunden hatte, war auch schon im nächsten Augenblick an ihrer Seite, 20 und weit schneller als vorher setzten sie ihren Weg, dem Dorfe zu, fort.

Dieses aber lag viel näher, als Arnold dem Klange[15] der gesprun= genen Glocke nach gedacht hatte, denn das, was der junge Mann bis jetzt nur für ein Dickicht (*thicket*) gehalten hatte, zeigte sich, als sie 25 näher kamen, als ein Gebüsch vor einer Reihe von Obstbäumen, hinter denen dicht versteckt,[16] aber im Norden und Nordosten von weiten Feldern umgeben, das alte Dorf mit seinem niedrigen[17] Kirchturme und seinen rauchgeschwärzten[18] Häusern lag.

---

[10] verbieten *to forbid*
[11] überlegen *to consider*
[12] närrisch (from der Narr) *foolish*
[13] die Prinzessin (cf. der Prinz) *princess*
[14] der Schaden *harm*
[15] der Klang (from klingen) *ring, sound*
[16] verstecken *to hide, to conceal*   [17] niedrig *low*
[18] rauchgeschwärzt *smoke-blackened, sooty*

4

Germelshausen

Hier auch betraten [1] sie zuerst eine gute, feste Straße, an beiden Seiten mit Obstbäumen bepflanzt.[2] Über dem Dorfe aber hing der dunkle Rauch, den Arnold schon früher gesehen hatte, und brach das helle Sonnenlicht, das nur mit einem gelblich unheimlichen [3] Scheine auf die alten, wettergrauen Dächer fallen konnte. — Arnold aber hatte [5] für das alles kaum einen Blick, denn die an seiner Seite hinschreitende Gertrud faßte, als sie sich den ersten Häusern näherten,[4] langsam seine Hand, und diese in der ihren haltend, schritt sie mit ihm in die nächste Straße ein.

Ein wunderbares Gefühl [5] zog durch den jungen, lebensfrischen [10] Burschen bei der Berührung [6] dieser warmen Hand, und unwillkür= lich [7] fast suchte sein Blick dem des jungen Mädchens zu begegnen. Aber Gertrud schaute nicht zu ihm hinüber; das Auge bescheiden [8] am Boden haltend, führte sie den Gast ihres Vaters Hause zu, und Arnolds Aufmerksamkeit [9] wurde endlich auch auf die ihm begegnen= [15] den Dorfbewohner [10] gelenkt, die alle still an ihm vorüber gingen, ohne ihn zu grüßen.

Das fiel ihm zuerst auf, denn in all den Nachbardörfern hätte man es für eine grobe [11] Unhöflichkeit [12] gehalten, einem Fremden nicht wenigstens einen „Guten Tag" oder ein „Grüß' Gott" zu bieten. [20]

[1] See note 2, Chap. 3
[2] bepflanzen (from die Pflanze and pflanzen *to plant*) *to plant*
[3] unheimlich *weird, uncanny*
[4] sich nähern (from nah) *to come closer to, to approach*
[5] das Gefühl (from fühlen) *feeling*
[6] die Berührung (from rühren and berühren) *touch*
[7] unwillkürlich *involuntarily*
[8] bescheiden *modestly*
[9] die Aufmerksamkeit — cf. note 17, Chap. 1
[10] der Dorfbewohner (cf. wohnen, bewohnen, der Bewohner) *villager*
[11] grob *rude, coarse*
[12] die Unhöflichkeit (cf. der Hof *court, yard*) *discourtesy*

Hier dachte niemand daran, und wie in einer großen Stadt gingen die Leute entweder still und ohne Interesse an ihnen vorbei, oder blieben auch hie und da stehen und sahen ihnen nach — aber es redete sie niemand an. Selbst das Mädchen grüßte keiner von allen.

5 Und wie wunderlich die alten Häuser mit ihren hohen, mit Schnitz=werk [13] bedeckten Giebeln (*gables*) und festen, wettergrauen Stroh=dächern aussahen — und trotz dem Sonntag war kein Fenster blank (*shiny*) geputzt,[14] und die runden, in Blei [15] gefaßten Scheiben [16] sahen schmutzig [17] aus und zeigten auf ihren matten [18] Flächen [19] 10 den schimmernden Regenbogenglanz.[20] Hie und da öffnete sich aber ein Fenster, als sie vorüberschritten, und freundliche Mädchengesichter oder alte, würdige [21] Hausfrauen schauten heraus. Auch die selt=same [22] Tracht (*costume*) der Leute fiel ihm auf, die sich bedeutend von der der Nachbardörfer unterschied.[23] Dabei war eine fast lautlose 15 Stille [24] überall im Dorfe, und Arnold, dem das Schweigen endlich zuwider [25] wurde, sagte zu seiner Begleiterin:

„Haltet ihr denn in eurem Dorfe den Sonntag so streng, daß die Leute, wenn sie einander begegnen, nicht einmal einen Gruß haben? Hörte man nicht hier und da einen Hund bellen oder einen Hahn 20 krähen (*crow*), so könnte man den ganzen Ort für stumm [26] und tot halten."

„Es ist Mittagszeit," sagte Gertrud ruhig, „und dann reden die Leute nicht so gerne; heute abend werdet Ihr sie desto lauter finden."

„Gott sei Dank!" rief Arnold, „da sind wenigstens Kinder, die auf 25 der Straße spielen — mir fing es hier schon an ganz unheimlich zu werden; da feiern sie in Bischofsroda den Sonntag auf andere Art."

---

[13] das Schnitzwerk (schnitzen *to carve* — related to schneiden, schnitt) *carved work*

[14] putzen *to polish*   [15] das Blei *lead* (cf. der Bleistift)
[16] die Scheibe *windowpane*   [17] schmutzig *dirty*
[18] matt *dull, dim*   [19] die Fläche (from flach) *surface*
[20] der Regenbogenglanz (=glanz from glänzen) *glitter,* or *luster of the rainbow*
[21] würdig (from die Würde) *worthy, dignified*
[22] seltsam *strange, odd*   [23] sich unterscheiden von *to differ from*
[24] die Stille (from still) *stillness, quiet*
[25] Cf. es ist mir zuwider *it is distasteful to me*
[26] stumm *dumb, speechless*

„Dort ist auch meines Vaters Haus," sagte Gertrud leise.

„Dem aber," lachte Arnold, „darf ich nicht so unerwartet zu Mittag kommen. Es ist sehr unzeitig, und ich habe beim Essen gern freundliche Gesichter um mich her. Zeig' mir deshalb lieber das Wirtshaus, mein Kind, oder laß mich es selber finden, denn Germelshausen wird von anderen Dörfern keine Ausnahme [27] machen. Dicht neben der Kirche steht auch gewöhnlich das Wirtshaus, und wenn man nur dem Turme folgt, verirrt [28] man sich fast nie."

„Da habt Ihr recht; das ist bei uns gerade so," sagte Gertrud ruhig, „aber daheim erwarten sie uns schon, und Ihr braucht nicht zu fürchten, daß man Euch unfreundlich aufnimmt." [29]

„Erwarten sie uns? ah, du meinst dich und deinen Heinrich? Ja, Gertrud, wenn du mich heute an dessen Stelle nehmen wolltest, dann bleibe ich bei dir — so lange — bis du mich selber wieder fortgehen hießest."

Er hatte die letzten Worte fast unwillkürlich mit herzlicher Stimme gesprochen und leise dabei die Hand gedrückt, die noch immer die seine gefaßt hielt, da blieb Gertrud plötzlich stehen, sah ihn voll und groß an und sagte:

„Wolltet Ihr das wirklich?"

„Mit tausend Freuden," rief der junge Maler, von der wunderbaren Schönheit des Mädchens ganz übermannt." [30]

5

Gertruds Familie

Gertrud erwiderte aber nichts weiter darauf, und ihren Weg fortsetzend, als ob sie sich die Worte ihres Begleiters überlege, blieb sie endlich vor einem hohen Hause stehen, zu dem eine mit Eisenstäbchen

---

[27] die Ausnahme *exception*
[28] sich verirren (from irren) *to go astray, to lose one's way*
[29] auf=nehmen *to receive, to treat*   [30] übermannen *to overcome*

geschützte, breite, steinerne Treppe hinaufführte, und sagte ganz wieder mit ihrem früheren scheuen und verschämten Wesen:

„Hier wohne ich, lieber Herr, und wenn's Euch freut, so kommt mit hinauf zu meinem Vater, der stolz darauf sein wird, Euch an 5 seinem Tische zu sehen."

Ehe Arnold aber nur etwas darauf erwidern konnte, trat oben auf der Treppe schon der Schulze (*mayor*) in die Tür und während ein Fenster geöffnet wurde, aus dem der freundliche Kopf einer alten Frau herausschaute und ihnen zunickte, rief der Bauer:

10 „Aber Gertrud, heute bist du lange ausgeblieben, und schau', schau', was sie für einen feinen Burschen mitgebracht hat!"

„Mein bester Herr" —

„Nur bleibt nicht zu lange auf der Treppe stehen — kommt herein, das Essen ist fertig und wird sonst hart und kalt."

15 „Das ist aber nicht der Heinrich," rief die alte Frau aus dem Fenster. „Hab' ich's denn nicht immer gesagt, daß der nicht wieder= käme?"

„Schon gut, Mutter; schon gut!" meinte der Schulze, „der tut's auch," und dem Fremden die Hand entgegenstreckend fuhr er fort:
20 „Schön Willkommen[1] in Germelshausen, mein junger Herr, wo Euch das Mädchen auch mag aufgefunden haben. Und jetzt kommt herein zum Essen und eßt nach Herzenslust — alles Weitere können wir nachher besprechen."[2]

Er ließ dem jungen Maler auch wirklich keinen weiteren Raum 25 zu irgend einer Entschuldigung,[3] sondern kräftig[4] seine Hand schüt= telnd,[5] die Gertrud losgelassen hatte, sobald er den Fuß auf die steinerne Treppe setzte, faßte er ihn freundlich unter den Arm und führte ihn in die breite und geräumige[6] Wohnstube[7] ein.

Im Hause selber war eine feuchte,[8] erdige[9] Luft zu merken, und

---

[1] Willkommen *welcome*   [2] Cf. note 2, Chap. 3
[3] die Entschuldigung (from Schuld; ent= denotes separation) *excuse, apology*
[4] kräftig (from die Kraft) *vigorously*   [5] schütteln *to shake*
[6] geräumig (from der Raum *room, space*) *roomy, spacious*
[7] die Wohnstube (wohnen + die Stube *room*) *living room*
 [8] feucht *moist*   [9] erdig (from die Erde) *earthy*

so gut Arnold die Gewohnheit [10] des deutschen Bauern kannte, der
sich in seinem Zimmer am liebsten von jeder frischen Luft abschließt
und selbst im Sommer nicht selten Feuer im Ofen hat, um die ihm
behagliche Brathitze [11] zu genießen, so fiel es ihm doch auf. Der enge
Hausgang [12] hatte dabei ebenfalls wenig Einladendes. Der Kalk [5]
(*plaster*) war von den Wänden gefallen und schien eben nur auf
ganz eilige Weise beiseite gekehrt [13] zu sein. Das einzige kleine Fenster im hinteren Teile desselben konnte kaum ein schwaches Licht
hereinwerfen, und die Treppe, die zu den oberen [14] Zimmern führte,
sah alt und zerfallen [15] aus. [10]

Es blieb ihm aber nur wenig Zeit, das zu beobachten, denn im
nächsten Augenblicke schon warf sein freundlicher Wirt die Tür der
Wohnstube auf, und Arnold sah sich in einem nicht hohen, aber
breiten und geräumigen Zimmer, das frisch gelüftet,[16] mit weißem
Sand gestreut,[17] und mit dem großen, von schneeigen Linnen bedeck- [15]
ten Tisch in der Mitte, gar freundlich gegen das übrige [18] etwas
zerfallene Aussehen des Hauses abstach.[19]

Außer der alten Frau, die jetzt das Fenster geschlossen hatte und
ihren Stuhl zum Tisch rückte,[20] saßen noch ein paar rotbäckige [21]
Kinder in der Ecke, und eine würdige Bauernfrau — aber auch in [20]
ganz anderer Tracht als die der Nachbardörfer — öffnete eben dem
mit einem großen Teller hereinkommenden Dienstmädchen die Tür.
Und jetzt war das Essen auf dem Tische, und alles drängte an die
Stühle dem willkommenen Mahl entgegen; keines aber setzte sich, und
die Kinder schauten mit, wie es Arnold vorkam,[22] fast ängstlichen [25]
Blicken auf den Vater.

---

[10] die Gewohnheit (cf. gewöhnlich *usual, customary*) *custom*
[11] die Brathitze (braten + die Hitze) *roasting heat*
[12] der Hausgang *hall*
[13] kehren usually means *to turn*, but here it means *to sweep*
[14] ober *upper*
[15] zerfallen (zer= means *to pieces*) *fallen to pieces, dilapidated*
[16] lüften (from die Luft) *to air, to ventilate*, or at times also *to lift*
[17] streuen *to strew, to scatter*   [18] übrig *other, remaining*
[19] ab=stechen gegen *to contrast with*   [20] rücken *to move, to push*
[21] rotbäckig = mit roten Backen
[22] Cf. es kommt mir vor *it seems to me*

Dieser trat nun zu seinem Stuhle, lehnte sich mit dem Arm darauf und sah still und schweigend, ja finster [23] vor sich nieder. — Betete [24] er? Arnold sah, daß er die Lippen fest zusammengepreßt hielt, während seine rechte Hand zusammengeballt an der Seite niederhing. 5 In diesen Zügen lag kein Gebet, nur starrer,[25] und doch unschlüssiger [26] Trotz.

Gertrud ging da leise auf ihn zu und legte ihre Hand auf seine Schulter, und die alte Frau stand ihm sprachlos gegenüber und sah ihn mit ängstlichen Blicken an.

10 „Laßt uns essen!" sagte da mit rauher Stimme der Mann — „es hilft doch nichts!" und seinen Stuhl beiseite rückend und seinem Gaste zunickend, ließ er sich selber nieder, ergriff einen großen Löffel und servierte alle um den Tisch.

Arnold kam das ganze Wesen des Mannes fast unheimlich vor, 15 und in den gedrückten Zügen der übrigen konnte er sich ebenfalls nicht behaglich fühlen. Der Schulze aber war nicht der Mann, der sein Mittagessen mit traurigen Gedanken gegessen hätte. Als er auf den Tisch klopfte, trat das Dienstmädchen wieder herein und brachte Flaschen [27] und Gläser, und mit dem herrlichen alten Wein, den er 20 jetzt servierte, kam bald ein ganz anderes, fröhlicheres Leben in alle um den Tisch.

6

Nach dem Essen

In Arnolds Blut strömte [1] der herrliche Wein wie flüssiges [2] Feuer — nie im Leben hatte er etwas Ähnliches getrunken — und auch Gertrud trank davon, und die alte Mutter, die sich nachher an

---

[23] finster *darkly, gloomily*
[24] beten *to pray* — das Gebet *prayer*   [25] starr *rigid*
[26] unschlüssig (from schließen *to close, to conclude*) *inconclusive, undecided*
[27] die Flasche *flask, bottle*

[1] strömen (from der Strom) *to stream*
[2] flüssig (from fließen; cf. also der Fluß) *fluid, liquid*

ihr Spinnrad [3] in die Ecke setzte und mit leiser Stimme ein kleines
Lied von dem lustigen Leben in Germelshausen sang. Der Schulze
selber aber war ganz anders geworden. So ernst und schweigsam [4]
er vorher gewesen war, so lustig und heiter [5] wurde er jetzt, und
Arnold selber konnte sich dem Einflusse [6] dieses herrlichen Weines 5
nicht entziehen. [7] Ohne daß er wirklich genau wußte, wie es gekom=
men war, hatte der Schulze eine Violine in die Hand genommen und
spielte einen lustigen Tanz, [8] und Arnold, die schöne Gertrud im
Arm, tanzte mit ihr in der Stube so kräftig herum, daß er das
Spinnrad und die Stühle umwarf und gegen das Dienstmädchen 10
anrannte, das die Teller hinaustragen wollte, und er war überhaupt
so lustig, daß die übrigen darüber vor Lachen sterben wollten.

Plötzlich wurde alles still in der Stube, und als sich Arnold
erstaunt [9] nach dem Schulzen umschaute, deutete dieser mit seinem
Violinbogen [10] nach dem Fenster und legte dann das Instrument 15
wieder in den großen Holzkasten [11] zurück, aus dem er es vorher
genommen hatte. Arnold aber sah, wie draußen auf der Straße ein
Sarg (*coffin*) vorbeigetragen wurde.

Sechs Männer, in weiße Hemden gekleidet, hatten ihn auf den
Schultern, und hinterher ging ganz allein ein alter Mann mit einem 20
kleinen, blondhaarigen Mädchen an der Hand. Der Alte schritt
ganz traurig auf der Straße hin; die Kleine aber, die kaum vier
Jahre zählen mochte und wohl überhaupt nicht wußte, wer da in
dem dunklen Sarge lag, nickte überall freundlich hin, wo sie ein
bekanntes Gesicht traf, und lachte hell auf, als ein paar Hunde vor= 25
über liefen und der eine gegen die Treppe des Schulhauses anrannte
und zur Erde fiel.

[3] das Spinnrad (from spinnen *to spin* + das Rad *wheel*) *spinning wheel*
[4] schweigsam (from schweigen) *silent*
[5] heiter *cheerful*
[6] der Einfluß (cf. note 2 above) *influence*
[7] entziehen (cf. note 3, Chap. 5) *to withdraw* — sich entziehen *to withdraw
oneself, escape*
[8] der Tanz (from tanzen *to dance*) *dance*
[9] erstaunt (from staunen and erstaunen *to be astonished*) *astonished*
[10] der Violinbogen (cf. note 20, Chap. 4) *violin bow*
[11] der Holzkasten (das Holz + der Kasten *box*) *wooden box*

Nur aber so lange der Sarg in Sicht war, dauerte die Stille, und Gertrud trat zu dem jungen Maler heran und sagte:

„Jetzt gebt auf kurze Zeit Ruhe — Ihr habt nun genug gespielt, und der schwere Wein steigt Euch sonst immer mehr in den Kopf. 5 Kommt, nehmt Euren Hut, und wir wollen einen kleinen Spazier=gang zusammen machen. Bis wir zurückkommen, wird es Zeit in das Wirtshaus zu gehen, denn heute abend ist Tanz."

„Tanz? — das ist recht," rief Arnold vergnügt,[12] „da bin ich gerade zur guten Zeit gekommen; und du gibst mir den ersten Tanz, 10 Gertrud?"

„Gewiß, wenn Ihr wollt."

Arnold hatte schon Hut und Mappe (*portfolio*) aufgegriffen.

„Was wollt Ihr mit dem Buche?" fragte der Schulze.

„Er zeichnet, Vater," sagte Gertrud — „er hat auch mich schon 15 gemalt. Seht Euch einmal das Bild an."

Arnold öffnete die Mappe und hielt dem Manne das Bild entgegen. Der Bauer betrachtete[13] es still und schweigend eine Weile.

„Und das wollt Ihr mit nach Hause nehmen?" sagte er endlich, „und vielleicht in einen Rahmen[14] machen und in die Stube hängen?"

20 „Und warum nicht?"

„Darf er, Vater?" fragte Gertrud.

„Wenn er nicht bei uns bleibt," lachte der Schulze, „hab' ich nichts dagegen — aber da hinten fehlt noch etwas."

„Was?"

25 „Der Leichenzug[15] von vorhin. — Malt den mit auf das Blatt, und Ihr mögt das Bild mitnehmen."

„Aber der Leichenzug zu Gertrud?"

„Da ist noch Platz genug," sagte entschlossen der Schulze, „der muß mit darauf sein, sonst leid' ich nicht, daß Ihr meines Mädchens 30 Bild so ganz allein mit fortnehmt. In so ernster Gesellschaft kann aber niemand etwas Übles davon denken."

---

[12] vergnügt (cf. das Vergnügen) = fröhlich *pleased*
[13] betrachten *to observe*   [14] der Rahmen *frame*
[15] der Leichenzug (die Leiche *corpse, funeral* + der Zug) *funeral procession*

Arnold schüttelte über den wunderlichen Vorschlag,[16] dem hüb=
schen Mädchen einen Leichenzug als Ehrenwache [17] mitzugeben, lachend
den Kopf. Der Alte schien aber einmal die fixe Idee zu haben, und
um ihn zu beruhigen, tat er ihm den Willen. Später konnte er den
traurigen Teil des Bildes ja leicht wieder entfernen.[18]   5

Mit geübter Hand hatte er auch bald die eben vorbeigezogenen
Gestalten, wenn auch nur aus der Erinnerung, auf das Papier
gebracht, und die ganze Familie drängte sich dabei um ihn her und
sah mit sichtbarem [19] Staunen, wie rasch der junge Mann die
Zeichnung [20] machte.   10

„Hab' ich's so recht gemacht?" rief Arnold endlich, als er von
seinem Stuhle aufsprang und ihnen das Bild entgegenhielt.

„Wunderbar!" nickte der Schulze, — „hätt's nimmer gedacht, daß
Ihr's so schnell fertig brächtet. Jetzt mag's sein, und nun geht mit
dem Mädchen hinaus und seht Euch das Dorf an — möchtet es 15
doch sobald nicht wieder zu sehen bekommen. Bis um fünf Uhr seid
aber fein wieder da — wir feiern ein Fest heute, und da müßt Ihr
dabei sein."

7

Ein Spaziergang

Arnold selber wurde es in der feuchten Stube, den Wein im Kopfe,
weh [1] und eng zumute, und er sehnte [2] sich hinaus ins Freie, und 20

---

[16] der Vorschlag (from vor=schlagen) *proposal*
[17] die Ehrenwache (die Ehre + wachen) *guard of honor*
[18] entfernen = weg=nehmen *to remove* — cf. notes 42, Chap. 1, and 28,
Chap. 2
[19] sichtbar (from die Sicht *sight* and sehen — the suffix =bar usually
corresponds to the *-ible* and *-able* suffixes in English) *visible*
[20] die Zeichnung (from zeichnen) *drawing, sketch*

[1] das Weh *woe, pain* — cf. es tut mir weh *it hurts me, it pains me;* er tut
mir weh *he hurts me;* es ist mir weh *I am grieved, I am hurt;* es ist mir weh
zu Mute (or zumute) *I feel sad*
[2] sehnen *to long* — cf. die Sehnsucht *longing*

wenige Minuten später schritt er an der schönen Gertrud Seite die
Straße entlang, die durch das Dorf führte.

Jetzt lag auch der Weg nicht mehr so still da wie vorhin; die
Kinder spielten auf der Straße, die Alten saßen hie und da vor ihren
5 Türen und sahen ihnen zu, und der ganze Ort mit seinen alten,
wunderlichen Gebäuden hätte sicherlich [3] sogar ein freundliches Aus=
sehen gehabt, wäre die Sonne nur imstande [4] gewesen, durch den
dichten, bräunlichen Rauch zu dringen, der wie eine Wolke über den
Dächern lag.

10 „Ist hier ein Waldbrand [5] in der Nähe?" fragte er das Mädchen;
„derselbe Rauch liegt über keinem anderen Dorfe und ist hier gewiß
nicht von den Öfen in den Häusern."

„Es ist Erdrauch," sagte Gertrud ruhig — „aber habt Ihr nie von
Germelshausen gehört?"

15 „Nie."

„Das ist sonderbar, [6] und das Dorf ist doch schon so alt — so alt."

„Die Häuser sehen wenigstens danach aus, und auch die Leute
haben alle eine so wunderliche Tracht, und eure Sprache klingt so
ganz anders, als in den Nachbarorten. Ihr kommt wohl wenig
20 hinaus aus eurem Orte?"

„Wenig," sagte Gertrud traurig.

„Und kein einziger Vogel ist mehr da? — Die können doch noch
nicht fortgezogen sein?"

„Schon lange" — antwortete eintönig das Mädchen — „in Ger=
25 melshausen baut sich keiner mehr sein Nest. — Vielleicht haben sie
den Erdrauch nicht gerne."

„Aber den habt ihr doch nicht immer?"

„Immer."

„Dann ist der auch Schuld daran, daß eure Obstbäume keine
30 Früchte tragen, und noch in Marisfeld mußten sie dieses Jahr die
Äste stützen, so reich gesegnet [7] ist das Jahr."

[3] sicherlich (from sicher) = gewiß *surely, certainly*
[4] imstande sein *to be able*
[5] der Waldbrand (=brand from brennen) *forest fire*
[6] sonderbar *strange, queer*   [7] segnen *to bless* — cf. sich segnen *to be thankful*

Gertrud erwiderte kein Wort darauf und wanderte schweigend an seiner Seite, immer im Dorfe hin, bis sie das Ende desselben erreich= ten. Unterwegs nickte sie nur manchmal einem Kinde freundlich zu oder sprach mit einem der jungen Mädchen — vielleicht über den heutigen Tanz und neue Kleidung für das Fest — ein paar leise 5 Worte. Und die Mädchen sahen dabei den jungen Maler mit recht mitleidsvollen [8] Blicken an, daß es diesem, er wußte selber nicht recht warum, ganz warm und weh ums Herz wurde — aber er wagte es nicht, Gertrud darüber zu fragen.

Jetzt endlich hatten sie die letzten Häuser erreicht, und so lebendig [9] 10 es im Dorfe selber auch gewesen war, so still und einsam, ja so toten= ähnlich wurde es hier. Die Gärten sahen aus, als ob sie seit langen, langen Jahren nicht betreten [10] wären; in den Wegen wuchs Gras, und merkwürdig [11] schien es besonders dem jungen Fremden, daß kein einziger Obstbaum auch nur e i n e Frucht trug. 15

Da begegneten ihnen Menschen, die von draußen hereinkamen, und Arnold erkannte sogleich den zurückkehrenden Leichenzug. Die Leute zogen still an ihnen vorüber wieder in das Dorf hinein, und fast unwillkürlich lenkten sich beider Schritte dem Gottesacker [12] zu.

Arnold suchte jetzt seine Begleiterin, die ihm gar so ernst vorkam, 20 aufzuheitern,[13] erzählte ihr von anderen Orten, wo er gewesen war, und wie es draußen in der Welt aussah. Sie hatte noch nie eine Eisenbahn gesehen, ja nie davon gehört, und horchte aufmerksam und erstaunt seiner Erklärung.[14] Auch von dem Telegraphen hatte sie keinen Begriff,[15] eben so wenig von all den neueren Sachen, und der 25 junge Maler konnte nicht begreifen, wie es möglich sei, daß noch

[8] mitleidsvoll (das Mitleid *compassion, pity* from leiden) *full of pity, compassionate*

[9] lebendig (from leben) *lively*   [10] Cf. note 2, Chap. 3

[11] merkwürdig (merken + würdig) *noteworthy, remarkable*

[12] der Gottesacker (Gottes + der Acker) *cemetery*

[13] auf=heitern *to cheer up* — cf. note 5, Chap. 6

[14] die Erklärung (from erklären) *explanation* — the noun ending =ung (cf. English -*ing*) is added to verb stems to denote the action indicated in the stem, or its result

[15] der Begriff (from greifen *to grasp* and begreifen *to grasp, to comprehend*) = Idee *concept, comprehension*

Menschen in Deutschland so abgeschieden, so ganz getrennt von der übrigen Welt und außer der geringsten Verbindung [16] mit ihr leben konnten.

In diesen Gesprächen [17] erreichten sie den Gottesacker, und hier
5 fielen dem jungen Fremden gleich die altertümlichen [18] Grabsteine [19] auf, so einfach sie auch im ganzen waren.

„Das ist ein alter, alter Stein," sagte er, als er sich zu dem näch=sten niederbog und mit Mühe die altertümliche Schrift [20] desselben gelesen hatte, „Anna Maria Berthold, geborene Stieglitz, geboren
10 am 1sten Dezember 1188 — gestorben den 2ten Dezember 1224 —"

„Das ist meine Mutter," sagte Gertrud ernst, und ein paar große, helle Tränen drängten sich in ihr Auge und fielen langsam auf ihr Kleid nieder.

„Deine Mutter, mein gutes Kind?" sagte Arnold erstaunt, „deine
15 Ur=Ur=Großmutter,[21] ja, die könnte es gewesen sein."

„Nein," sagte Gertrud, „meine rechte Mutter — der Vater hat sich nachher wieder verheiratet,[22] und die zu Hause ist nicht meine eigene Mutter."

„Aber steht da nicht: gestorben 1224?"

20 „Was kümmert [23] mich das Jahr," sagte Gertrud traurig, — „es tut gar weh, wenn man so von der Mutter getrennt wird, und doch" — setzte sie leise und recht schmerzlich hinzu — „war es viel=leicht gut — recht gut, daß sie vorher zu Gott eingehen durfte."

Arnold bog sich kopfschüttelnd wieder über den uralten Stein,
25 die Grabschrift genauer anzusehen, ob die erste 2 in der Jahreszahl [24] vielleicht eine 8 sei, denn die altertümliche Schrift machte das nicht

---

[16] die Verbindung (from verbinden) *connection* — cf. note 14 above
[17] das Gespräch (from sprechen) *conversation*
[18] altertümlich (from das Altertum *antiquity*) *ancient, antiquated*
[19] das Grabstein (graben *to dig*, begraben *to bury*, das Grab *grave*) *grave-stone*
[20] die Schrift *script, writing*
[21] die Ur=Ur=Großmutter *great-great-grandmother* — the prefix ur= means *primitive, original, very old*
[22] sich verheiraten (from heiraten) *to marry, to get married*
[23] kümmern (from der Kummer *grief, sorrow*) *to trouble, to concern*
[24] die Jahreszahl (cf. zählen) *date*

unmöglich; aber die andere 2 war der ersten ganz gleich und 1884 schrieben sie noch lange nicht. Vielleicht hatte sich der Steinmetz (*stone-cutter*) geirrt, und das Mädchen war so in die Erinnerung an ihre Mutter vertieft,[25] daß er sie nicht weiter durch vielleicht lästige [26] Fragen stören mochte. Er ließ sie deshalb bei dem Steine, 5 an dem sie niedergesunken war und leise betete, um sich einige andere Grabsteine anzusehen; aber alle ohne Ausnahme trugen Jahreszahlen viele hundert Jahre zurück, selbst bis 930, ja 900 nach Christi Geburt,[27] und kein neuerer Stein ließ sich auffinden, und doch wurden die Toten selbst jetzt noch hier begraben, wie man an dem letzten, 10 ganz frischen Grab sehen konnte.

Von der niederen Kirchhofmauer aus hatte man aber auch einen wunderbaren Überblick über das alte Dorf, und Arnold benutzte [28] rasch die Gelegenheit,[29] eine Zeichnung davon zu machen. Aber auch über diesem Platz lag der wunderliche Erdrauch, und weiter dem 15 Walde zu konnte er doch die Sonne hell und klar auf die Berge niederfallen sehen.

8

Die Geschichte des Dorfes

Da schlug im Dorfe wieder die alte, zersprungene Glocke, und Gertrud, rasch aufstehend und die Tränen aus den Augen schüttelnd, winkte freundlich dem jungen Manne, ihr zu folgen. 20

Arnold war rasch an ihrer Seite.

„Jetzt dürfen wir nicht mehr traurig sein," sagte sie lächelnd, „der Gottesdienst ist eben zu Ende, und nun geht es zum Tanze. Ihr

---

[25] vertieft (from tief) *engrossed, absorbed*
[26] lästig (from die Last *load, burden*) *burdensome, troublesome*
[27] die Geburt *birth* — nach Christi Geburt *A.D.*
[28] benutzen or benützen (from nutzen or nützen *to be of use, to make use of*) *to utilize*
[29] die Gelegenheit *opportunity, occasion*

habt bis jetzt wohl geglaubt, daß die Germelshauser nichts als Kopf=
hänger wären; heute abend sollt Ihr das Gegenteil erfahren."

„Aber da drüben (*over there*) ist doch die Kirchentür," sagte
Arnold, „und ich sehe niemanden herauskommen."

5 „Das ist sehr natürlich," lachte das Mädchen, „weil niemand hin=
ein geht, der Pfarrer [1] selber nicht einmal. Nur der alte Sakristan
(*sexton*) gibt sich keine Ruhe und läutet vor und nach der Zeit des
Gottesdienstes."

„Und keins von euch geht in die Kirche?"

10 „Nein, — weder zur Messe [2] — noch Beichte (*confession*)," sagte
das Mädchen ruhig, „wir liegen in einem Streite [3] mit dem Papste, [4]
der in Italien wohnt, und der will es nicht leiden, bis wir ihm
wieder gehorchen." [5]

„Aber davon hab' ich im Leben nichts gehört."

15 „Ja, es ist auch schon lange her," sagte das Mädchen gutmütig, [6] —
„seht Ihr, da kommt der Sakristan ganz allein aus der Kirche und
schließt die Tür zu; der geht auch nicht abends ins Wirtshaus, son=
dern sitzt still und allein daheim."

„Und der Pfarrer kommt?"

20 „Das sollt' ich meinen — und ist der lustigste von allen. Er
nimmt sich's nicht zu Herzen."

„Und weshalb [7] ist das alles geschehen?" sagte Arnold, der sich
fast weniger über den Streit selbst, als über des Mädchens Unbe=
fangenheit [8] wunderte.

25 „Das ist eine lange Geschichte," meinte aber Gertrud, „und der
Pfarrer hat das alles in ein großes, dickes Buch aufgeschrieben.
Wenn's Euch gefällt und Ihr Lateinisch versteht, mögt Ihr's darin
lesen. Aber" — setzte sie warnend hinzu — „sprecht nicht davon,
wenn mein Vater dabei ist, denn er hat's nicht gern. Seht Ihr —

---

[1] der Pfarrer *clergyman*   [2] die Messe *mass*
[3] der Streit (from streiten) *quarrel*
[4] der Papst *pope*   [5] gehorchen *to obey*
[6] gutmütig (gut + der Mut) *good-naturedly*
[7] weshalb = warum
[8] die Unbefangenheit *simplicity, naïvete* — from befangen *shy, embarrássed*
and unbefangen *naïve, simple*

26

da kommen die Burschen und Mädchen schon aus den Häusern; jetzt muß ich machen, daß ich heim komme und mich auch anziehe, denn ich möchte nicht die letzte sein."

„Und den ersten Tanz, Gertrud?" —

„Tanz' ich mit Euch, Ihr habt mein Versprechen." 5

Rasch schritten die beiden in das Dorf zurück, wo jetzt aber ein ganz anderes Leben zu merken war, als am Morgen. Überall standen lachende Gruppen [9] von jungen Leuten; die Mädchen hatten ihre Festkleidung an, und die Burschen waren ebenfalls aufs beste gekleidet, und an dem Wirtshause, an dem sie vorbeigingen, hingen Blattgir= 10 landen (*garlands of leaves*) von einem Fenster zum anderen und zogen über der Tür einen weiten Triumphbogen.

9

Am Abend

Arnold mochte sich, da er alles aufs beste gekleidet sah, nicht in seinen Reisekleidern zwischen die anderen mischen, schnallte deshalb in des Schulzen Hause seinen Tornister auf, nahm seine besten Kleider 15 heraus und war eben mit seiner Toilette fertig, als Gertrud an die Tür klopfte und ihn abrief. Und wie wunderbar schön sah das Mäd= chen jetzt in ihrer einfachen und doch so reichen Tracht aus, und wie herzlich bat sie ihn, sie zu begleiten, da Vater und Mutter erst später nachfolgen würden. 20

Die Sehnsucht nach ihrem Heinrich kann ihr das Herz nicht beson= ders drücken, dachte der junge Mann freilich, als er ihren Arm in den seinen zog und mit ihr durch die jetzt einbrechende Dämmerung [1] dem Tanzsaale [2] zuschritt; aber er wagte es nicht, einem solchen

---

[9] die Gruppe *group*

[1] die Dämmerung (from dämmern *to dawn, to get dark*) *dusk, dawn, twilight*

[2] der Tanzsaal (der Tanz + der Saal *room, hall*) *dance hall*

Gedanken Worte zu geben, denn ein wunderliches Gefühl zog durch seine Brust, und sein Herz klopfte ihm selber viel zu rasch, als er das des Mädchens an seinem Arme klopfen fühlte.

„Und morgen muß ich wieder fort," seufzte er leise vor sich hin.
5 Ohne daß er es selber wollte, waren aber die Worte zu dem Ohre seiner Begleiterin gedrungen, und sie sagte lächelnd:

„Sorgt Euch nicht um das — wir bleiben länger zusammen — länger vielleicht als Euch gefällt."

„Und würdest du es gerne sehen, Gertrud, wenn ich bei euch bliebe?"
10 fragte Arnold, und er fühlte dabei, wie ihm das Blut mit voller Gewalt in die Stirn schoß.

„Gewiß," sagte das junge Mädchen unbefangen. „Ihr seid gut und freundlich — mein Vater hat Euch auch gern, ich weiß es, und — Heinrich ist doch nicht gekommen!" setzte sie leise und fast zornig hinzu.
15 „Und wenn er nun morgen käme?"

„Morgen?" sagte Gertrud und sah ihn mit ihren großen, dunklen Augen ernst an — „dazwischen liegt eine lange — lange Nacht. Morgen! Ihr werdet morgen begreifen, was das Wort bedeutet. Aber heute sprechen wir nicht davon," brach sie kurz und freundlich
20 ab, „heute ist das frohe Fest, auf das wir uns so lange, so sehr, sehr lange gefreut haben, und das wollen wir uns ja nicht durch traurige Gedanken verderben.[3] Und hier sind wir auch am Orte — die Burschen werden nicht schlecht schauen, wenn ich mir einen neuen Tänzer mitbringe."

25 Arnold wollte ihr etwas darauf erwidern, aber die Musik, die von innen heraustönte, war so laut, daß sie ein weiteres Gespräch unmöglich machte. Wunderliche Weisen spielten auch die Musiker[4] — er kannte keine einzige davon, auch glänzten die vielen Lichter so, daß er im Anfang fast nichts sehen konnte. Gertrud führte ihn
30 jedoch mitten in den Saal hinein, wo eine Menge junger Bauernmädchen schwatzend zusammenstanden; dort erst ließ sie ihn los,[5] sich, bis der wirkliche Tanz begann, erst ein wenig umzusehen und mit den übrigen Burschen bekannt zu werden.

[3] verderben *to spoil*   [4] der Musiker *musician*   [5] los *loose, free*

Arnold fühlte sich im ersten Augenblicke zwischen den vielen frem=
den Menschen nicht behaglich; auch die wunderliche Tracht und Sprache
der Leute stieß ihn ab,[6] und so lieb diese harten, ungewohnten [7]
Laute von Gertruds Lippen klangen, so rauh tönten sie von anderen
an sein Ohr. Die jungen Burschen waren aber alle freundlich gegen 5
ihn, und einer von ihnen kam auf ihn zu, nahm ihn bei der Hand
und sagte:

„Das ist sehr freundlich von Euch, Herr, daß Ihr bei uns bleiben
wollt — wir führen auch ein lustiges Leben, und die Zwischenzeit
vergeht rasch genug." 10

„Welche Zwischenzeit?" fragte Arnold, weniger erstaunt über den
Ausdruck,[8] als daß der Bursche so fest daran glaubte, daß er dieses
Dorf zu seiner Heimat [9] machen wollte. „Ihr meint, daß ich hier=
her zurückkehre?"

„Und Ihr wollt wieder fort?" fragte der junge Bauer rasch. 15

„Morgen — ja — oder übermorgen [10] — aber ich komme wieder."

„Morgen? — so?" lachte der Bursch — „ja dann ist's schon recht
— na, morgen sprechen wir weiter darüber. Jetzt kommt, daß ich
Euch unsere Vergnügung [11] einmal zeige, denn wenn Ihr morgen
schon wieder fort wollt, bekämet Ihr die am Ende nicht einmal zu 20
sehen."

Die anderen lachten mit einander, der junge Bauer aber nahm
Arnold an der Hand und führte ihn im ganzen Hause herum, das
dicht gedrängt voll lustiger Gäste war. Zuerst kamen sie durch Zim=
mer, in denen Kartenspieler saßen und große Haufen Geldes vor sich 25
liegen hatten, dann betraten sie eine Kegelbahn (*bowling alley*), die
mit hellglänzenden Steinen ausgelegt war. In einem dritten Zim=

---

[6] ab=stoßen means literally *to push off* and hence figuratively *to repel,
to be disagreeable to*

[7] gewohnt *accustomed, customary* — ungewohnt *unaccustomed* — cf. note
10, Chap. 5

[8] der Ausdruck (from drücken *to press* and aus=drücken *to express*) *expression*

[9] die Heimat *home, home town, home country*

[10] übermorgen *day after tomorrow* — cf. also vorgestern *day before yesterday*

[11] die Vergnügung *pleasure, amusement* — cf. note 12, Chap. 6

mer wurden andere Spiele gespielt, und die jungen Mädchen liefen lachend und singend aus und ein und schwatzten mit den jungen Burschen, bis auf einmal die Musiker, die bis dahin lustig fortge= spielt hatten, mitten in ihrem Spielen aufhörten und das Zeichen
5 zum Beginn des Tanzes gaben und Gertrud auch an Arnolds Seite stand und seinen Arm faßte.

10

Der Tanz

„Kommt, wir dürfen nicht die Letzten sein," sagte das schöne Mäd= chen, „denn als des Schulzen Tochter muß ich den Tanz eröffnen."

„Aber was für eine seltsame Melodie ist das?" sagte Arnold, „ich
10 finde mich gar nicht in den Takt (*tempo*)."

„Es wird schon gehen," lächelte Gertrud; „in den ersten fünf Minu= ten findet Ihr Euch hinein, und ich sage Euch wie."

Laut jubelnd [1] drängte jetzt alles, nur die Kartenspieler ausge= nommen, [2] dem Tanzsaale zu, und Arnold vergaß in dem einen
15 seligen [3] Gefühle, das wunderbar schöne Mädchen in seinen Armen zu halten, bald alles andere.

Wieder und wieder tanzte er mit Gertrud, und kein anderer bat um die Erlaubnis [4] mit ihr zu tanzen, wenn die übrigen Mädchen im Vorbeifliegen auch manchmal darüber lächelten. Eines nur fiel
20 ihm auf und störte ihn; dicht neben dem Wirtshause stand die alte Kirche, und im Saale konnte man deutlich [5] die disharmonischen Schläge [6] der zersprungenen Glocke hören. Bei dem ersten Schlage derselben aber war es, als ob der Stab eines Zauberers [7] die Tan=

---

[1] jubeln (from der Jubel *hilarity, merriment*) *to rejoice, to shout with joy*
[2] ausgenommen *excepted* — cf. note 27, Chap. 4
[3] selig *happy, blissful*, and also, at times, *deceased, late*
[4] die Erlaubnis (from erlauben) *permission*   [5] deutlich *clearly*
[6] der Schlag (from schlagen) *blow, stroke*
[7] der Zauberer (from der Zauber *magic*) *magician*

zenden berührt hätte. Die Musik hörte mitten im Takte auf zu spielen, die lustige Menge blieb stehen, still und bewegungslos,[8] und alles zählte schweigend die einzelnen langsamen Schläge. Sobald aber das Läuten vorüber war, ging das fröhliche Leben von neuem los. So war es um acht, so um neun, so um zehn Uhr, und wenn 5 Arnold darüber fragen wollte, legte Gertrud ihren Finger an die Lippen und sah dabei so ernst und traurig aus, daß er sie nicht um die Welt hätte mehr stören mögen.

Um zehn Uhr wurde im Tanzen eine Pause gemacht, und die Musiker, die eiserne Lungen haben mußten, schritten vor dem jungen 10 Volke in den Eßsaal hinab. Dort ging es lustig her; der Wein floß nur so, und Arnold, der nicht gut hinter den übrigen zurückbleiben konnte, wunderte sich schon im stillen, wieviel Geld dieser Abend ihn kosten würde. Aber Gertrud saß neben ihm, trank mit ihm aus einem Glase, und wie hätte er da einer solchen Sorge [9] Raum 15 geben können! — Und wenn ihr Heinrich morgen käme?

Der erste Schlag der elften Stunde tönte, und wieder schwieg der laute Jubel der lustigen Menge, wieder dieses atemlose [10] Lauschen den langsamen Schlägen. Es wurde ihm weh zumute; er wußte selber nicht weshalb, und der Gedanke an seine Mutter daheim zog 20 ihm durch das Herz. Langsam hob er sein Glas und leerte es als Gruß den fernen Lieben.

Mit dem elften Schlage aber sprangen die Gäste von den Tischen auf; der Tanz sollte aufs neue beginnen, und alles eilte in den Saal zurück. 25

„Wem habt Ihr zuletzt zugetrunken?" fragte Gertrud, als sie ihren Arm wieder in den seinen gelegt hatte.

Arnold zögerte [11] mit der Antwort. Lachte Gertrud vielleicht über ihn, wenn er es ihr sagte? — Aber nein — so ernsthaft hatte sie ja noch an dem Nachmittage an ihrer eigenen Mutter Grabe gebetet, 30 und mit leiser Stimme sagte er:

[8] bewegungslos (from bewegen, and die Bewegung *movement, motion*) *motionless*   [9] die Sorge (from sorgen) *care, worry*
[10] atemlos (from atmen, and der Atem *breath*) *breathless*
[11] zögern *to hesitate*

31

„Meiner Mutter."

Gertrud erwiderte kein Wort und ging schweigend neben ihm die Treppe wieder hinauf — aber sie lachte auch nicht mehr, und ehe der Tanz wieder begann, fragte sie ihn:

5 „Liebt Ihr Eure Mutter so sehr?"

„Mehr als mein Leben."

„Und sie Euch?"

„Liebt eine Mutter ihr Kind nicht?"

„Und wenn Ihr nicht wieder heim zu ihr kämet?"

10 „Arme Mutter," sagte Arnold — „ihr Herz würde brechen."

„Da beginnt der Tanz wieder," rief Gertrud rasch — „kommt, wir dürfen keinen Augenblick mehr versäumen."

Und wilder als je begann der Tanz; die jungen Burschen, von dem starken Wein erhitzt, jubelten so, daß man die Musik fast nicht hören 15 konnte. Arnold fühlte sich nicht mehr so wohl, und auch Gertrud war ernst und still dabei geworden. Nur bei allen anderen schien der Jubel zu wachsen, und in einer Pause kam der Schulze auf sie zu, schlug dem jungen Manne herzhaft auf die Schultern und sagte lachend:

20 „Das ist recht, Herr Maler, nur lustig getanzt heute abend; wir haben Zeit genug, uns wieder auszuruhen. Na, Trudchen, weshalb schneidest denn du ein so ernstes Gesicht? — paßt [12] das zu dem Tanze heut'? Lustig — na, da geht's wieder los! Jetzt muß ich meine Alte auch suchen, mit ihr den letzten Tanz zu machen, — die 25 Musiker blasen [13] schon wieder die Backen auf!" — und mit einem Freudenschrei drängte er sich durch die Menge der lustigen Menschen.

Arnold hielt Gertrud schon in seinen Armen zu neuem Tanze, als diese sich plötzlich von ihm losmachte, seinen Arm ergriff und leise flüsterte:

30 „Kommt!"

Arnold hatte keine Zeit, sie zu fragen wohin, denn sie glitt [14] ihm unter den Händen weg und der Saaltür zu.

---

[12] passen *to be fitting, to be suitable*
[13] blasen *to blow*   [14] gleiten *to glide, to slip*

„Wohin, Trudchen?" riefen sie ein paar der Mädchen an.

„Bin gleich wieder da," war die kurze Antwort, und wenige Sekun=
den später stand sie mit Arnold draußen in der frischen Abendluft
vor dem Hause.

„Wo willst du hin, Gertrud?" 5

„Kommt!" — Wieder ergriff sie seinen Arm und führte ihn durch
das Dorf, an ihres Vaters Haus vorbei, in das sie hineinsprang und
mit einem kleinen Bündel zurückkehrte. — „Was willst du?" fragte
Arnold erschrocken.

„Kommt!" war das einzige, was sie erwiderte, und an den Häu= 10
sern vorbei schritt sie mit ihm, bis sie die äußere (*outer*) Mauer des
Dorfes hinter sich ließen. Sie waren bis jetzt der breiten, festen und
hartgefahrenen Straße gefolgt; jetzt bog Gertrud links vom Wege ab
und schritt einen kleinen, flachen Hügel [15] hinauf, von dem aus man
gerade auf die hellerleuchteten [16] Fenster und Türen des Wirts= 15
hauses sehen konnte. Hier blieb sie stehen, reichte Arnold die Hand
und sagte herzlich:

„Grüßt Eure Mutter von mir — lebt wohl!"

„Gertrud," rief Arnold ganz erstaunt — „jetzt mitten in der Nacht
willst du mich so von dir schicken? Habe ich dir mit irgend einem 20
Worte weh getan?"

„Nein, Arnold," sagte das Mädchen, ihn zum ersten Male bei
seinem Vornamen nennend, — „eben — eben weil ich Euch gern habe,
müßt Ihr fort."

„Aber so laß ich dich nicht von mir im Dunklen allein in das Dorf 25
zurück" — bat Arnold; „Mädchen, du weißt nicht, wie ich dich liebe,
wie du mir das Herz in wenigen Stunden fest und sicher gefaßt
hast. Du weißt nicht" —

„Sprecht nichts weiter," unterbrach [17] ihn Gertrud rasch, „wir
wollen keinen Abschied [18] nehmen. Wenn die Glocke zwölf geschla= 30
gen hat — es kann kaum noch zehn Minuten dauern — so kommt

---

[15] der Hügel *hill*
[16] hellerleuchtet (leuchten *to shine, to give off light;* erleuchten *to illuminate*)
brightly lighted
[17] unterbrechen *to interrupt*   [18] der Abschied *departure, farewell*

wieder an die Tür des Wirtshauses — dort werd' ich Euch erwarten."

„Und so lange" —

„Bleibt Ihr hier auf dieser Stelle stehen. Versprecht mir, daß Ihr keinen Schritt zur Rechten oder zur Linken gehen wollt, bis die 5 Glocke zwölf geschlagen hat."

„Ich verspreche es, Gertrud, — aber dann" —

„Dann kommt," sagte das Mädchen, reichte ihm die Hand zum Abschied und wollte fort.

„Gertrud!" rief Arnold mit bittendem, schmerzlichem Tone.

10 Gertrud blieb einen Augenblick wie zögernd stehen, dann plötzlich wandte sie sich gegen ihn um, warf ihre Arme um seinen Hals, und Arnold fühlte die eiskalten Lippen des schönen Mädchens fest auf den seinen. Aber es war nur ein Augenblick; in der nächsten Sekunde hatte sie sich losgerissen und floh dem Dorfe zu, und Arnold blieb 15 ganz erstaunt auf der Stelle stehen, wo sie ihn verlassen hatte.

11

Der Sturm

Jetzt erst sah er auch, wie sich das Wetter in den wenigen Stunden verändert [1] hatte. Der Wind heulte [2] durch die Bäume, der Himmel war mit dichten, jagenden Wolken bedeckt, und einzelne große Regentropfen [3] verrieten einen nahen Sturm.

20 Durch die dunkle Nacht glänzten hell die Lichter aus dem Wirtshause heraus, und wie der Wind dort herüber heulte, konnte er in einzelnen unterbrochenen Stößen [4] den lauten Klang der Instrumente hören — aber nicht lange. Nur wenige Minuten hatte er auf

---

[1] sich verändern = anders werden
[2] heulen *to howl*
[3] der Regentropfen (from tropfen *to drip*) *rain-drop*
[4] der Stoß (from stoßen *to push, to thrust*) usually means *push*, but here *blast* is the best equivalent

34

seiner Stelle gestanden, da begann die alte Kirchturmglocke zu schla=
gen — in demselben Augenblick hörte die Musik auf, oder er konnte
sie vor dem heulenden Sturm nicht hören, der so heftig [5] war, daß
Arnold sich zum Boden niederbiegen mußte, um nicht zu fallen.

Vor sich auf der Erde fühlte er da das Paket, das Gertrud aus [5]
dem Hause geholt hatte, seinen eigenen Tornister und seine Mappe,
und erschrocken stand er wieder auf. Die Uhr hatte schon geschlagen,
der Sturm heulte vorüber, aber nirgends [6] im Dorfe entdeckte er
mehr ein Licht. Die Hunde, die kurz vorher gebellt und geheult
hatten, waren still, und dichter, feuchter Nebel stieg aus dem Tale [10]
herauf.

„Jetzt ist es Zeit," sagte Arnold vor sich hin, indem er seinen
Tornister auf den Rücken warf, „und ich muß Gertrud noch einmal
sehen, denn so kann ich nicht von ihr scheiden. Der Tanz ist aus —
die Tänzer werden jetzt nach Hause gehen, und wenn mich der Schulze [15]
auch nicht über Nacht behalten will, bleib' ich im Wirtshause — in
der Dunkelheit fänd' ich außerdem [7] nicht meinen Weg durch den
Wald."

Mit Mühe stieg er den Hügel wieder hinunter, den er mit Gertrud
heraufgekommen war, dort den breiten und weißen Weg zu treffen, [20]
der in das Dorf hineinführte, aber umsonst [8] suchte er unten in den
Büschen danach herum. Das Tal war weich und sumpfig (*swampy*),
mit seinen dünnen Schuhen sank er bis tief über die Füße ein, und
dichtes Gebüsch war überall dort, wo er meinte, den festen Weg zu
finden. Gekreuzt [9] konnte er ihn in der Dunkelheit auch nicht haben, [25]
er mußte ihn fühlen, wenn er darauf trat, und außerdem wußte er,
daß die Mauer des Dorfes bis an den Weg lief — diese konnte er
leicht finden. Aber umsonst suchte er mit einer ängstlichen Hast
danach; der Boden wurde weicher und sumpfiger, je weiter er darin
vordrang, das Gebüsch überall dichter und voller Dornen (*thorns*), [30]
— seine Kleider waren nun zerrissen, und seine Hände bluteten.[10]

[5] heftig *violent*   [6] nirgends *nowhere*
[7] außerdem *aside from that, besides, moreover*
[8] umsonst *in vain, for nothing*   [9] kreuzen (cf. das Kreuz *cross*) *to cross*
[10] bluten (from das Blut) *to bleed*

War er rechts oder links abgekommen und an dem Dorfe vorbei?
Er fürchtete, sich noch weiter zu verirren, und blieb auf einer ziemlich
trockenen Stelle, dort zu erwarten, bis die alte Glocke eins schlagen
würde. Aber es schlug nicht, kein Hund bellte, kein menschlicher Laut
5 tönte zu ihm herüber, und mit Mühe und Not, durch und durch naß [11]
und vor Frost zitternd,[12] arbeitete er sich wieder zu dem höher gele-
genen Hügel zurück, an dem ihn Gertrud verlassen hatte. Wohl
versuchte er von hier aus noch ein paarmal, in das Dickicht einzu-
dringen und das Dorf zu finden, aber vergebens; totmüde und ganz
10 erschrocken blieb er zuletzt fern von dem tiefen, dunklen, unheimlichen
Tal und suchte einen schützenden Baum, um die Nacht dort zu verbringen.[13]

Und wie langsam zogen die Stunden an ihm vorüber! Denn
zitternd vor Frost war er nicht imstande, während der langen Nacht
15 auch nur eine Sekunde zu schlafen. Immer wieder horchte er dabei
in die Dunkelheit hinein, denn immer aufs neue glaubte er den
rauhen Schlag der Glocke zu hören, um immer aufs neue unrecht
zu haben.

12

Der Morgen

Endlich dämmerte der erste matte Schein aus fernem Osten; die
20 Wolken waren vorübergezogen, der Himmel war wieder rein und
sternenhell, und die erwachenden Vögel sangen schon leise in den
dunklen Bäumen.

Und breiter wurde der goldene Schein — schon konnte er deutlich
um sich her die Äste der Bäume erkennen — aber vergebens suchte
25 sein Blick den alten braunen Kirchturm und die wettergrauen Dächer.
Nichts als ein wildes Gebüsch mit einzelnen hohen Bäumen dazwi-

---

[11] naß *wet*   [12] zittern *to tremble*   [13] verbringen *to spend*, or *pass* time

ſchen breitete [1] ſich vor ihm aus. Kein Weg war zu erkennen, der links oder rechts abführte, kein Zeichen einer menſchlichen Wohnung [2] in der Nähe.

Heller und heller brach der Tag an; die erſten Sonnenſtrahlen fielen auf die weite, grüne, vor ihm ausgebreitete Fläche, und Arnold, 5 nicht imſtande dieſes zu erklären, wanderte ein ganzes Stück das Tal zurück. Er mußte ſich in der Nacht, während er den Ort ſuchte, ohne daß er es wußte, verirrt und weiter davon entfernt haben, und war jetzt feſt entſchloſſen, ihn wieder aufzufinden.

Endlich erreichte er den Stein, an dem er Gertrud gezeichnet hatte; 10 den Platz hätte er unter tauſenden wieder erkannt, denn der alte Fliederbuſch (*lilac bush*) bezeichnete [3] ihn zu genau. Er wußte jetzt genau, woher er gekommen war, und wo Germelshauſen liegen mußte, und ſchritt raſch das Tal zurück, genau in derſelben Richtung, der er geſtern mit Gertrud gefolgt war. Dort erkannte er auch die 15 Biegung [4] des Hügels, über dem der dunkle Erdrauch gelegen hatte; nur das Gebüſch ſchied ihn noch von den erſten Häuſern. Jetzt hatte er es erreicht — drängte ſich hindurch und — befand ſich wieder in demſelben Sumpf (*swamp*), in dem er in der letzten Nacht herum= gewandert war. 20

Vollſtändig ratlos (*perplexed*) und ſeinen eigenen Sinnen nicht trauend, wollte er die Paſſage hier erzwingen, aber das ſchmutzige Sumpfwaſſer zwang ihn endlich, das trockene Land wieder zu ſuchen, und vergebens wanderte er jetzt dort auf und ab. Das Dorf war und blieb verſchwunden. [5] 25

Mit dieſen unnützen Verſuchen [6] mochten mehrere [7] Stunden vergangen ſein, und die müden Glieder verſagten [8] ihm zuletzt den Dienſt. [9] Er konnte nicht weiter und mußte ſich erſt ausruhen; was half ihm auch das nutzloſe Suchen? Von dem erſten Dorfe, das er

---

[1] breiten (from breit) *to spread*
[2] die Wohnung (from wohnen) *dwelling, house* — cf. note 14, Chap. 7
[3] bezeichnen *to designate, to mark*   [4] Cf. note 2 above
[5] verſchwinden = ſchwinden   [6] der Verſuch (from verſuchen) *attempt*
[7] mehrere *several*   [8] verſagen *to deny, to refuse*
[9] der Dienſt (from dienen) *service*

erreichte, konnte er leicht einen Führer nach Germelshausen bekommen und sich dann nicht wieder verirren.

Totmüde warf er sich unter einen Baum — und wie sahen seine besten Kleider aus! — Aber das kümmerte ihn jetzt nicht; seine Mappe
5 nahm er vor und aus der Mappe Gertruds Bild, und mit bitterem Schmerz hing sein Auge an den lieben, lieben Zügen des Mädchens, das, wie er zu seinem Schrecken [10] fand, schon einen zu festen Halt [11] an ihn gewonnen hatte.

13

Die Erklärung

Da hörte er hinter sich das Laub (*foliage*) rascheln (*rustle*) — ein
10 Hund bellte, und als er rasch hinaufsprang, stand ein alter Jäger [1] nicht weit von ihm und betrachtete sich neugierig [2] die wunderlich aussehende Gestalt mit so guten aber doch so schmutzigen und zerrissenen Kleidern.

„Grüß Gott!" rief Arnold, sehr froh, einem Menschen hier zu
15 begegnen, indem er das Blatt rasch wieder in die Mappe schob. „Sie kommen mir hier wie gerufen, Herr Förster, [3] denn ich glaube, ich habe mich verirrt."

„Hm," sagte der Alte, „wenn Sie hier die ganze Nacht im Busche gelegen haben — und kaum eine halbe Stunde nach Dillstedt hinüber
20 zu einem guten Wirtshause — so glaub' ich das auch. Donnerwetter, [4] wie sehen Sie aus, gerade als ob Sie eben Hals über Kopf aus Dornen und Sumpf kämen!"

„Sie sind hier im Walde genau bekannt?" sagte da Arnold, der vor allen Dingen wissen wollte, wo er sich eigentlich befand.

[10] der Schrecken *fright, terror* — cf. erschrecken
[11] der Halt (from halten) *hold*

[1] der Jäger (from jagen) *hunter*
[2] neugierig (from die Neugier *curiosity*) *curiously, inquisitively*
[3] der Förster (from der Forst *forest*) *forester*
[4] Donnerwetter *thunderation, good heavens*

„Ich sollt' es denken," lachte der Jäger, indem er Feuer schlug und seine Pfeife [5] wieder in Brand brachte.

„Wie heißt das nächste Dorf?"

„Dillstedt — gerade dort hinüber. Wenn Sie da drüben (*over there*) auf den kleinen Hügel kommen, können Sie es leicht unter 5 sich liegen sehen."

„Und wie weit hab' ich von hier nach Germelshausen?"

„Wohin?" rief der Jäger und nahm erschreckt seine Pfeife aus dem Munde.

„Nach Germelshausen." 10

„Gott steh' uns bei!" sagte da der Alte, während er einen scheuen Blick umherwarf — „den Wald kenn' ich gut genug; wie tief im Erdboden drinnen aber das ,verwünschte (*accursed*) Dorf' liegt, das weiß nur Gott — und — geht uns auch nichts an." [6]

„Das verwünschte Dorf?" rief Arnold erstaunt. 15

„Germelshausen — ja" — sagte der Jäger. „Gleich da drinnen im Sumpfe, wo jetzt die alten Bäume stehen, soll es vor so und so vielen hundert Jahren gelegen haben; nachher ist's weggesunken — niemand weiß, warum und wohin, und die Sage [7] geht, daß es alle hundert Jahre an einem bestimmten Tage wieder ans Licht gehoben 20 würde — möchte aber keinem Christenmenschen wünschen, daß er an solchem Tage dazu käme. — Aber Donnerwetter noch einmal, die Nacht im Busche scheint Ihnen nicht gut zu bekommen. Sie sehen käseweiß aus. Da — trinken Sie mal aus der Flasche hier, das wird Ihnen gut tun." 25

„Ich danke."

„Ach was, das war nicht halb genug — trinken Sie dreimal so viel — so — das ist der echte [8] Stoff, und nun machen Sie, daß Sie hinüber ins Wirtshaus und in ein warmes Bett kommen."

„Nach Dillstedt?" 30

„Nun ja, natürlich — näher haben wir keines."

„Und Germelshausen?"

---

[5] die Pfeife *pipe*   [6] an=gehen *to concern*
[7] die Sage (from sagen) *saying, tale, legend*   [8] echt *genuine, real*

„Tun Sie mir den Gefallen und nennen Sie den Ort nicht wieder hier, gerade an der Stelle, wo wir stehen. Lassen wir die Toten ruhen, und besonders solche, die überhaupt keine Ruhe haben und immer wieder ganz unerwartet zwischen uns auftauchen." [9]

5 „Aber gestern hat das Dorf noch hier gestanden," rief Arnold, seiner Stimme selber kaum mehr mächtig: [10] — „ich war darin — ich habe darin gegessen, getrunken und getanzt."

Der Jäger betrachtete die Gestalt des jungen Mannes ruhig von oben bis unten, dann sagte er lächelnd:

10 „Aber es hieß anders, nicht wahr? — vielleicht kommen Sie gerade von Dillstedt herüber, dort war gestern abend Tanz, und das Bier, das der Wirt jetzt hat, ist manchem Fremden zu stark."

Arnold öffnete, statt aller Antwort, seine Mappe und nahm die
15 Zeichnung heraus, die er vom Kirchhof aus gemacht hatte.

„Kennen Sie das Dorf?"

„Nein!" sagte der Jäger kopfschüttelnd — „solch ein flacher Turm ist hier in der ganzen Gegend nicht."

„Das ist Germelshausen," rief Arnold — „und tragen sich so die
20 Bauernmädchen in dieser Gegend, wie das Mädchen hier?"

„Hm, — nein! Was ist denn das für ein wunderlicher Leichenzug, den Sie da darauf haben?"

Arnold antwortete ihm nicht; er schob die Blätter wieder in seine Mappe zurück, und ein wehes Gefühl zog durch sein Herz.

25 „Den Weg nach Dillstedt können Sie leicht finden," sagte der Jäger gutmütig, denn er glaubte jetzt, daß es im Kopfe des Fremden nicht so ganz richtig sein möchte, — „wenn Sie es aber wünschen, will ich Sie begleiten, bis wir den Ort liegen sehen; ich gehe mir so nicht viel aus dem Wege."

30 „Ich danke Ihnen," erwiderte aber Arnold. „Dort hinüber finde ich schon den Weg. Also alle hundert Jahre nur soll das Dorf nach oben kommen?"

---

[9] auf=tauchen (tauchen means *to dive*) *to come up, to emerge*
[10] mächtig (from die Macht) usually means *mighty*, but here *master of*

„So erzählen die Leute," meinte der Jäger — „wer weiß aber, ob's wahr ist."

Arnold hatte seinen Tornister wieder aufgenommen.

„Grüß Gott!" sagte er, dem Jäger die Hand entgegenstreckend.

„Schönen Dank," erwiderte der Förster — „wo gehen Sie jetzt hin?" 5

„Nach Dillstedt."

„Das ist recht — dort über den Hügel kommen Sie auch wieder auf den breiten Weg."

Arnold wandte sich ab und schritt langsam seine Bahn entlang. 10 Erst auf dem Hügel oben, von dem aus er das ganze Tal übersehen konnte, blieb er noch einmal stehen und schaute zurück.

„Leb' wohl, Gertrud!" sagte er leise, und als er über den Hügel hinüberschritt, drängten sich ihm die großen, hellen Tränen aus den Augen. 15

Immensee

Theodor Storm

THEODOR STORM (1817–88) was born in Husum, a seacoast town in Schleswig, at that time a Danish possession. His family ties seem never to have been very strong, for Storm once stated that he learned during his childhood from the heath, the sea, and other surroundings, far more than from his parents, who apparently had but little time for him.

In 1835 he entered the Gymnasium at Lübeck, and from 1837 to 1842 studied law both at Kiel and Berlin. At the age of twenty-six he seemed destined for a quiet legal career in his native city. He became engaged to a cousin, Konstanze Esmarch, whom he married in 1846. As yet he had shown no outstanding literary talent. However, his marriage was seriously disturbed when Dorothea Jensen (1828–1903), a friend of both Konstanze and Storm, and with whom Storm had been in love, came to visit them. As a result of Storm's unhappiness, he became a true lyricist. Further troubles came a few years later: because of his sympathy for the cause of the liberation of Schleswig-Holstein from Denmark, he was forced to leave Husum in 1853.

He was able to obtain from the Prussian government a position in Potsdam during the years 1853–6, but he was very unhappy and homesick. His next eight years in Heiligenstadt were more pleasant, and it was here he became an outstanding writer of *Novellen*. On the Prussian annexation of Schleswig-Holstein, he returned to Husum as mayor in 1864, the year before the death of Konstanze.

During the following years he assumed various judicial appointments in Husum. In 1866 he married Dorothea, and in 1880, having built a modest house in Hademarschen, he retired from active life to spend his remaining years there.

Storm is a master of the German *Novelle* as well as a writer of outstanding lyrics. *Immensee* ('Bee Lake'), which first appeared in its present version in 1851, became at once very popular in Germany and even Storm was finally reconciled to having his reputation rest on this 'pearl of German poetry.'

1

Der Alte

An einem Spätherbstnachmittage ging ein alter wohlgekleideter Mann langsam die Straße hinab. Er schien von einem Spaziergange nach Hause zurückzukehren; denn seine Schnallenschuhe,[1] die einer vorübergegangenen Mode angehörten, waren bestäubt.[2] Den langen Stock mit goldenem Knopf trug er unter dem Arm; mit seinen dunklen Augen, in welche sich die ganze verlorene Jugend gerettet zu haben schien, und welche wunderlich von den schneeweißen Haaren abstachen, sah er ruhig umher oder in die Stadt hinab, welche im Abendsonnenschein vor ihm lag. — Er schien fast ein Fremder; denn von den Vorübergehenden grüßten ihn nur wenige, obgleich mancher unwillkürlich in diese ernsten Augen zu sehen gezwungen wurde. Endlich stand er vor einem hohen Giebelhause (*gabled house*) still, sah noch einmal in die Stadt hinaus und trat in den Hausgang. Bei dem Läuten der Türglocke wurde drinnen in der Stube von einem kleinen Fenster, welches nach dem Hausgang hinausging, der grüne Vorhang[3] weggeschoben und das Gesicht einer alten Frau

---

[1] Cf. note 7, Chap. 1, *Germelshausen*
[2] bestäubt = mit Staub bedeckt

[3] der Vorhang *curtain*

45

dahinter sichtbar. Der Mann winkte ihr mit seinem Stock. „Noch
kein Licht!" sagte er in einem etwas südlichen Akzent; und die Haus=
hälterin (*housekeeper*) ließ den Vorhang wieder fallen. Der Alte
ging nun über den weiten Hausgang, wo große Eichschränke [4] mit
5 Porzellanvasen an den Wänden standen; durch die gegenüberstehende
Tür trat er in einen kleinen Flur,[5] von wo aus eine enge Treppe
zu den oberen Zimmern des Hinterhauses führte. Er stieg sie lang=
sam hinauf, machte oben eine Tür auf und trat dann in ein ziemlich
großes Zimmer. Hier war es behaglich und still; die eine Wand
10 war fast mit Bücherschränken bedeckt; an der anderen hingen Bilder
von Menschen und Gegenden; vor einem Tische mit grüner Decke,
auf dem einzelne aufgeschlagene [6] Bücher umherlagen, stand ein gro=
ßer Lehnstuhl. — Nachdem der Alte Hut und Stock in die Ecke
gestellt hatte, setzte er sich in den Lehnstuhl und schien mit gefalteten [7]
15 Händen von seinem Spaziergange auszuruhen. — Wie er so saß,
wurde es nach und nach dunkler; endlich fiel ein Mondstrahl durch
die Fensterscheiben auf die Bilder an der Wand, und wie der helle
Schein langsam weiterrückte, folgten die Augen des Mannes unwill=
kürlich. Nun trat er über ein kleines Bild in einem einfachen,
20 schwarzen Rahmen. „Elisabeth!" sagte der Alte leise; und wie er das
Wort gesprochen hatte, war die Zeit verwandelt — er war in
seiner Jugend.[8]

2

Die Kinder

Bald trat die anmutige [1] Gestalt eines kleinen Mädchens zu ihm.
Sie hieß Elisabeth und mochte fünf Jahre zählen; er selbst war

---

[4] der Eichschrank (die Eiche + der Schrank *closet, cabinet*) oak chest
[5] der Flur = der Hausgang *hall*
[6] auf=schlagen *to open*
[7] falten *to fold*
[8] die Jugend *youth*

[1] Cf. note 17, Chap. 2, *Germelshausen*

doppelt so alt. Um den Hals trug sie ein rotseidenes Tuch; das stach hübsch von ihren braunen Augen ab.

„Reinhard!“ rief sie, „wir haben frei, frei! Den ganzen Tag keine Schule, und morgen auch nicht.“

Reinhard stellte die Tafel, die er schon unterm Arm hatte, schnell 5 hinter die Haustür, und dann liefen beide Kinder durchs Haus in den Garten und durch das Gartentor[2] hinaus auf die Wiese. Die unerwarteten Ferien kamen ihnen doppelt herrlich vor. Reinhard hatte hier mit Elisabeths Hilfe ein Haus aus Rasenstücken (*pieces of sod*) gebaut; darin wollten sie die Sommerabende wohnen; aber 10 es fehlte noch die Bank. Nun ging er gleich an die Arbeit; Nägel,[3] Hammer und alles Nötige lagen schon bereit. Während dessen ging Elisabeth an der Mauer entlang und sammelte ringförmige[4] Samen (*seeds*) wilder Pflanzen in ihre Schürze (*apron*); davon wollte sie sich Ketten[5] und Ringe machen; und als Reinhard endlich trotz 15 manches krumm geschlagenen Nagels seine Bank dennoch fertig gebracht hatte und nun wieder in die Sonne hinaustrat, ging sie schon weit davon am andern Ende der Wiese.

“Elisabeth!“ rief er, „Elisabeth!“, und da kam sie, und ihre Locken flogen. „Komm,“ sagte er, „nun ist unser Haus fertig. Du bist ja 20 ganz heiß geworden; komm herein, wir wollen uns auf die neue Bank setzen. Ich erzähle dir etwas.“

Dann gingen sie beide hinein und setzten sich auf die neue Bank. Elisabeth nahm ihre Ketten und Ringe aus der Schürze und zog sie auf lange Fäden;[6] Reinhard fing an zu erzählen: „Es waren einmal 25 drei Spinnfrauen —“

„Ach,“ sagte Elisabeth, „das weiß ich ja auswendig; du mußt auch nicht immer dasselbe erzählen.“

Da mußte Reinhard die Geschichte von den drei Spinnfrauen aufgeben, und statt dessen erzählte er die Geschichte von dem armen 30 Mann, der unter die Löwen geworfen wurde.

[2] das Tor *gate*
[3] der Nagel *nail*
[4] =förmig (from die Form) means -*shaped*, i.e., *having the form of*
[5] die Kette *chain*   [6] der Faden *string*

„Nun war es Nacht," sagte er, „weißt du? ganz finstere, und die
Löwen schliefen. Mitunter [7] aber bewegten sie sich im Schlaf und
steckten die roten Zungen [8] aus; dann schauderte der Mann und
meinte, daß der Morgen komme. Da wurde es auf einmal hell
5 um ihn her, und als er aufsah, stand ein Engel [9] vor ihm. Der
winkte ihm mit der Hand und ging dann gerade in die Felsen hinein."

Elisabeth hatte aufmerksam zugehört. „Ein Engel?" sagte sie.
„Hatte er denn Flügel?" [10]

„Es ist nur so eine Geschichte," antwortete Reinhard; „es gibt ja
10 gar keine Engel."

„Ach was, Reinhard!" sagte sie und sah ihm starr ins Gesicht.
Als er sie aber finster anblickte, fragte sie ihn zweifelnd: „Warum
sagen sie es denn immer? Mutter und Tante und auch in der
Schule?"

15 „Das weiß ich nicht," antwortete er.

„Aber du," sagte Elisabeth, „gibt es denn auch keine Löwen?"

„Löwen? Ob es Löwen gibt! In Indien; da spannt (hitch)
man sie vor den Wagen und fährt mit ihnen durch das Land. Wenn
ich groß bin, will ich einmal selber hin. Da ist es viel tausendmal
20 schöner als hier bei uns; da gibt es gar keinen Winter. Du mußt
auch mit mir. Willst du?"

„Ja," sagte Elisabeth; „aber Mutter muß dann auch mit, und
deine Mutter auch."

„Nein," sagte Reinhard, „die sind dann zu alt, die können nicht
25 mit."

„Ich darf aber nicht allein."

„Du sollst schon dürfen; du wirst dann wirklich meine Frau, und
dann haben die andern dir nichts zu befehlen."

„Aber meine Mutter wird weinen."

30 „Wir kommen ja wieder," sagte Reinhard heftig; „sag es nur
geradeaus: willst du mit mir reisen? Sonst geh' ich allein, und
dann komme ich nimmer wieder."

----

[7] mitunter *now and then*　　　　　　　　　　[8] die Zunge *tongue*
[9] der Engel *angel*　　　　　　　　　　　　　　[10] der Flügel *wing*

Der Kleinen kam das Weinen nahe. „Mach' nur nicht so böse Augen," sagte sie, „ich will ja mit nach Indien."

Reinhard faßte sie mit offener Freude bei den Händen und zog sie hinaus auf die Wiese. „Nach Indien, nach Indien!" sang er und tanzte so mit ihr im Kreise,[11] daß ihr das rote Tuch vom Halse flog. 5 Dann aber ließ er sie plötzlich los und sagte ernst: „Es wird doch nichts daraus werden; du hast nicht den Mut dazu."

— „Elisabeth! Reinhard!" rief es jetzt von dem Gartentor. „Hier! Hier!" antworteten die Kinder und sprangen Hand in Hand nach Hause. 10

So lebten die Kinder zusammen; sie war ihm oft zu still, er war ihr oft zu heftig, aber sie ließen deshalb nicht von einander; fast alle Freistunden teilten[12] sie, winters in den Zimmern ihrer Mütter, sommers in Busch und Feld. — Als Elisabeth einmal in Reinhards Gegenwart von dem Schullehrer gescholten wurde, stieß er seine 15 Tafel zornig auf den Tisch, um den Eifer des Mannes auf sich zu lenken. Es wurde nicht bemerkt. Aber Reinhard verlor alle Aufmerksamkeit an der geographischen Aufgabe; statt dessen verfaßte er ein langes Gedicht; darin verglich[13] er sich selbst mit einem jungen Adler (*eagle*), den Schulmeister mit einer grauen Krähe (*crow*), 20 Elisabeth war die weiße Taube (*dove*); der Adler versprach, mit der grauen Krähe zu kämpfen, sobald ihm die Flügel gewachsen sein würden. Dem jungen Dichter standen die Tränen in den Augen; er kam sich sehr edel vor. Als er nach Hause gekommen war, fand er einen kleinen Pergamentband (*parchment volume*) mit vielen wei= 25 ßen Blättern; auf die ersten Seiten schrieb er mit sorgfältiger[14] Hand sein erstes Gedicht. — Bald darauf kam er in eine andere Schule; hier schloß er manche neue Freundschaft[15] mit Knaben seines Alters;[16] aber seine Freundschaft mit Elisabeth wurde dadurch nicht gestört. Von den Märchen,[17] welche er ihr sonst erzählt und 30

---

[11] der Kreis *circle*
[13] vergleichen *to compare*
[15] die Freundschaft *friendship* — we suffix =ſchaft to nouns and =heit and =keit to adjectives to form abstract nouns
[16] das Alter *age*

[12] teilen *to share, to divide*
[14] sorgfältig *careful*

[17] das Märchen *tale, fairy tale*

wieder erzählt hatte, fing er jetzt an, die, welche ihr am besten gefallen hatten, aufzuschreiben; dabei hatte er oft Lust, etwas von seinen eigenen Gedanken hineinzudichten; aber, er wußte nicht weshalb, es gelang ihm immer nicht. So schrieb er sie genau auf, wie er sie
5 selber gehört hatte. Dann gab er die Blätter an Elisabeth, die sie dann sorgfältig in ihren Schreibtisch steckte; und es gewährte[18] ihm eine anmutige Freude, wenn er sie mitunter abends diese Geschichten in seiner Gegenwart aus den von ihm geschriebenen Heften ihrer Mutter vorlesen[19] hörte.

10 Sieben Jahre waren vorüber. Reinhard sollte, um seine Studien fortzusetzen, die Stadt verlassen. Elisabeth konnte sich nicht in den Gedanken finden, daß es nun eine Zeit ganz ohne Reinhard geben werde. Es freute sie, als er ihr eines Tages sagte, er werde, wie sonst, Märchen für sie aufschreiben; er wolle sie ihr mit den Briefen an
15 seine Mutter schicken; sie müsse ihm dann wieder schreiben, wie sie ihr gefallen hätten. Die Abreise rückte näher; vorher aber kam noch mancher Reim in den Pergamentband. Das allein war für Elisabeth ein Geheimnis,[20] obgleich sie die Veranlassung (*inspiration*) zu dem ganzen Buche und zu den meisten Liedern war, welche nach und
20 nach fast die Hälfte der weißen Blätter gefüllt hatten.

3

Im Walde

Es war im Juni; Reinhard sollte am andern Tage reisen. Nun wollte man noch einmal einen festlichen Tag zusammen feiern. Dazu wollten die Freunde der beiden Familien nach einem der naheliegenden Wälder gehen. Die Gesellschaft fuhr etwa eine Stunde lang zu

---

[18] gewähren *to grant, to give, to furnish*
[19] vor=lesen *to read in front of*, i.e., *to read aloud to*
[20] das Geheimnis (cf. geheim) *secret*

Wagen bis an den Wald; dann nahm man die Körbe [1] herunter und ging zu Fuß weiter. Ein Tannenwald mußte zuerst durchwandert werden; es war kühl und dämmerig [2] und der Boden überall mit feinen Nadeln [3] bestreut. Nach halbstündigem Wandern kam man aus dem Tannendunkel in einen frischen Buchenwald (*beech forest*); [5] hier war wieder grünes Gras, mitunter brach ein Sonnenstrahl durch die blätterreichen Zweige; ein Vogel flog über ihren Köpfen von Ast zu Ast. — Auf einem Platze, über welchem uralte Buchen mit ihren Kronen zu einem hohen Laubgewölbe (*arch of leaves*) zusammenwuchsen, machte die Gesellschaft halt. Elisabeths Mutter [10] öffnete einen der Körbe; ein alter Herr hielt eine Rede. [4] „Alle um mich herum, ihr jungen Vögel!" rief er. „Und merkt genau, was ich euch zu sagen habe. Zum Frühstück erhält jetzt ein jeder von euch trockenes Brot; die Butter ist zu Hause geblieben, den Nachtisch (*dessert*) müßt ihr euch selber suchen. Es stehen genug Erdbeeren [15] im Walde, das heißt, für den, der sie zu finden weiß. Wer faul ist oder sie nicht finden kann, muß sein Brot trocken essen; so geht es überall im Leben. Habt ihr meine Rede begriffen?"

„Jawohl!" riefen die Jungen.

„Ja, seht," sagte der Alte, „sie ist aber noch nicht zu Ende. Wir [20] Alten haben uns im Leben schon genug umhergetrieben; darum bleiben wir jetzt zu Haus, das heißt, hier unter diesen breiten Bäumen, und machen Feuer und kochen die Kartoffeln und decken den Tisch, und wenn die Uhr zwölf ist, sollen auch die Eier gekocht werden. Dafür gebt ihr uns die Hälfte von euren Erdbeeren, damit wir auch [25] einen Nachtisch servieren können. Und nun geht nach Osten und Westen und seid ehrlich." [5]

Die Jungen machten allerlei Gesichter. „Halt!" rief der alte Herr noch einmal. „Das brauche ich euch wohl nicht zu sagen: wer keine findet, braucht uns auch keine zu geben; aber das schreibt euch wohl [30] hinter eure feinen Ohren, von uns Alten bekommt er auch nichts.

[1] der Korb *basket*
[2] Cf. note 1, Chap. 9, *Germelshausen*   [3] die Nadel *needle*
[4] die Rede (from reden) *speech*
[5] ehrlich (from die Ehre) *honorable, honest*

51

Und nun habt ihr für dieſen Tag gute Lehren [6] genug; wenn ihr nun noch Erdbeeren dazu habt, ſo werdet ihr für heute ſchon durchs Leben kommen."

Die Jungen waren derſelben Meinung [7] und begannen ſich paar
5 weiſe auf den Weg zu machen.

„Komm, Eliſabeth," ſagte Reinhard, „ich weiß, wo Erdbeeren zu finden ſind; du ſollſt kein trockenes Brot eſſen."

Eliſabeth knüpfte [8] die grünen Bänder ihres Strohhutes zuſammen und hing ihn über den Arm. „So komm," ſagte ſie, „der Korb
10 iſt fertig."

Dann gingen ſie in den Wald hinein, tiefer und tiefer; durch feuchte undurchdringliche Baumſchatten, wo alles ſtill war, nur unſichtbar über ihnen in den Lüften das Geſchrei [9] der Adler (*eagles*), dann wieder durch dichtes Gebüſch, ſo dicht, daß Reinhard vor ihr
15 hin gehen mußte, um einen Pfad zu machen, hier einen Zweig, dort einen Buſch beiſeite zu biegen. Bald aber hörte er hinter ſich Eliſabeth ſeinen Namen rufen. Er wandte ſich um. „Reinhard!" rief ſie. „Warte doch, Reinhard!" — Er konnte ſie nicht gleich finden; endlich ſah er ſie in einiger Entfernung mit den Büſchen kämpfen; ihr feines
20 Köpfchen ſchwamm nur kaum über der Spitze des Gebüſches. Nun ging er noch einmal zurück und führte ſie durch das Dickicht auf einen freien Platz hinaus, wo blaue Falter (*butterflies*) zwiſchen den einſamen Waldblumen hin und her flogen. Reinhard ſtrich ihr die feuchten Haare aus dem erhitzten Geſichtchen; dann wollte er ihr den
25 Strohhut aufſetzen, und ſie wollte es nicht leiden; dann aber bat er ſie, und dann ließ ſie es doch geſchehen.

„Wo bleiben denn aber deine Erdbeeren?" fragte ſie endlich, indem ſie ſtehenblieb und Atem holte.

„Hier haben ſie geſtanden," ſagte er; „aber die Vögel ſind uns
30 zuvorgekommen,[10] oder vielleicht die Elfen (*elves*)."

[6] die Lehre (from lehren) *teaching, doctrine, lesson*
[7] die Meinung (from meinen) *opinion*
[8] knüpfen (cf. der Knopf and knöpfen) *to tie*
[9] das Geſchrei (from ſchreien and der Schrei) *cry*
[10] zuvor *ahead, previously* — zuvorkommen *to get ahead of, to anticipate*

„Ja," sagte Elisabeth, „die Blätter stehen noch da; aber sprich hier nicht von Elfen. Komm nur, ich bin noch gar nicht müde; wir wollen weiter suchen."

Vor ihnen war ein kleiner Bach, jenseits wieder der Wald. Rein= hard hob Elisabeth auf seine Arme und trug sie hinüber. Nach einer 5 Weile traten sie aus dem schattigen Laube (*foliage*) wieder in eine weite Waldwiese hinaus. „Hier müssen Erdbeeren sein," sagte das Mädchen, „die Luft hat so einen süßen Duft." [11]

Sie gingen suchend durch den sonnigen Raum; aber sie fanden keine. „Nein," sagte Reinhard, „es ist nur der Duft der Wald= 10 pflanzen."

Büsche und Pflanzen standen überall durcheinander; ein starker Duft von diesen, welche abwechselnd [12] mit kurzem Grase die freien Stellen des Bodens bedeckten, erfüllte die Luft. „Hier ist es einsam," sagte Elisabeth; „wo mögen die andern sein?" 15

An den Rückweg [13] hatte Reinhard nicht gedacht. „Warte nur; woher kommt der Wind?" sagte er und hob seine Hand in die Höhe. Aber es kam kein Wind.

„Still," sagte Elisabeth, „ich glaube, ich hörte sie sprechen. Rufe einmal dahinunter." 20

Reinhard rief durch die hohle Hand: „Kommt hierher!" — „Hier= her!" rief es zurück.

„Sie antworten!" sagte Elisabeth und klatschte (*clapped*) in die Hände.

„Nein, es war nichts, es war nur der Widerhall (*echo*)." 25

Elisabeth faßte Reinhards Hand. „Ich habe Angst," sagte sie.

„Nein," sagte Reinhard, „das sollst du nicht. Hier ist es schön. Setz' dich dort in den Schatten zwischen die Pflanzen. Laß uns eine Weile ausruhen; wir finden die andern schon."

Elisabeth setzte sich unter eine überhängende Buche (*beech tree*) 30 und lauschte aufmerksam nach allen Seiten; Reinhard saß einige

[11] der Duft *fragrance*
[12] ab=wechseln (from wechseln) *to change off, to alternate*
[13] der Rückweg = der Weg zurück

Schritte davon auf einem Baumstumpf und sah schweigend nach ihr
hinüber. Die Sonne stand gerade über ihnen; es war glühende [14]
Mittagshitze; kleine glänzende, blaue Fliegen standen flügelschwingend
in der Luft; um sie her ein feines Summen (*humming*) von Bienen
5 und Fliegen, und manchmal hörte man tief im Walde das Singen
der Waldvögel.

„Horch!" sagte Elisabeth. „Es läutet."

„Wo?" fragte Reinhard.

„Hinter uns. Hörst du? Es ist Mittag."

10 „Dann liegt hinter uns die Stadt; und wenn wir in dieser Richtung gerade durchgehen, so müssen wir die andern treffen."

So traten sie den Rückweg an; [15] das Erdbeerensuchen hatten sie
aufgegeben, denn Elisabeth war müde geworden. Endlich klang zwischen den Bäumen hindurch das Lachen der Gesellschaft; dann sahen
15 sie auch ein weißes Tuch am Boden schimmern, das war die Tafel,
und darauf standen große Haufen von Erdbeeren. Dahinter stand
der alte Herr und hielt den Jungen die Fortsetzung seiner morali-
schen Rede, während er alle um den Tisch von einem Braten servierte.

„Da sind sie," riefen die Jungen, als sie Reinhard und Elisabeth
20 durch die Bäume kommen sahen.

„Hierher!" rief der alte Herr, „Tücher ausgeleert, Hüte umge-
kehrt! Nun zeigt her, was ihr gefunden habt."

„Hunger und Durst!" sagte Reinhard.

„Wenn das alles ist," erwiderte der Alte und hob ihnen einen der
25 vollen Körbe entgegen, „so müßt ihr es auch behalten. Ihr erinnert
euch an meine frühere Rede; hier bekommen müßige [16] Kinder nichts
zu essen." Endlich ließ er sie aber doch zu Tisch kommen, und nun
wurde Tafel gehalten; dazu sangen die Vögel von den hohen Bäumen.

So ging der Tag hin. — Reinhard hatte aber doch etwas gefun-
30 den; waren es keine Erdbeeren, so war es doch auch im Walde gewachsen. Als er nach Hause gekommen war, schrieb er in seinen alten
Pergamentband:

---

[14] glühen *to glow*
[15] an=treten *to start* or *begin* a journey   [16] müßig *idle*

Hier an der Bergeshalde [17]
Verstummet ganz der Wind;
Die Zweige hängen nieder,
Darunter sitzt das Kind.

Sie sitzt in Thymiane,   5
Sie sitzt in lauter Duft;
Die blauen Fliegen summen
Und blitzen durch die Luft.

Es steht der Wald so schweigend,
Sie schaut so klug darein;   10
Um ihre braunen Locken
Hinfließt der Sonnenschein.

Der Kuckuck lacht von ferne,
Es geht mir durch den Sinn:
Sie hat die goldnen Augen   15
Der Waldeskönigin.

So war sie nicht allein seine Freundin; sie war ihm auch der Ausdruck für alles Schöne und Wunderbare seines aufgehenden [18] Lebens.

4

Da stand das Kind am Wege

Weihnachtsabend rückte näher. — Es war noch nachmittags, als 20 Reinhard mit andern Studenten im Ratskeller [1] am alten Eichentisch zusammensaß. Die Lampen an den Wänden waren angezündet, denn hier unten dämmerte es schon; aber es hatten sich wenige Gäste

[17] Bergeshalde *hillside,* verstummen = stumm werden, Thymian *thyme,* lauter *nothing but* = *pure,* darein=schauen *to look* or *appear,* klug *clever* = *wise,* Kuckuck *cuckoo*
[18] auf=gehen *to rise, to unfold*

[1] der Ratskeller = ein Restaurant im Keller des Rathauses

versammelt,[2] die Kellner lehnten müßig an den Wänden. In einer Ecke des Gewölbes [3] saßen ein Geigenspieler (*violin player*) und ein Zithermädchen mit feinen zigeunerhaften (*gypsy-like*) Zügen; sie hatten ihre Instrumente auf dem Boden liegen und schienen ohne
5 Interesse vor sich hinzusehen.

Der Kellner brachte noch eine Flasche Wein zum Studententisch. „Trinke, mein Schatz!" rief ein sehr gut gekleideter, junger Mann, indem er ein volles Glas zu dem Mädchen hinüberreichte.

„Ich mag nicht," sagte sie, ohne ihre Stellung [4] zu verändern.

10 „So singe!" rief der junge Mann, und warf ihr ein silbernes Geldstück zu. Das Mädchen strich sich langsam mit den Fingern durch ihr schwarzes Haar, während der Geigenspieler ihr ins Ohr flüsterte; aber sie warf den Kopf zurück und stützte das Kinn auf ihre Zither. „Für den spiel' ich nicht," sagte sie.

15 Reinhard sprang mit dem Glase in der Hand auf und stellte sich vor sie.

„Was willst du?" fragte sie trotzig.[5]

„Deine Augen sehen."

„Was gehen dich meine Augen an?"

20 Reinhard sah lächelnd auf sie nieder. „Ich weiß wohl, sie sind falsch!" — Sie legte ihre Wange [6] in die flache Hand und sah ihn ernst an. Reinhard hob sein Glas an den Mund. „Auf deine schönen, sündhaften Augen!" sagte er und trank.

Sie lachte und warf den Kopf herum. „Gib!" sagte sie, und in=
25 dem sie mit ihren schwarzen Augen in die seinen blickte, trank sie langsam den Rest. Dann griff sie nach ihrem Instrument und sang mit tiefer, trauriger Stimme:

> Heute, nur heute
> Bin ich so schön;

---

[2] versammeln (from sammeln) *to gather together, to assemble*
[3] das Gewölbe (from wölben *to arch*) *arch, vault, room with an arched ceiling*
[4] die Stellung (from stellen and die Stelle) *position*
[5] trotzig (from der Trotz, trotz, and trotzen *to defy*) *defiantly*
[6] die Wange = die Backe

Morgen, ach morgen
Muß alles vergehn!
Nur diese Stunde
Bist du noch mein;
Sterben, ach sterben   5
Soll ich allein.

Während der Geigenspieler nun in raschem Tempo weiterspielte, kam noch ein Student herein und setzte sich zu der Gruppe am Studententisch.

„Ich wollte dich abholen,[7] Reinhard," sagte er. „Du warst schon 10 fort; aber das Christkind[8] war bei dir gewesen."

„Das Christkind?" sagte Reinhard, „das kommt nicht mehr zu mir."

„Ach was! Dein ganzes Zimmer roch nach Tannenbaum und braunen Kuchen."   15

Reinhard setzte das Glas aus der Hand und griff nach seiner Mütze.[9]

„Was willst du?" fragte das Mädchen.

„Ich komme schon wieder."

Sie runzelte (*wrinkled*) die Stirn. „Bleib!" rief sie leise und 20 sah ihn freundlich an.

Reinhard zögerte. „Ich kann nicht," sagte er.

Sie stieß ihn lachend mit der Fußspitze. „Geh!" sagte sie. „Du taugst[10] nichts; ihr taugt alle miteinander nichts." Und während sie sich abwandte, stieg Reinhard langsam die Kellertreppe hinauf.   25

Draußen auf der Straße war es tiefe Dämmerung; er fühlte die frische Winterluft an seiner heißen Stirn. Hie und da fiel der helle Schein eines brennenden Tannenbaums aus den Fenstern, dann und wann hörte man von drinnen das Geräusch (*noise*) von kleinen Pfeifen und Trompeten (*trumpets*) und dazwischen jubelnde Kin= 30 derstimmen. Gruppen von Bettelkindern[11] gingen von Haus zu

[7] ab=holen *to come and get, to call for*
[8] das Christkind *Christ child = Santa Claus*
[9] die Mütze *cap*   [10] taugen *to be good for, to be worth*
[11] das Bettelkind (betteln *to beg* + das Kind) *beggar child*

Haus oder stiegen auf die Treppen und suchten durch die Fenster einen Blick in die versagte Herrlichkeit [12] zu gewinnen. Mitunter wurde auch eine Tür plötzlich aufgerissen, und scheltende Stimmen trieben eine ganze Menge solcher kleinen Gäste aus dem hellen Hause

5 auf die dunkle Gasse [13] hinaus; hier und da wurde auf dem Hausflur ein altes Weihnachtslied gesungen; es waren klare Mädchenstimmen darunter. Reinhard hörte sie nicht, er ging rasch an allem vorüber, aus einer Straße in die andere. Als er an seine Wohnung gekommen war, war es fast dunkel geworden; er lief die Treppe hin=

10 auf und trat in seine Stube. Ein süßer Duft schlug ihm entgegen; das roch wie zu Haus der Mutter Weihnachtsstube. Mit zitternder Hand zündete er sein Licht an; da lag ein mächtiges Paket auf dem Tisch, und als er es öffnete, fielen die wohlbekannten braunen Fest= kuchen heraus; auf einigen waren die Anfangsbuchstaben seines Na=

15 mens in Zucker ausgestreut; das konnte niemand anders als Elisa= beth getan haben. Dann fand er auch ein kleineres Paket mit seinen Taschentüchern und Manschetten (*cuffs*), und zuletzt Briefe von der Mutter und von Elisabeth. Reinhard öffnete zuerst den letzteren; Elisabeth schrieb:

20   „Die schönen Zuckerbuchstaben können Dir wohl erzählen, wer bei den Kuchen mitgeholfen hat; dieselbe Person hat die Manschetten für Dich gemacht. Bei uns wird es nun Weihnachtsabend sehr still wer= den; meine Mutter stellt immer schon um halb zehn ihr Spinnrad in die Ecke; es ist gar so einsam diesen Winter, wo Du nicht hier bist.

25 Nun ist auch letzten Sonntag der Hänfling (*linnet*) gestorben, den Du mir geschenkt hattest; ich habe sehr geweint, aber ich hab' ihn doch immer gut gepflegt. [14] Der sang sonst immer nachmittags, wenn die Sonne auf seinen Käfig (*cage*) schien; Du weißt, die Mutter hing oft ein Tuch über, um ihn zum Schweigen zu bringen, wenn er so

30 recht aus Kräften sang. Da ist es nun noch stiller in dem Zimmer, nur daß Dein alter Freund Erich uns jetzt mitunter besucht. Du

---

[12] die Herrlichkeit (from herrlich) *splendor*
[13] die Gasse (= eine enge Straße) *narrow street, alley*
[14] pflegen alone means *to nurse* or *to care for* — with a complementary infinitive it means *to be accustomed to* or *to be in the habit of*

sagtest einmal, er sähe seinem braunen Überrock ähnlich. Daran
muß ich nun immer denken, wenn er zur Tür hereinkommt, und es
ist gar zu komisch; [15] sag' es aber nicht zur Mutter, sie wird dann
leicht zornig. — Rat', was ich Deiner Mutter zu Weihnachten
schenke! Du rätst es nicht? Mich selber! Der Erich zeichnet mich 5
in schwarzer Kreide; ich habe ihm schon dreimal sitzen müssen, jedes=
mal eine ganze Stunde. Es war mir recht zuwider, daß der fremde
Mensch mein Gesicht so auswendig lernte. Ich wollte auch nicht,
aber die Mutter sagte, ich sollte, denn es würde der guten Frau
Werner eine gar große Freude machen. 10

Aber Du hältst nicht Wort, Reinhard. Du hast keine Märchen
geschickt. Ich habe oft darüber bei Deiner Mutter geklagt; sie sagt
dann immer, Du habest jetzt mehr zu tun als solche Kindereien.[16]
Ich glaub' es aber nicht; es ist wohl anders."

Nun las Reinhard auch den Brief seiner Mutter, und als er 15
beide Briefe gelesen und langsam wieder zusammengefaltet und weg=
gelegt hatte, überfiel ihn großes Heimweh.[17] Er ging eine Zeitlang
in seinem Zimmer auf und nieder; er sprach leise und dann halb laut
zu sich selbst:

> Er wäre fast verirret 20
> Und wußte nicht hinaus;
> Da stand das Kind am Wege
> Und winkte ihm nach Haus!

Dann trat er an sein Pult, nahm einiges Geld heraus und ging
wieder auf die Straße hinab. — Hier war es inzwischen stiller gewor= 25
den; die Weihnachtsbäume waren ausgebrannt, das Umherwandern
der Kinder hatte aufgehört. Der Wind blies durch die einsamen
Straßen; Alte und Junge saßen in ihren Häusern familienweise
zusammen; der zweite Teil des Weihnachtsabends hatte begonnen. —
Als Reinhard in die Nähe des Ratskellers kam, hörte er aus der 30
Tiefe [18] herauf Geigenmusik und den Gesang [19] des Zithermädchens;

[15] komisch *funny*
[16] die Kinderei (the suffix =erei usually imparts a derogatory meaning)
childishness, childish thing   [18] die Tiefe (from tief) *depths*
[17] das Heimweh *homesickness*   [19] der Gesang (from singen) *song*

nun klingelte unten die Kellertür, und eine dunkle Gestalt schwankte (*staggered*) die breite, matt erleuchtete Treppe herauf. Reinhard trat in den Häuserschatten und ging dann rasch vorüber. Nach einer Weile erreichte er den erleuchteten Laden eines Juweliers (*jeweler's*); 5 und nachdem er hier ein kleines Kreuz mit roten Korallen (*coral*) gekauft hatte, ging er auf demselben Wege, den er gekommen war, wieder zurück.

Nicht weit von seiner Wohnung bemerkte er ein kleines, ärmlich gekleidetes Mädchen an einer hohen Haustür stehen, das sich umsonst 10 bemühte,[20] die Tür zu öffnen. „Soll ich dir helfen?" sagte er. Das Kind erwiderte nichts, ließ aber die schwere Türklinke (*latch*) fahren. Reinhard hatte schon die Tür geöffnet. „Nein," sagte er, „sie könnten dich hinausjagen; komm mit mir! Ich will dir Weihnachtskuchen geben." Dann machte er die Tür wieder zu und faßte das kleine Mäd= 15 chen an der Hand, das stillschweigend mit ihm in seine Wohnung ging.

Er hatte das Licht beim Weggehen brennen lassen. „Hier hast du Kuchen," sagte er und gab ihr die Hälfte seines ganzen Schatzes in ihre Schürze (*apron*), nur keine mit den Zuckerbuchstaben. „Nun geh nach Hause und gib deiner Mutter auch davon." Das Kind sah 20 mit einem scheuen Blick zu ihm hinauf; es schien solcher Freundlich= keit ungewohnt und nichts darauf erwidern zu können. Reinhard machte die Tür auf, und nun flog die Kleine wie ein Vogel mit ihren Kuchen die Treppe hinab und zum Hause hinaus.

Reinhard ließ das Feuer in seinem Ofen hell aufbrennen und 25 stellte das bestäubte Tintenfaß [21] auf seinen Tisch; dann setzte er sich hin und schrieb, und schrieb die ganze Nacht Briefe an seine Mutter, an Elisabeth. Der Rest der Weihnachtskuchen lag unberührt neben ihm; aber die Manschetten von Elisabeth hatte er angeknüpft, was gar wunderlich von seinem weißen Flausrock (*wool jacket*) abstach. 30 So saß er noch, als die Wintersonne auf die gefrorenen Fenster= scheiben fiel und ihm gegenüber im Spiegel [22] ein blasses, ernstes Gesicht zeigte.

[20] Cf. die Mühe *pains, trouble*, sich bemühen *to endeavor, to bother*
[21] das Tintenfaß (die Tinte + das Faß) *inkwell*   [22] der Spiegel *mirror*

5

Daheim

Als es Ostern[1] geworden war, reiste Reinhard in die Heimat. Am Morgen nach seiner Ankunft[2] ging er zu Elisabeth. „Wie groß du geworden bist!" sagte er, als das schöne schlanke Mädchen ihm lächelnd entgegenkam. Sie errötete,[3] aber sie erwiderte nichts; ihre Hand, die er beim Willkommen in die seine genommen hatte, suchte 5 sie ihm sanft[4] zu entziehen. Er sah sie zweifelnd an; das hatte sie früher nicht getan; nun war es, als träte etwas Fremdes zwischen sie. — Das blieb auch, als er schon länger da gewesen, und als er Tag für Tag immer wiedergekommen war. Wenn sie allein zusammensaßen, entstanden[5] Pausen, die ihm zuwider waren und denen 10 er dann ängstlich zuvorzukommen suchte. Um während der Ferienzeit eine bestimmte Unterhaltung[6] zu haben, fing er an, Elisabeth in der Botanik zu unterrichten, womit er sich in den ersten Monaten seines Universitätslebens besonders beschäftigt[7] hatte. Elisabeth, die ihm in allem zu folgen gewohnt war und außerdem gern lernte, war 15 froh darauf einzugehen. Nun wurden mehrere Male in der Woche Exkursionen ins Feld oder in die Heiden gemacht; und hatten sie dann mittags viele Pflanzen und Blumen nach Hause gebracht, so kam Reinhard einige Stunden später wieder, um mit Elisabeth dieselben zu teilen. 20

In solcher Absicht trat er eines Nachmittags ins Zimmer, als Elisabeth am Fenster stand und Pflanzenblätter in einen vergoldeten Käfig (cage) steckte, den er sonst nicht dort gesehen hatte. Im Käfig saß ein Kanarienvogel, der mit den Flügeln schlug und heftig nach

---

[1] Ostern *Easter*
[2] die Ankunft (from an-kommen *to arrive*) *arrival*
[3] erröten = rot werden *to blush*   [4] sanft *soft*   [5] entstehen *to arise*
[6] die Unterhaltung (from unterhalten *to entertain*) *pastime, amusement, entertainment, conversation*
[7] sich beschäftigen *to busy oneself*

Elisabeths Finger pickte. Sonst hatte Reinhards Vogel an dieser Stelle gehangen. „Hat mein armer Hänfling (*linnet*) sich nach seinem Tode in einen Kanarienvogel verwandelt?" fragte er heiter.

„Das pflegen die Hänflinge nicht zu tun," sagte die Mutter, 5 welche spinnend im Lehnstuhle saß. „Ihr Freund Erich hat ihn heute mittag für Elisabeth von seinem Hofe hereingeschickt."

„Von welchem Hofe?"

„Das wissen Sie nicht?"

„Was denn?"

10 „Daß Erich seit einem Monat den zweiten Hof seines Vaters am Immensee übernommen hat?"

„Aber Sie haben mir kein Wort davon gesagt."

„Ei," sagte die Mutter, „Sie haben bis jetzt den Namen Ihres Freundes nicht einmal erwähnt. Er ist ein gar lieber, kluger junger 15 Mann."

Die Mutter ging hinaus, um den Kaffee zu kochen; Elisabeth hatte Reinhard den Rücken zugewandt und war noch mit dem Käfig be= schäftigt. „Bitte, nur ein kleines Weilchen," sagte sie; „gleich bin ich fertig." — Da Reinhard wider seine Gewohnheit nicht antwortete, 20 so wandte sie sich um. In seinen Augen lag ein plötzlicher Ausdruck von Kummer, den sie nie vorher darin bemerkt hatte. „Was fehlt dir, Reinhard?" fragte sie, indem sie nahe zu ihm trat.

„Mir?" fragte er gedankenlos und ließ seine Augen träumerisch in den ihren ruhen.

25 „Du siehst so traurig aus."

„Elisabeth," sagte er, „ich kann den gelben Vogel nicht leiden."

Sie sah ihn staunend an; sie verstand ihn nicht. „Du bist so sonderbar," sagte sie.

Er nahm ihre beiden Hände, die sie ruhig in den seinen ließ. Bald 30 trat die Mutter wieder herein.

Nach dem Kaffee setzte sich diese an ihr Spinnrad; Reinhard und Elisabeth gingen ins Nebenzimmer, um ihre Pflanzen zu ordnen.[8] Nun wurden die Pflanzen gezählt, die Blätter und Blumen sorg=

---

[8] ordnen *to arrange, to classify*

fältig ausgebreitet, und von jeder Art wurden zwei zum Trocknen [9] zwischen die Blätter eines großen Buches gelegt. Es war sonnige Nachmittagsstille; nur im Wohnzimmer summte *(hummed)* der Mutter Spinnrad, und von Zeit zu Zeit wurde Reinhards sanfte Stimme gehört, wenn er die Ordnungen und Klassen der Pflanzen [5] nannte oder Elisabeths fehlerhafte [10] Aussprache [11] der lateinischen Namen verbesserte.[12]

„Mir fehlt noch die Maiblume *(lily of the valley)*," sagte sie jetzt, als endlich all die Pflanzen und Blumen geordnet waren.

Reinhard zog einen kleinen weißen Pergamentband aus der Tasche. [10] „Hier ist eine Maiblume für dich," sagte er, indem er die halbge= trocknete Pflanze herausnahm.

Als Elisabeth die beschriebenen [13] Blätter sah, fragte sie: „Hast du wieder Märchen gedichtet?"

„Es sind keine Märchen," antwortete er und reichte ihr das [15] Buch.

Es waren lauter *(nothing but)* Verse, die meisten füllten höchstens eine Seite. Elisabeth wandte ein Blatt nach dem andern um; sie schien nur die Überschriften [14] zu lesen: „Als sie vom Schulmeister gescholten war." „Als sie sich im Walde verirrt hatten." „Mit dem [20] Ostermärchen." „Als sie mir zum erstenmal geschrieben hatte"; in der Weise waren fast alle. Reinhard blickte ernst zu ihr hin, und indem sie immer weiter las, sah er, wie zuletzt auf ihren klaren Wangen ein zartes Rot hervorbrach, und wie sie nach und nach ganz rot wurden. Er wollte ihre Augen sehen; aber Elisabeth sah nicht [25] auf und legte das Buch am Ende schweigend vor ihm hin.

„Gib es mir nicht so zurück!" sagte er.

Sie nahm eine Blume vom Tische. „Ich will deine Lieblings=

[9] trocknen (from trocken) *to dry*
[10] fehlerhaft (from der Fehler) *incorrect, faulty*
[11] die Aussprache (from aus=sprechen *to pronounce*) *pronunciation*
[12] verbessern *to correct, to improve*
[13] beschreiben usually means *to describe* but here it means *to write on, to cover with writing*
[14] die Überschrift (cf. die Schrift, die Inschrift) *superscription, heading, title*

63

blume (*favorite flower*) hineinlegen," sagte sie und gab ihm das Buch in seine Hände.

———————————

Endlich kam der letzte Tag der Ferienzeit und der Morgen der Abreise. Auf ihre Bitte erhielt Elisabeth von der Mutter die Er-
5 laubnis, ihren Freund an den Postwagen zu begleiten, der einige Straßen von ihrer Wohnung seine Station hatte. Als sie vor die Haustür traten, gab Reinhard ihr den Arm; so ging er schweigend neben dem schlanken Mädchen her. Je näher sie ihrem Ziele kamen, desto mehr war es ihm, er habe ihr, ehe er auf so lange Abschied
10 nehme, etwas Notwendiges zu sagen — etwas, wovon aller Wert und alle Schönheit seines zukünftigen [15] Lebens abhänge,[16] und doch konnte er kein einziges Wort hervorbringen. Das ängstigte [17] ihn; er ging immer langsamer.

„Du kommst zu spät," sagte sie, „es hat schon zehn geschlagen auf
15 Sankt Marien (*St. Mary's*)."

Er ging aber darum nicht schneller. Endlich sagte er stammelnd (*stammering*): „Elisabeth, du wirst mich nun in zwei Jahren gar nicht sehen — — wirst du mich wohl noch ebenso lieb haben wie jetzt, wenn ich wieder da bin?"

20 Sie nickte und sah ihm freundlich ins Gesicht. — „Ich habe dich auch verteidigt," [18] sagte sie nach einer Pause.

„Mich? Gegen wen hattest du das nötig?"

„Gegen meine Mutter. Wir sprachen gestern abend, als du weg= gegangen warst, noch lange über dich. Sie meinte, du seiest nicht
25 mehr so gut, wie du gewesen."

Reinhard schwieg einen Augenblick; dann nahm er ihre Hand in die seine, und indem er ihr ernst in ihre Kinderaugen blickte, sagte er: „Ich bin noch ebenso gut, wie ich gewesen bin; glaubst du es, Elisabeth?"

[15] zukünftig (from die Zukunft) *future*
[16] ab=hängen von *to be dependent upon*
[17] ängstigen (cf. die Angst and ängstlich) *to worry, to trouble*
[18] verteidigen *to defend*

„Ja," sagte sie. Er ließ ihre Hand los und ging rasch mit ihr durch die letzte Straße. Je näher der Abschied kam, desto freudiger wurde sein Gesicht; er ging ihr fast zu schnell.

„Was hast du, Reinhard?" fragte sie.

„Ich habe ein Geheimnis, ein schönes!" sagte er und sah sie mit glänzenden Augen an. „Wenn ich nach zwei Jahren wieder da bin, da sollst du es erfahren."

Inzwischen hatten sie den Postwagen erreicht; es war noch eben Zeit genug. Noch einmal nahm Reinhard ihre Hand. „Leb' wohl!" sagte er, „leb' wohl, Elisabeth. Vergiß es nicht."

Sie schüttelte mit dem Kopf. „Leb' wohl," sagte sie. Reinhard stieg hinein, und schon im nächsten Augenblick fingen die Pferde an, den Wagen zu ziehen.

Als der Wagen um die Straßenecke rollte, sah er noch einmal ihre liebe Gestalt, wie sie langsam den Weg zurückging.

6

Ein Brief

Fast zwei Jahre nachher saß Reinhard vor seiner Lampe zwischen Büchern und Papieren und wartete auf einen Freund, mit welchem er oft studierte. Man kam die Treppe herauf. „Herein!" — Es war die Wirtin. „Ein Brief für Sie, Herr Werner!" Dann entfernte sie sich wieder.

Reinhard hatte seit seinem Besuch in der Heimat nicht an Elisabeth geschrieben und von ihr keinen Brief mehr erhalten. Auch dieser war nicht von ihr; es war die Hand seiner Mutter. Reinhard brach und las, und bald las er folgendes:

„In Deinem Alter, mein liebes Kind, hat noch fast jedes Jahr sein eigenes Gesicht; denn die Jugend läßt sich nicht ärmer machen. Hier ist auch manches anders geworden, was Dir wohl zuerst weh

tun wird, wenn ich Dich sonst recht verstanden habe. Erich hat sich
gestern endlich das Jawort von Elisabeth geholt, nachdem er in dem
letzten Vierteljahr zweimal vergebens angefragt (*proposed*) hatte.
Sie hat sich immer nicht dazu entschließen können; nun hat sie es
5 endlich doch getan; sie ist auch noch gar so jung. Die Hochzeit [1] soll
bald sein, und die Mutter wird dann mit ihnen fortgehen."

7

Immensee

Wiederum waren Jahre vorüber. — Auf einem abwärts [1] führen=
den schattigen Waldwege wanderte an einem warmen Frühlings=
nachmittage ein junger Mann mit kräftigem, gebräuntem [2] Gesicht.
10 Mit seinen ernsten grauen Augen sah er gespannt [3] in die Ferne, als
erwarte er endlich eine Veränderung des eintönigen Weges, die
jedoch immer nicht eintreten [4] wollte. Endlich kam ein Wagen lang=
sam von unten herauf. "Holla! guter Freund," rief der Wanderer dem
nebengehenden Bauer zu, "geht's hier recht nach Immensee?"

15 "Immer geradeaus," [5] antwortete der Mann und rückte an sei=
nem Rundhute.

"Hat's denn noch weit bis dahin?"

"Der Herr ist dicht davor. Keine halbe Pfeife Tabak, so haben
Sie den See; das Herrenhaus [6] liegt hart daran."

20 Der Bauer fuhr vorüber; der andere ging eiliger unter den Bäu=
men entlang. Nach einer Viertelstunde hörte ihm zur Linken plötz=
lich der Schatten auf; der Weg führte an einen Hügel, aus dem die
Gipfel hundertjähriger Eichen nur kaum hervorragten. [7] Über sie

---

[1] die Hochzeit *wedding*

[1] abwärts (cf. vorwärts) *downward*
[2] gebräunt *browned* = *tanned*
[4] ein=treten *to enter, to occur*
[6] das Herrenhaus *manor house, mansion*

[3] gespannt *anxiously*
[5] geradeaus *straight ahead*
[7] hervor=ragen *to project*

66

hinweg öffnete sich eine weite, sonnige Landschaft.[8] Tief unten lag
der See, ruhig, dunkelblau, fast ganz von grünen, sonnenbeschienenen
Wäldern umgeben; nur an einer Stelle war kein Wald, was eine
Aussicht[9] in die Ferne gewährte, wo blaue Berge hervorragten.
Mitten in dem grünen Laub (*foliage*) der Wälder, lag es wie Schnee 5
darüber her; das waren blühende Obstbäume, und daraus hervor
auf dem hohen Ufer erhob sich das weiße Herrenhaus. Ein Storch
flog vom Schornstein (*chimney*) auf und kreiste[10] langsam über
dem Wasser. — „Immensee!" rief der Wanderer. Es war fast, als
hätte er jetzt das Ziel seiner Reise erreicht; denn er stand unbeweg= 10
lich[11] und sah über die Gipfel der Bäume zu seinen Füßen hinüber
ans andere Ufer, wo das Spiegelbild des Herrenhauses leise schim=
mernd auf dem Wasser schwamm. Dann setzte er plötzlich seinen
Weg fort.

Es ging jetzt fast steil (*steeply*) den Berg hinab, so daß die unten 15
stehenden Bäume wieder Schatten gewährten, zugleich aber die Aus=
sicht auf den See unmöglich machten. Bald ging es wieder sanft
hinauf, und nun verschwand rechts und links der Wald; statt dessen
streckten sich dichtbelaubte Weinberge[12] am Wege entlang; zu beiden
Seiten desselben standen blühende Obstbäume voll summender Bie= 20
nen. Ein stattlicher[13] Mann in braunem Überrock kam dem Wan=
derer entgegen. Als er ihn fast erreicht hatte, nahm er seine Mütze
ab und rief mit heller Stimme: „Willkommen, willkommen, Bruder
Reinhard! Willkommen auf Gut Immensee!"

„Gott grüß dich, Erich, und Dank für dein Willkommen!" rief 25
ihm der andere entgegen.

Dann waren sie zu einander gekommen und reichten sich die Hände.
„Bist du es denn aber auch?" sagte Erich, als er so nahe in das ernste
Gesicht seines alten Freundes sah.

„Freilich bin ich's, Erich, und du bist es auch; nur siehst du noch 30
fast heiterer aus, als du schon sonst immer getan hast."

[8] die Landschaft *landscape*   [9] die Aussicht *view*
[10] kreisen (from der Kreis *circle*) *to circle*
[11] unbeweglich = bewegungslos
[12] der Weinberg *vineyard*   [13] stattlich *stately*

Ein frohes Lächeln machte Erichs einfache Züge bei diesen Worten noch um vieles heiterer. „Ja, Bruder Reinhard," sagte er, diesem noch einmal seine Hand reichend, „ich habe aber auch seitdem das große Los (*prize*) gezogen, du weißt es ja." Dann faltete er die
5 Hände und rief vergnügt: „Das wird eine Überraschung! Den erwartet sie nicht, in alle Ewigkeit [14] nicht."

„Eine Überraschung?" fragte Reinhard. „Für wen denn?"

„Für Elisabeth."

„Elisabeth! Du hast ihr nicht von meinem Besuch gesagt?"

10 „Kein Wort, Bruder Reinhard; sie denkt nicht an dich, die Mutter auch nicht. Ich hab' dir ganz im geheim geschrieben, damit die Freude desto größer sei. Du weißt, ich hatte immer so meine stillen Pläne."

Reinhard wurde ernst; der Atem schien ihm schwer zu werden, je
15 näher sie dem Hofe kamen. An der linken Seite des Weges hörten nun auch die Weinberge auf und machten einem großen Gemüse= garten Platz, der sich bis fast an das Ufer des Sees hinabzog. Der Storch hatte sich inzwischen niedergelassen und spazierte langsam zwischen den Gemüsebeeten (*vegetable beds*) umher. „Holla!" rief
20 Erich, in die Hände klatschend, „stiehlt mir der langbeinige Vogel schon wieder meine neuen Erbsen!" Dieser erhob sich langsam und flog auf das Dach eines neuen Gebäudes, das am Ende des Gemüsegartens lag und dessen Mauern mit aufgebundenen Obstbäumen überzweigt waren. „Das ist die Alkoholfabrik," [15]
25 sagte Erich; „ich habe sie erst vor zwei Jahren gebaut. Jenes große Wirtschaftsgebäude (*farm building*) besteht schon seit der Zeit meines seligen Vaters; das Wohnhaus ist schon von meinem Großvater gebaut worden. So kommt man immer ein bißchen [16] weiter."

30 Sie waren bei diesen Worten auf einen geräumigen Platz ge= kommen, der an den Seiten durch die Wirtschaftsgebäude (*farm*

[14] die Ewigkeit (from ewig) *eternity*
[15] die Alkoholfabrik *alcohol factory*
[16] bißchen (from beißen) *bit*

buildings), im Hintergrunde durch das Herrenhaus und eine hohe Gartenmauer begrenzt [17] wurde; hinter dieser sah man einige dunkle Tannen, und hin und wieder ließen Fliederbüsche (*lilac bushes*) ihre blühenden Zweige in den Hofraum hinunterhängen. Männer mit sonnen- und arbeitsheißen Gesichtern gingen über den Platz und [5] grüßten die Freunde, während Erich dem einen und dem andern einen Befehl [18] oder eine Frage über ihr Tagewerk entgegenrief. — Dann hatten sie das Haus erreicht. Ein hoher, kühler Hausflur nahm sie auf, an dessen Ende sie links in einen etwas dunkleren Seitengang einbogen. Hier öffnete Erich eine Tür, und sie traten [10] in einen geräumigen Gartensaal, der durch das Laub, welches die gegenüberliegenden Fenster bedeckte, zu beiden Seiten mit grüner Dämmerung erfüllt war; zwischen diesen aber ließen zwei hohe, weit geöffnete Türen den vollen Glanz der Frühlingssonne hereinfallen und gewährten die Aussicht in einen Garten mit runden Blumen- [15] beeten (*flower beds*) und hohen steilen (*steep*) Laubwänden, geteilt durch einen geraden breiten Pfad, durch welchen man auf den See und weiter auf die gegenüberliegenden Wälder hinaussah. Als die Freunde hineintraten, trug die Luft ihnen einen Strom von Duft entgegen.

[20]

Auf einer Terrasse vor der Gartentür saß eine weiße, mädchenhafte Frauengestalt. Sie stand auf und ging den Eintretenden entgegen; aber auf halbem Wege blieb sie plötzlich stehen und sah den Fremden starr und unbeweglich an. Er streckte ihr lächelnd die Hand entgegen. „Reinhard!" rief sie, „Reinhard! Mein Gott, du bist es! — Wir [25] haben uns lange nicht gesehen."

„Lange nicht," sagte er und konnte nichts weiter sagen; denn als er ihre Stimme hörte, fühlte er einen feinen körperlichen [19] Schmerz am Herzen, und wie er zu ihr aufblickte, stand sie vor ihm, dieselbe zärtliche Gestalt, der er vor Jahren in seiner Vaterstadt Lebewohl [30] gesagt hatte.

[17] begrenzen (from die Grenze) *to border, to bound*
[18] der Befehl (from befehlen) *order, command*
[19] körperlich (from der Körper) *bodily, physical*

Erich war mit freudestrahlendem Gesicht an der Tür zurückge=
blieben. „Nun, Elisabeth," sagte er, „was sagst du dazu? Den hät=
test du nicht erwartet, den in alle Ewigkeit nicht!"

Elisabeth sah ihn mit schwesterlichen Augen an. „Du bist so gut,
5 Erich!" sagte sie.

Er nahm ihre kleine Hand liebevoll in die seinen. „Und nun wir
ihn haben," sagte er, „nun lassen wir ihn so bald nicht wieder los.
Er ist so lange draußen gewesen, bei uns werden wir es so machen,
daß er sich wie zu Hause fühlt. Schau nur, wie fremd und vornehm
10 (*distinguished*) er aussehen worden ist."

Ein scheuer Blick Elisabeths traf Reinhards Gesicht. „Es ist nur
die Zeit, die wir nicht zusammen waren," sagte er.

In diesem Augenblick kam die Mutter mit einem Schlüsselkörbchen
(*little basket of keys*) am Arm zur Tür herein. „Herr Werner!"
15 sagte sie, als sie Reinhard erblickte; [20] „ei, ein eben so lieber als uner=
warteter Gast." — Und nun ging die Unterhaltung in Fragen und
Antworten ziemlich lustig her. Nach einer Weile setzten sich die
Frauen zu ihrer Arbeit, und während Reinhard etwas zu essen
genoß, was man ihm vorgesetzt hatte, hatte Erich eine große Pfeife
20 angezündet und saß rauchend und schwatzend an seiner Seite.

Am andern Tage mußte Reinhard mit ihm hinaus; auf die Äcker,
in die Weinberge, in den Gemüsegarten, in die Alkoholfabrik. Es
war alles aufs beste geordnet; die Leute, welche auf dem Felde und
in der Fabrik arbeiteten, hatten alle ein gesundes und zufriedenes
25 Aussehen. Zu Mittag kam die Familie im Gartensaal zusammen,
und der Tag wurde dann, je nach der nötigen Arbeit der Wirte,
mehr oder minder zusammen verbracht. Nur die Stunden vor dem
Abendessen, wie die ersten des Vormittags, blieb Reinhard arbeitend
auf seinem Zimmer. Er hatte seit Jahren, wo er sie nur auffinden
30 konnte, die im Volke lebenden Reime und Lieder gesammelt und
wollte nun seinen Schatz ordnen und womöglich Volkslieder auch aus
dieser Gegend sammeln. — Elisabeth war zu allen Zeiten sanft und
freundlich; Erichs immer gleichbleibende Aufmerksamkeit nahm sie

[20] erblicken *to catch sight of, to see*

70

mit einer fast demütigen [21] Dankbarkeit [22] auf, und Reinhard dachte
mitunter, das heitere Kind habe in der Jugend eine weniger stille
Frau versprochen.

Seit dem zweiten Tage seines Hierseins pflegte er abends einen
Spaziergang an dem Ufer des Sees zu machen. Der Weg führte
hart unter dem Garten vorbei. Am Ende desselben, auf einem Fel=
sen, stand eine Bank unter hohen Birken (*birch trees*); die Mutter
nannte sie die Abendbank, weil der Platz gegen Abend lag und wegen
des herrlichen Sonnenuntergangs um diese Zeit am meisten benutzt
wurde. — Von einem Spaziergange auf diesem Wege kehrte Rein=
hard eines Abends zurück, als er vom Regen überrascht wurde. Er
suchte sich unter einem am Wasser stehenden Baum vor dem starken
Regen zu schützen; aber die schweren Tropfen schlugen bald durch die
Blätter. Durch und durch naß, wie er war, setzte er langsam seinen
Rückweg fort. Es war fast dunkel; der Regen fiel immer dichter.
Als er sich der Abendbank näherte, glaubte er zwischen den schimmern=
den Stämmen einiger Birken eine weiße Frauengestalt zu unter=
scheiden.[23] Sie stand unbeweglich und, wie er beim Näherkommen
zu erkennen meinte, zu ihm hingewandt, als wenn sie jemanden
erwarte. Er glaubte, es sei Elisabeth. Als er aber rascher schritt,
um sie zu erreichen und dann mit ihr zusammen durch den Garten
ins Haus zurückzukehren, wandte sie sich langsam ab und verschwand
in die dunkeln Seitengänge. Er konnte das nicht verstehen; er war
aber fast zornig auf Elisabeth, und dennoch zweifelte er, ob sie es
gewesen sei; aber er wollte sie auch nicht danach fragen; ja,
nachdem er das Haus erreicht hatte, ging er nicht in den Gar=
tensaal, nur um Elisabeth nicht etwa durch die Gartentür herein=
treten zu sehen.

[21] demütig (from die Demut *humility*) *humble*
[22] die Dankbarkeit (cf. danken, der Dank, and dankbar *thankful*) *thankfulness, gratitude*
[23] unterscheiden *to distinguish, to recognize* — cf. note 23, Chap. 4,
Germelshausen

8

Meine Mutter hat's gewollt

Einige Tage nachher, es ging schon gegen Abend, saß die Familie, wie gewöhnlich um diese Zeit, im Gartensaal zusammen. Die Türen standen offen; die Sonne war schon hinter den Wäldern jenseits des Sees.

5 Reinhard wurde gebeten, einige Volkslieder vorzulesen, welche er am Nachmittage von einem auf dem Lande wohnenden Freunde geschickt bekommen hatte. Er ging auf sein Zimmer und kam gleich darauf mit einer Papierrolle zurück, welche aus einzelnen sauber geschriebenen Blättern zu bestehen schien.

10 Man setzte sich an den Tisch, Elisabeth an Reinhards Seite. „Wir lesen der Reihe nach," sagte er, „ich habe sie selber noch nicht durch= gelesen."

Elisabeth rollte das Manuskript auf. „Hier sind Noten," sagte sie, „das mußt du singen, Reinhard."

15 Und dieser las nun zuerst einige süddeutsche Volkslieder, indem er auch beim Lesen dann und wann die lustige Melodie mit halber Stimme sang. Eine allgemeine[1] Heiterkeit war in der kleinen Gesellschaft zu merken. „Wer hat doch aber die schönen Lieder gemacht?" fragte Elisabeth.

20 „Ei," sagte Erich, „das hört man den Liedern selbst schon an;[2] das lustige, gemeine Volk hat sie gedichtet."

Reinhard sagte: „Sie werden gar nicht gemacht; sie wachsen, sie fallen aus der Luft, sie fließen über Land wie Frühlingsduft, hierhin und dorthin, und werden an tausend Stellen zugleich gesungen. Un=
25 ser eigenes Tun und Leiden finden wir in diesen Liedern; es ist, als ob wir alle an ihnen mitgeholfen hätten."

---

[1] allgemein (from gemein) *common to all = general, universal*
[2] Cf. das sieht man ihm an

Er nahm ein anderes Blatt: „Ich stand auf hohen Bergen . . ."

„Das kenne ich!" rief Elisabeth. „Singe nur, Reinhard, ich will dir helfen." Und nun sangen die beiden jene Melodie, die so schön ist, daß man nicht glauben kann, sie sei von Menschen gemacht worden. 5

Die Mutter saß inzwischen fleißig an einem Nähtisch.[3] Erich hatte die Hände in einander gelegt und hörte aufmerksam zu. Als das Lied zu Ende war, legte Reinhard das Blatt schweigend beiseite. — Vom Ufer des Sees herauf kam durch die Abendstille das Geläute [4] der Herdenglocken; sie horchten unwillkürlich; da hörten sie eine klare 10 Knabenstimme singen:

> Ich stand auf hohen Bergen
> Und sah ins tiefe Tal . . .

Reinhard lächelte: „Hört ihr es wohl? So geht's von Mund zu Mund." 15

„Es wird oft in dieser Gegend gesungen," sagte Elisabeth.

„Ja," sagte Erich, „es ist der Kaspar; er treibt die Kühe heim."

Sie horchten noch eine Weile, bis das Geläute oben hinter den Wirtschaftsgebäuden (*farm buildings*) verschwunden war. „Das sind Urtöne," sagte Reinhard; „sie schlafen in tiefem Walde; Gott 20 weiß, wer sie gefunden hat."

Er zog ein neues Blatt heraus.

Es war schon dunkler geworden; ein roter Abendschein lag wie flüssiges Gold auf den Wäldern jenseits des Sees. Reinhard rollte das Blatt auf, Elisabeth legte an der einen Seite ihre Hand darauf 25 und sah mit hinein. Dann las Reinhard:

> Meine Mutter hat's gewollt,
> Den andern ich nehmen sollt';

---

[3] der Nähtisch (from nähen *to sew* + der Tisch) *sewing table*
[4] das Geläute (from läuten *to ring*) *ringing* — Ge= plus verb stem (sometimes plus =e) forms neuter nouns indicating all that has resulted from the action of the verb — cf. also das Geschrei, das Gebäude, das Gebet, das Gefühl, das Gespräch, etc.

Was ich zuvor besessen,[5]
Mein Herz sollt' es vergessen;
Das hat es nicht gewollt.

Meine Mutter klag' ich an,
Sie hat nicht wohl getan;
Was sonst in Ehren stünde,
Nun ist es worden Sünde.
Was fang' ich an!

Für all mein Stolz und Freud'
Gewonnen hab' ich Leid.
Ach, wär' das nicht geschehen,
Ach, könnt' ich betteln gehen
Über die braune Heid'!

Während des Lesens hatte Reinhard ein unmerkliches Zittern des Papiers empfunden; als er zu Ende war, schob Elisabeth leise ihren Stuhl zurück und ging schweigend in den Garten hinab. Ein Blick der Mutter folgte ihr, Erich wollte nachgehen; doch die Mutter sagte: „Elisabeth hat draußen zu tun," und Erich setzte sich wieder.

Draußen aber legte sich der Abend mehr und mehr über Garten und See, die Nachtfalter (*moths*) schossen an den offenen Türen vorüber, durch welche der Duft der Blumen und Büsche immer stärker hereindrang; vom Wasser herauf kam das Geschrei der Frösche (*frogs*), unter den Fenstern schlug eine Nachtigall (*nightingale*), tiefer im Garten eine andere; der Mond sah über die Bäume. Reinhard blickte noch eine Weile auf die Stelle, wo Elisabeths feine Gestalt zwischen den Bäumen verschwunden war; dann rollte er sein Manuskript zusammen, grüßte die Anwesenden [6] und ging durchs Haus an das Wasser hinab.

Die Wälder standen schweigend und warfen ihr Dunkel weit auf den See hinaus, während die Mitte desselben in Mondesdämmerung lag. Mitunter fuhr ein leiser Wind durch die Bäume; aber es war wirklich kein Wind, es war nur das Atmen der Sommernacht.

[5] besitzen *to possess*, an=klagen *to accuse*, Stolz *pride*, Leid *sorrow*
[6] anwesend *present* — cf. abwesend *absent*

Reinhard ging immer am Ufer entlang. Einen Steinwurf [7] vom
Lande konnte er eine weiße Wasserlilie (*water lily*) erkennen. Auf
einmal hatte er Lust, sie in der Nähe zu sehen; er warf seine Kleider
ab und stieg ins Wasser. Es war flach, scharfe Pflanzen und Steine
schnitten ihn an den Füßen, und er kam immer nicht in die zum 5
Schwimmen nötige Tiefe. Dann war es plötzlich unter ihm weg,
die Wasser flossen über ihm zusammen, und es dauerte eine Zeitlang,
ehe er wieder auf die Oberfläche [8] kam. Nun bewegte er Hand und
Fuß und schwamm im Kreise umher, bis er genau wußte, von wo
er hineingegangen war. Bald sah er auch die Lilie wieder; sie lag 10
einsam zwischen den großen blanken Blättern. — Er schwamm lang=
sam hinaus und hob mitunter die Arme aus dem Wasser, daß die
herabfallenden Tropfen im Mondlicht blitzten; aber es war, als ob
die Entfernung zwischen ihm und der Blume dieselbe bliebe; nur das
Ufer lag, wenn er sich umblickte, in immer ungewisserem Nebel 15
hinter ihm. Er gab indessen sein Unternehmen nicht auf, sondern
schwamm sogar schneller in derselben Richtung fort. Endlich war
er der Blume so nahe gekommen, daß er die silbernen Blätter deut=
lich im Mondlicht unterscheiden konnte; zugleich aber fühlte er sich
wie in einem Netze; die glatten Pflanzen stiegen vom Grunde herauf 20
und wanden (*wound*) sich um seine Glieder. Das unbekannte Wasser
lag so schwarz um ihn her, hinter sich hörte er das Springen eines
Fisches; es wurde ihm plötzlich so unheimlich in dem fremden Ele=
mente, daß er mit Gewalt die Pflanzen zerriß und in atemloser Hast
dem Lande zuschwamm. Als er von hier auf den See zurückblickte, 25
lag die Lilie wie zuvor fern und einsam über der dunklen Tiefe. —
Er zog sich wieder an und ging langsam nach Hause zurück. Als er
aus dem Garten in den Saal trat, erfuhr er, daß Erich und die
Mutter am andern Tage eine kleine Geschäftsreise machen wollten.

„Wo sind denn Sie so spät in der Nacht gewesen?" rief ihm die 30
Mutter entgegen.

[7] der Steinwurf (der Stein + der Wurf *throw* from werfen) *stone's throw*
[8] die Oberfläche (ober *upper* + die Fläche *plane, surface*) *surface, upper
surface*

„Ich?" erwiderte er; „ich wollte die Wasserlilie besuchen; es ist aber nichts daraus geworden."

„Das versteht wieder einmal kein Mensch!" sagte Erich. „Was tausend hattest du denn mit der Wasserlilie zu tun?"

5 „Ich habe sie früher einmal gekannt," sagte Reinhard; „es ist aber schon lange her."

9

Elisabeth

Am folgenden Nachmittag wanderten Reinhard und Elisabeth jenseits des Sees, bald durch den Wald, bald auf dem hohen Ufer=rande. Erich hatte Elisabeth gebeten, während seiner und der Mut=
10 ter Abwesenheit Reinhard mit den schönsten Aussichten der nächsten Umgebung,[1] besonders von der andern Uferseite auf den Hof selber, bekannt zu machen. Nun gingen sie von einem Punkt zum andern. Endlich wurde Elisabeth müde und setzte sich in den Schatten über=hängender Zweige, Reinhard stand ihr gegenüber an einen Baum=
15 stamm gelehnt; da hörte er tiefer im Walde den Kuckuck (*cuckoo*) rufen, und es kam ihm plötzlich vor, dies alles sei schon einmal ebenso gewesen. Er sah sie seltsam lächelnd an. „Wollen wir Erd=beeren suchen?" fragte er.

„Es ist keine Erdbeerenzeit," sagte sie.

20 „Sie wird aber bald kommen."

Elisabeth schüttelte schweigend den Kopf; dann stand sie auf, und beide setzten ihre Wanderung fort; und wie sie so an seiner Seite ging, wandte sein Blick sich immer wieder nach ihr hin; denn sie ging schön, als wenn sie von ihren Kleidern getragen würde. Er blieb oft
25 unwillkürlich einen Schritt zurück, um sie ganz und voll ins Auge fassen zu können. So kamen sie an einen freien Platz mit einer weit ins Land reichenden Aussicht. Reinhard bog sich nieder und brach

---

[1] die Umgebung (from umgeben) *surroundings*

etwas von den am Boden wachsenden Pflanzen ab. Als er wieder
aufsah, trug sein Gesicht den Ausdruck tiefen Schmerzes. „Kennst
du diese Blume?" sagte er.

Sie sah ihn fragend an. „Es ist eine Erika (*heather*). Ich habe
sie oft im Walde gefunden." 5

„Ich habe zu Hause ein altes Buch," sagte er; „ich pflegte sonst
allerlei Lieder und Reime hineinzuschreiben; es ist aber lange nicht
mehr geschehen. Zwischen den Blättern liegt auch eine Erika; aber
es ist nur eine verwelkte (*withered one*). Weißt du, wer sie mir
gegeben hat?" 10

Sie nickte stumm; aber sie schlug die Augen nieder und sah nur
auf die Blume, die er in der Hand hielt. So standen sie lange. Als
sie die Augen gegen ihn aufschlug, sah er, daß sie voll Tränen waren.

„Elisabeth," sagte er, „hinter jenen blauen Bergen liegt unsere
Jugend. Wo ist sie geblieben?" 15

Sie sprachen nichts mehr; sie gingen stumm neben einander zum
See hinab. Die Luft war ziemlich heiß, im Westen stiegen schwarze
Wolken auf. „Es wird wohl regnen," sagte Elisabeth, indem sie
ihren Schritt beeilte.[2] Reinhard nickte schweigend, und beide gingen
rasch am Ufer entlang, bis sie ihren Kahn[3] erreicht hatten. 20

Während der Überfahrt ließ Elisabeth ihre Hand auf dem Rande
des Kahnes ruhen. Er blickte beim Rudern[4] zu ihr hinüber; sie
aber sah an ihm vorbei in die Ferne. So glitt sein Blick herunter
und blieb auf ihrer Hand; und diese blasse Hand verriet ihm, was
ihr Gesicht ihm verborgen[5] hatte. Er sah auf ihr jenen feinen Zug 25
geheimen Schmerzes, der so oft an schönen Frauenhänden zu merken
ist, die nachts auf krankem Herzen liegen. — Als Elisabeth sein Auge
auf ihrer Hand ruhen fühlte, ließ sie sie langsam über Bord ins
Wasser gleiten.

Auf dem Hofe angekommen, trafen sie einen Scherenschleiferkarren 30
(*scissors grinder's cart*) vor dem Herrenhause; ein Mann mit

---

[2] beeilen and sich beeilen (from eilen) *to hurry, to hasten* — cf. also die Eile
haste, and eilig *hurriedly*
[3] der Kahn *boat*   [4] rudern (from das Ruder *oar*) *to row*
[5] verbergen (from bergen) *to conceal, to hide*

schwarzen niederhängenden Locken trat schnell das Rad und summte eine Zigeunermelodie (*gypsy melody*) zwischen den Zähnen, während ein Hund schwer atmend daneben lag. Auf dem Hausflur stand ein ärmlich gekleidetes Mädchen mit traurigen, aber doch schönen
5 Zügen und streckte bettelnd die Hand gegen Elisabeth aus.

Reinhard griff in seine Tasche; aber Elisabeth kam ihm zuvor und schüttelte hastig den ganzen Inhalt [6] ihrer Börse [7] in die offene Hand der Bettlerin. Dann wandte sie sich eilig ab, und Reinhard hörte, wie sie schluchzend (*sobbing*) die Treppe hinaufging.

10 Zuerst wollte er sie aufhalten,[8] aber er blieb endlich schweigend an der Treppe zurück. Das Mädchen stand noch immer auf dem Flur, unbeweglich, das empfangene Geld in der Hand. „Was willst du noch?" fragte Reinhard.

Sie erschrak. „Ich will nichts mehr," sagte sie; dann, den Kopf
15 nach ihm zurückwendend, ihn starr ansehend mit wilden Augen, ging sie langsam gegen die Tür. Er rief einen Namen aus, aber sie hörte es nicht mehr; mit gesenktem [9] Haupte, mit über der Brust gekreuzten Armen schritt sie über den Hof hinab.

Sterben, ach sterben
20 Soll ich allein!

Ein altes Lied klang ihm ins Ohr, der Atem stand ihm still; eine kurze Weile, dann wandte er sich ab und ging auf sein Zimmer.

Er setzte sich hin, um zu arbeiten, aber er hatte keine Gedanken. Nachdem er es eine Stunde lang vergebens versucht hatte, ging er
25 ins Familienzimmer hinab. Es war niemand da, nur kühle grüne Dämmerung; auf Elisabeths Nähtisch lag ein rotes Band, das sie am Nachmittag um den Hals getragen hatte. Er nahm es in die Hand, aber es tat ihm weh, und er legte es wieder hin. Er hatte keine Ruhe, er ging an den See hinab und band den Kahn los; [10]
30 er ruderte hinüber und ging noch einmal alle Wege, die er kurz vorher mit Elisabeth zusammen gegangen war. Als er wieder nach

[6] der Inhalt (from halten) *contents* [7] die Börse *purse*
[8] auf=halten *to hold up, to detain* [9] senken (cf. sinken) *to lower, to bow*
[10] los=binden (cf. binden *to tie*) *to untie*

Hause kam, war es dunkel; auf dem Hofe begegnete ihm der Mann, der die Wagenpferde ins Gras bringen wollte; die Reisenden waren eben zurückgekehrt. Indem er in den Hausflur eintrat, hörte er Erich im Gartensaal auf und ab schreiten. Er ging nicht zu ihm hinein; er stand einen Augenblick still und stieg dann leise die Treppe 5 hinauf nach seinem Zimmer. Hier setzte er sich in den Lehnstuhl ans Fenster; er tat vor sich selbst, als wolle er die Nachtigall (*nightingale*) hören, die unten in den Tannen schlug; aber er hörte nur den Schlag seines eigenen Herzens. Unter ihm im Hause ging alles zur Ruh', die Nacht verging, er fühlte es nicht. — So saß er stundenlang. 10 Endlich stand er auf und legte sich ins offene Fenster. Der Nacht= tau [11] lag auf allen Blättern, die Nachtigall hatte aufgehört zu schlagen. Nach und nach kam auch durch das tiefe Blau des Nacht= himmels von Osten her ein blaßgelber Schimmer; ein frischer Wind erhob sich und traf Reinhards heiße Stirn; die erste Lerche (*lark*) 15 stieg jubelnd in die Luft. — Reinhard kehrte sich plötzlich um und trat an den Tisch; er suchte nach einem Bleistift, und als er diesen gefunden hatte, setzte er sich und schrieb damit einige Zeilen [12] auf ein weißes Blatt Papier. Nachdem er hiermit fertig war, nahm er Hut und Stock, und das Papier zurücklassend, öffnete er ganz ruhig 20 die Tür und stieg in den Flur hinab. — Die Morgendämmerung ruhte noch überall im Hause; die große Hauskatze lag auf dem Boden, er strich ihr gedankenlos den Rücken mit seiner Hand. Draußen im Garten aber sangen schon die Vögel von den Zweigen und sagten es allen, daß die Nacht vorbei sei. Da hörte er oben im Hause eine 25 Tür gehen; es kam die Treppe herunter, und als er aufsah, stand Elisabeth vor ihm. Sie legte die Hand auf seinen Arm, sie bewegte die Lippen, aber er hörte keine Worte. „Du kommst nicht wieder," sagte sie endlich. „Ich weiß es; du kommst nie wieder."

„Nie," sagte er. Sie ließ ihre Hand sinken und sagte nichts mehr. 30 Er ging über den Flur der Tür zu; dann wandte er sich noch einmal. Sie stand bewegungslos an derselben Stelle und sah ihn mit toten

[11] der Nachttau (die Nacht + der Tau *dew*) *night dew*
[12] die Zeile *line*

Augen an. Er tat einen Schritt vorwärts und streckte die Arme nach
ihr aus. Dann kehrte er sich gewaltsam [13] ab und ging zur Tür
hinaus. — Draußen lag die Welt im frischen Morgenlichte, die
Tauperlen,[14] die auf dem Grase lagen, blitzten in den ersten Son=
5 nenstrahlen. Er sah nicht rückwärts; er wanderte rasch hinaus; und
mehr und mehr versank hinter ihm der stille Hof, und vor ihm auf
stieg die große weite Welt.

10

Der Alte

Der Mond schien nicht mehr in die Fensterscheiben, es war dunkel
geworden; der Alte aber saß noch immer mit gefalteten Händen in
10 seinem Lehnstuhl und blickte vor sich hin in den Raum des Zimmers.
Nach und nach verwandelte sich vor seinen Augen die schwarze Däm=
merung um ihn her in einen breiten dunkeln See; ein schwarzes
Gewässer [1] legte sich hinter das andere, immer tiefer und ferner, und
auf dem letzten, so fern, daß die Augen des Alten sie kaum erreichten,
15 schwamm einsam zwischen breiten Blättern eine weiße Wasserlilie.

Die Stubentür ging auf, und ein heller Lichtstrahl fiel ins Zim=
mer. „Es ist gut, daß Sie kommen, Brigitte," sagte der Alte.
„Stellen Sie das Licht nur auf den Tisch."

Dann rückte er auch den Stuhl zum Tisch, nahm eins der auf=
20 geschlagenen Bücher und vertiefte sich in Studien, an denen er einst
die Kraft seiner Jugend geübt hatte.

---

[13] gewaltsam (from die Gewalt) *forcibly*
[14] die Tauperle (der Tau + die Perle *pearl*) *pearl of dew*

[1] das Gewässer *body of water* — cf. note 1, Chap. 2, *Germelshausen*

L'Arrabbiata

Paul Heyse

PAUL HEYSE (1830–1914) was the son of a professor at the University of Berlin. His mother was a daughter of the court jeweler Salomon and related to the Mendelssohns. As a student at the University of Berlin, Heyse worked first in the field of the Classics, but changed to Romanics on entering Bonn, where he took his doctorate in 1852.

Like so many Germans before and after Goethe, Heyse felt that to go 'abroad' was to go to Italy. This longing for Italy, an essential component of the German wanderlust, was satisfied when Heyse was twenty-two by a stipend from the Prussian government, which enabled him to spend a year in Rome, Capri, Florence, and Venice. In 1854 he was called to Munich by King Maximilian II of Bavaria and was granted an annual stipend that freed him from all financial worries and enabled him to marry. His wife died in 1862, two years before the death of the king. Although his stipend was continued by Ludwig II, enthusiastic patron of Wagnerian opera, and although he found new happiness in a second marriage in 1867, during the 1870's he had many personal sorrows, which seemed only to increase his productiveness.

In the eighties and nineties he became the literary enemy of the new schools of Impressionism and Naturalism, although he and Ibsen had been at first personal friends. By 1900, however, the animosity had died away — Heyse henceforth kept his peace and was left in peace — and he became recognized as the finest master of form the later nineteenth century had produced in Germany. In 1910 he was awarded the Nobel Prize, the first German writer to be so honored.

An extremely productive writer, Heyse brought forth verse and prose *Novellen*, lyrics, novels, and dramas, all showing a deep love of beauty and a mastery of form. He emerged a full-fledged poet — he did not have to grow, as do so many poets. It is thus typical that his most-loved work, *L'Arrabbiata*, dates from his first Italian sojourn in 1853.

1

Im Hafen

Die Sonne war noch nicht aufgegangen. Über dem Vesuv (*Vesuvius*) lag ein breiter grauer Nebel, der sich nach Neapel (*Naples*) hin ausbreitete und die kleinen Städte an jener Küste[1] verdunkelte.[2] Das Meer lag still. In dem Hafen aber, der unter dem hohen Sorrentiner (*of Sorrento*) Felsenufer in einer engen 5 Bucht (*bay*) gelegen ist, rührten sich schon Fischer mit ihren Weibern, die Kähne mit Netzen, die zum Fischen über Nacht draußen gelegen hatten, an großen Seilen[3] ans Land zu ziehen. Andere arbeiteten an ihren Schiffen, um sie segelfertig[4] zu machen, und holten Ruder und Segel aus den großen, tief in den Felsen hineingebauten Gewöl= 10 ben hervor, wo man sie über Nacht vor dem Regen schützte. Man sah keinen müßig gehen; denn auch die Alten, die keine Fahrt mehr machten, nahmen ihren Platz in der großen Kette derer, die an den Netzen zogen, und hie und da stand ein Mütterchen mit der Spindel (*spindle for winding yarn*) auf einem der flachen Dächer, oder 15 beschäftigte sich mit den Enkeln, während die Tochter dem Manne half.

[1] die Küste *coast*   [2] verdunkeln = dunkel machen   [3] das Seil *rope*
[4] segelfertig (das Segel *sail* + fertig) *ready to sail*

83

„Siehst du, Rachela? da ist unser Padre (*priest*)," sagte eine Alte zu einem kleinen Ding von zehn Jahren, das neben ihr ein Spindelchen in der Hand hatte. „Eben steigt er ins Schiff. Der Antonino soll ihn nach Capri hinüberfahren. Maria Santissima, 5 wie schläfrig [5] der ehrwürdige [6] Herr noch aussieht!" — Und damit winkte sie mit der Hand einem kleinen, freundlichen Priester zu, der unten in dem Schiff sich eben auf die Bank setzte, nachdem er seinen schwarzen Rock sorgfältig aufgehoben und über die Holzbank aus= gebreitet hatte. Die anderen, die noch an Land waren, hörten auf 10 zu arbeiten, um ihren Pfarrer abfahren zu sehen, der nach rechts und links freundlich nickte und grüßte.

„Warum muß er denn nach Capri, Großmutter?" fragte das Kind. „Haben die Leute dort keinen Pfarrer, daß unserer dorthin gehen muß?"

„Sei nicht so närrisch," sagte die Alte. „Genug haben sie da und 15 die schönsten Kirchen und sogar vieles, was wir nicht haben. Aber da ist eine vornehme Dame, die hat lange hier in Sorrent gewohnt und war sehr krank, daß der Padre oft zu ihr mußte, wenn sie dachten, sie würde nicht über Nacht leben. Nun, die heilige Jungfrau [7] hat ihr geholfen, daß sie wieder frisch und gesund geworden ist und hat 20 alle Tage im Meere baden können. Als sie von hier fort ist, nach Capri hinüber, hat sie noch einen schönen Haufen Geldes an die Kirche geschenkt und an das arme Volk, und hat nicht fortgehen wollen, sagen sie, ehe der Padre versprochen hat, sie drüben (*over there*) zu besuchen, daß sie ihm beichten (*confess*) kann. Denn es 25 ist erstaunlich, was sie für eine hohe Meinung von ihm hat. Und wir können uns segnen, daß wir ihn zum Pfarrer haben, der so mild und gut ist, und dem die hohen, vornehmen Personen nach= fragen. Die heilige Jungfrau sei mit ihm!" — Und damit winkte sie zum Schiffchen hinunter, das eben abstoßen wollte.

30 „Werden wir klares Wetter haben, mein Sohn?" fragte der kleine Priester und sah zweifelnd nach Neapel hinüber.

[5] schläfrig (from schlafen) *sleepy*
[6] ehrwürdig (die Ehre + würdig *worthy* from die Würde *worth, dignity*) *venerable, reverend*
[7] die heilige Jungfrau *the Holy Virgin*

„Die Sonne ist noch nicht heraus," erwiderte der Bursche. „Mit dem bißchen Nebel wird sie schon fertig werden."

„So fahr ab, daß wir vor der Hitze ankommen."

Antonino griff eben zu dem langen Ruder, um den Kahn ins Freie zu treiben, als er plötzlich aufhörte und nach der Höhe des 5 steilen (*steep*) Weges hinaufsah, der von dem Städtchen Sorrent zum Hafen hinabführt.

Eine schlanke Mädchengestalt wurde oben sichtbar, die eilig die Steine hinabschritt und mit einem Tuch winkte. Sie trug ein kleines Bündel unterm Arm, und ihre Kleidung war ärmlich genug. Doch 10 hatte sie eine fast vornehme, nur etwas wilde Art, den Kopf zurück= zuwerfen, und die schwarze Flechte,[8] die sie vorn über der Stirn trug, stand ihr wie eine Krone.

„Worauf warten wir?" fragte der Pfarrer.

„Es kommt da noch jemand auf das Schiff zu, der auch wohl nach 15 Capri will. Wenn Ihr erlaubt, Padre — es geht darum nicht lang= samer, denn's ist nur ein junges Ding von kaum achtzehn Jahren."

In diesem Augenblick trat das Mädchen hinter der Mauer her= vor, die am Ende des krummen Weges stand. „Laurella?" sagte der Pfarrer. „Was hat sie in Capri zu tun?" 20

Antonino zuckte[9] die Achseln. — Das Mädchen kam mit hastigen Schritten heran und sah vor sich hin.

„Guten Tag, l'Arrabbiata!" riefen einige von den jungen Schiffern.[10] Sie hätten wohl noch mehr gesagt, wenn die Gegenwart des Priesters sie nicht in Respekt gehalten hätte; denn die trotzige stumme Art, in der 25 das Mädchen ihren Gruß aufnahm, schien diese Burschen zu reizen.

„Guten Tag, Laurella," rief nun auch der Pfarrer. „Wie steht's? Willst du mit nach Capri?"

„Wenn's erlaubt ist, Padre!"

„Frage den Antonino, der Kahn ist zwar seiner. Ist jeder doch 30 Herr seines eigenen Guts und Gott Herr über uns alle."

---

[8] die Flechte (from flechten *to braid, to weave*) *braid (of hair)*
[9] die Achsel *shoulder* + zucken *to move, to twitch* = *to shrug one's shoulder*
[10] der Schiffer (from das Schiff) *boatman*

„Da ist etwas Geld," sagte Laurella, ohne den jungen Schiffer anzusehen. „Wenn ich dafür mitkann."

„Du kannst's besser brauchen, als ich," sagte der Bursch kurz und schob einige Körbe mit Apfelsinen beiseite, daß Platz wurde. Er sollte 5 sie in Capri verkaufen, denn die Felseninsel [11] trägt nicht genug für die vielen Besucher.

„Ich will nicht umsonst mit," erwiderte das Mädchen, und die schwarzen Augenbrauen (*eyebrows*) zuckten.

„Komm nur, Kind," sagte der Pfarrer. „Er ist ein braver Junge 10 und will nicht reich werden von dem bißchen Geld, das du verdienst. Da, steig ein" — und er reichte ihr die Hand — „und setz' dich hier neben mich. Sieh, da hat er dir seinen Rock hingelegt, daß du weicher sitzen sollst. Mir hat er's nicht so gut gemacht. Aber junges Volk, das treibt's immer so. Für ein kleines Mädchen wird mehr 15 gesorgt, als für zehn geistliche [12] Herren. Nun, nun, brauchst dich nicht zu entschuldigen,[13] Tonino; 's ist unsers Herrgotts Wille, daß sich gleich zu gleich hält."

Laurella war inzwischen eingestiegen und hatte sich gesetzt, nachdem sie den Rock, ohne ein Wort zu sagen, beiseite geschoben hatte. Der 20 junge Schiffer ließ ihn liegen und sagte etwas halb laut zwischen den Zähnen. Dann stieß er kräftig gegen das Ufer, und der kleine Kahn flog in das Meer hinaus.

2

Die Überfahrt

„Was hast du da im Bündel?" fragte der Pfarrer, während sie nun übers Meer hintrieben, das eben von den ersten Sonnenstrahlen 25 getroffen wurde.

---

[11] die Felseninsel (der Felsen + die Insel *island*) *rocky island*
[12] geistlich (from der Geist) *spiritual, clerical*
[13] sich entschuldigen (cf. note 3, Chap. 5, *Germelshausen*) *to excuse oneself* = *to apologize*

„Seide, Garn (*yarn*) und ein Brot, Padre. Ich soll die Seide
an eine Frau in Capri verkaufen, die Bänder macht, und das Garn
an eine andere."

„Hast du's selbst gesponnen?"

„Ja, Herr." 5

„Wenn ich mich recht erinnere, hast du auch gelernt Bänder
machen."

„Ja, Herr. Aber es geht wieder schlimmer mit der Mutter, daß
ich nicht aus dem Hause kann, und einen eigenen Webstuhl (*loom*)
können wir nicht bezahlen." 10

„Geht schlimmer? Oh, oh! Da ich um Ostern bei euch war, saß
sie doch auf."

„Der Frühling ist immer die böseste Zeit für sie. Seit wir die
großen Stürme hatten, hat sie immer liegen müssen vor Schmerzen." 15

„Höre nicht auf zu beten und bitten, mein Kind, daß die heilige
Jungfrau Fürbitte (*intercession*) tut. Und sei brav und fleißig,
damit dein Gebet erhört werde."

Nach einer Pause: „Wie du da zum Meer herunterkamst, riefen
sie dir zu: Guten Tag, l'Arrabbiata! Warum heißen sie dich so? 20
Es ist kein schöner Name für eine Christin, die sanft sein soll und
demütig."

Das Mädchen glühte über das ganze braune Gesicht und ihre
Augen blitzten.

„Sie machen sich lustig über mich, weil ich nicht tanze und singe 25
und viel schwatze, wie andere. Sie sollten mich gehen lassen; ich tu'
ihnen ja nichts."

„Du könntest aber freundlich sein zu jedermann. Tanzen und
singen mögen andere, denen das Leben leichter ist. Aber ein gutes
Wort geben, kann sogar jedermann, der auch Sorgen hat." 30

Sie sah vor sich nieder und zog die Brauen (*brows*) dichter zusammen, als wollte sie ihre schwarzen Augen darunter verstecken. Eine
Weile fuhren sie schweigend dahin. Die Sonne stand nun ziemlich
hoch über dem Gebirge, die Spitze des Vesuv ragte über die Wolken

hervor, die noch um den Fuß des Berges lagen, und die weißen
Häuser auf den flachen Feldern um Sorrent stachen gar schön von
den grünen Apfelsinenbäumen ab.

„Hat jener Maler nichts wieder von sich hören lassen, Laurella,
5 jener Neapolitaner (*man from Naples*), der dich zur Frau haben
wollte?" fragte der Pfarrer.

Sie schüttelte den Kopf.

„Er kam damals, ein Bild von dir zu machen. Warum hast du's
nicht leiden wollen?"

10 „Wozu wollt' er es nur? Es sind andere schöner als ich. Und
dann — wer weiß, was er damit getrieben hätte. Er hätte mich
damit verzaubern [1] können und meine Seele beschädigen,[2] oder mich
gar zu Tode bringen," sagte die Mutter.

„Glaube nicht so sündliche Dinge," sprach der Pfarrer ernsthaft.
15 „Bist du nicht immer in Gottes Hand, ohne dessen Willen dir kein
Haar vom Haupte fällt? Und soll ein Mensch mit so einem Bild
in der Hand stärker sein als der Herrgott? — Außerdem konntest du
ja sehen, daß er dir wohl wollte. Hätte er dich sonst heiraten wollen?"

Sie schwieg.

20 „Und warum hast du ihn fortgeschickt? Es soll ein braver Mann
gewesen sein und ganz stattlich und hätte für dich und deine Mutter
besser sorgen können, als du es nun kannst, mit dem bißchen Spinnen
und Seidewickeln (*silk-winding*)."

„Wir sind arme Leute," sagte sie heftig, „und meine Mutter nun
25 gar seit so lange krank. Wir wären ihm nur zur Last gefallen. Und ich
tauge auch nicht für einen großen Herrn. Wenn seine Freunde zu
ihm gekommen wären, hätte er sich meiner geschämt." [3]

„Was du auch redest! Ich sage dir ja, daß es ein braver Herr
war. Und außerdem wollte er sich doch eine Wohnung in Sorrent
30 kaufen. Es wird nicht bald so einer wieder kommen, der wie recht
vom Himmel geschickt war, um euch aufzuhelfen."

---

[1] verzaubern (from der Zauber *magic*) *to bewitch, to place a charm upon*
[2] beschädigen (from schaden) *to harm, to injure*
[3] sich schämen with the genitive case *to be ashamed of*

„Ich will gar keinen Mann, niemals!" sagte sie ganz trotzig und wie vor sich hin.

„Hast du es versprochen, dich mit keinem zu verheiraten, oder willst du in ein Kloster⁴ gehen?"

Sie schüttelte den Kopf.   5

„Die Leute haben recht, die behaupten, daß du hartnäckig⁵ bist, wenn auch jener Name nicht schön ist. Denkst du nicht daran, daß du nicht allein auf der Welt bist und durch diese Hartnäckigkeit deiner kranken Mutter das Leben und ihre Krankheit nur bitterer machst? Was kannst du für wichtige Gründe haben, jede ehrliche 10 Hand abzuweisen,⁶ die dich und deine Mutter stützen will? Antworte mir, Laurella!"

„Ich habe wohl einen Grund," sagte sie leise und zögernd. „Aber ich kann ihn nicht sagen."

„Nicht sagen? Auch mir nicht? Nicht deinem Beichtvater (*father* 15 *confessor*), dem du doch sonst wohl zutraust,⁷ daß er es gut mit dir meint? Oder nicht?"

Sie nickte.

„So öffne dein Herz, Kind. Wenn du recht hast, will ich der erste sein, dir recht zu geben. Aber du bist jung und kennst die Welt wenig, 20 und du möchtest später einmal ganz traurig sein, wenn du wegen kindischer Gedanken dein Glück hast fahren lassen."

Sie warf einen scheuen Blick nach dem Burschen hinüber, der fleißig rudernd hinten im Kahn saß und die wollene⁸ Mütze tief in die Stirn gezogen hatte. Er sah starr zur Seite ins Meer und schien 25 in seine eigenen Gedanken versunken zu sein. Der Pfarrer sah ihren Blick und neigte⁹ sein Ohr näher zu ihr.

„Ihr habt meinen Vater nicht gekannt," flüsterte sie, und ihre Augen sahen finster.

„Deinen Vater? Er starb ja, denk' ich, da du kaum zehn Jahre 30

⁴ das Kloster *convent*
⁵ hartnäckig *stubborn, obstinate*
⁶ ab=weisen (from weisen *to direct*) *to direct away* = *to reject*
⁷ zu=trauen (from trauen) *to trust, to expect of*
⁸ wollen = aus Wolle   ⁹ neigen *to bend, to incline*

alt warst. Was hat dein Vater, dessen Seele im Himmel sein möge, mit deiner Hartnäckigkeit zu tun?"

„Ihr habt ihn nicht gekannt, Padre. Ihr wißt nicht, daß er allein schuld ist an der Krankheit der Mutter."

5 „Wie das?"

„Weil er sie mißhandelt [10] hat und geschlagen und mit Füßen getreten. Ich weiß noch die Nächte, wenn er nach Hause kam und war sehr zornig. Sie sagte ihm nie ein Wort und tat alles, was er wünschte. Er aber schlug sie, daß mir das Herz brechen wollte. Ich 10 zog dann die Decke über den Kopf und tat, als ob ich schliefe, weinte aber die ganze Nacht. Und wenn er sie dann am Boden liegen sah, verwandelt' er sich plötzlich und hob sie auf und küßte sie, daß sie schrie, sie werde nicht atmen können. Die Mutter hat mir verboten, daß ich nie ein Wort davon sagen soll; aber es ängstigte sie so, daß 15 sie nun die langen Jahre, seit er tot ist, noch nicht wieder gesund geworden ist. Und wenn sie früh sterben sollte, ich weiß wohl, wer sie eigentlich getötet hat."

Der kleine Priester schüttelte das Haupt und schien unschlüssig, wie weit er seinem Beichtkind recht geben sollte. Endlich sagte er: 20 „Vergib [11] ihm, wie ihm deine Mutter vergeben hat. Denke nicht an jene traurigen Bilder, Laurella. Es werden bessere Zeiten für dich kommen und dich alles vergessen machen."

„Nie vergeß' ich das," sagte sie, und der kleine Priester sah, wie sie schauderte. „Und wißt, Padre, darum will ich eine Jungfrau 25 bleiben, um keinen als Herrn zu haben, der mich mißhandelte und dann küßte. Wenn mich jetzt einer schlagen oder küssen will, so weiß ich mich zu verteidigen. Aber meine Mutter durfte sich schon nicht verteidigen, nicht gegen die Schläge und nicht gegen die Küsse, weil sie ihn liebhatte. Und ich will keinen so liebhaben, daß ich um ihn 30 krank und unglücklich würde."

„Bist du nun nicht ein Kind und sprichst wie eine, die nichts weiß von dem, was auf Erden geschieht? Sind denn alle Männer wie dein armer Vater war, daß sie so leicht zornig werden und ihren

[10] mißhandeln *to mistreat, to treat poorly*   [11] vergeben *to forgive*

Frauen schlecht begegnen? Hast du nicht ehrliche Menschen genug gesehen in dieser ganzen Gegend, und Frauen, die in Ruhe und Frieden mit ihren Männern leben?"

„Von meinem Vater wußt' es auch niemand, wie er zu meiner Mutter war, denn sie wäre eher [12] tausendmal gestorben, als es einem sagen und klagen. Und das alles, weil sie ihn liebte. Wenn es so um die Liebe ist, daß sie einem die Lippen schließt, wo man Hilfe schreien sollte, und einen verteidigungslos macht gegen Schlimmeres, als man von einem Feind erwarten würde, so will ich nie mein Herz an einen Mann hängen."

„Ich sage dir, daß du ein Kind bist und nicht weißt, was du sprichst. Du wirst auch viel gefragt werden von deinem Herzen, ob du lieben willst oder nicht, wenn seine Zeit gekommen ist; dann hilft alles nicht, was du dir jetzt in den Kopf setzst." — Wieder nach einer Pause: „Und jener Maler, hast du auch geglaubt, daß er dir hart begegnen würde?"

„Er machte so Augen, wie ich sie bei meinem Vater gesehen habe, nachdem er die Mutter geschlagen hatte und sie dann in die Arme nehmen wollte, um ihr wieder gute Worte zu geben. Die Augen kenn' ich. Es kann sie auch einer machen, der's übers Herz bringt, seine Frau zu schlagen, die ihm auch immer seinen Willen getan hat. Es ängstigte mich, wie ich die Augen wieder sah."

Darauf schwieg sie lange still. Auch der Pfarrer schwieg. Er dachte wohl daran, welche schönen Worte er dem Mädchen hätte sagen können. Aber die Gegenwart des jungen Schiffers, der gegen das Ende der Beichte (*confession*) unruhiger geworden war, verschloß ihm den Mund.

Als sie nach einer zweistündigen Fahrt in dem kleinen Hafen von Capri ankamen, trug Antonino den geistlichen Herrn aus dem Kahn über die letzten flachen Wellen [13] und setzte ihn ehrfurchtsvoll [14] ab. Doch hatte Laurella nicht warten wollen, bis er wieder zurückkam und sie nachholte. Sie nahm ihr Röckchen zusammen, die Holz-

---

[12] eher (cf. ehe) *sooner, rather*   [13] die Welle *wave*
[14] ehrfurchtsvoll (from die Ehrfurcht *reverence*) *reverently*

schuhe in die rechte, das Bündel in die linke Hand und lief schnell
ans Land.

„Ich bleibe heute wohl lange auf Capri," sagte der Padre, „und
du brauchst nicht auf mich zu warten. Vielleicht komm' ich gar erst
5 morgen nach Haus. Und du, Laurella, wenn du heimkommst, grüße
die Mutter. Ich besuche euch in dieser Woche noch. Du fährst doch
noch vor der Nacht zurück?"

„Wenn Gelegenheit ist," sagte das Mädchen und machte sich an
ihrem Rock zu schaffen.[15]

10 „Du weißt, daß ich auch zurückmuß," sprach Antonino, wie er
meinte, in sehr ruhigem Ton. „Ich wart' auf dich, bis Ave Maria.
Wenn du dann nicht kommst, soll mir's auch gleich sein."

„Du mußt kommen, Laurella," unterbrach der kleine Herr. „Du
darfst deine Mutter keine Nacht allein lassen. — Ist's weit, wo du
15 hinmußt?"

„Auf Anacapri, in einen Weinberg."

„Und ich muß auf Capri zu. Gott sei mit dir, Kind, und mit dir,
mein Sohn!"

Laurella küßte ihm die Hand und ließ ein Lebwohl fallen, in das
20 sich der Padre und Antonino teilen mochten. Antonino indessen
schien es nicht zu bemerken. Er zog seine Mütze vor dem Padre und
sah Laurella nicht an.

Als sie ihm aber beide den Rücken gekehrt hatten, ließ er seine
Augen nur kurze Zeit mit dem geistlichen Herrn wandern, der über
25 den tiefen Sand langsam hinschritt, und schickte sie dann dem Mäd=
chen nach, das sich rechts die Höhe hinauf gewandt hatte, die Hand
über die Augen haltend gegen die scharfe Sonne. Ehe sich der Weg
oben zwischen Mauern zurückzog, stand sie einen Augenblick still, wie
um Atem zu holen, und sah um. Der Hafen lag zu ihren Füßen,
30 um sie her türmte[16] sich der steile Fels, unten schimmerte das blaue
Meer — es war wohl eine Aussicht des Stehenbleibens wert. Es
war reiner Zufall,[17] daß ihr Blick, bei Antoninos Kahn vorüber=

---

[15] schaffen as a weak verb means *to make, to do*, but as a strong verb
means *to create*   [16] sich türmen (cf. der Turm) *to tower*   [17] der Zufall *chance*

eilend, sich mit jenem Blick begegnete, den Antonino ihr nachgeschickt hatte. Sie machten beide eine Bewegung, wie Leute, die sich ent= schuldigen wollen, es sei etwas nur durch Zufall geschehen, worauf das Mädchen mit finsterm Munde ihren Weg fortsetzte.

3

Auf Capri

Es war erst eine Stunde nach Mittag, und schon saß Antonino 5 zwei Stunden lang auf einer Bank vor dem Wirtshaus, das die Fischer gewöhnlich besuchten. Es mußte ihm was durch den Sinn gehen, denn alle fünf Minuten sprang er auf, trat in die Sonne hinaus und überblickte sorgfältig die Wege, die links und rechts nach den zwei Inselstädtchen führen. Das Wetter sehe ihm nicht gut aus, 10 sagte er dann zu der Wirtin dieses Wirtshauses. Es sei wohl klar, aber er kenne diese Farbe des Himmels und Meers. Gerade so hab' es ausgesehen, ehe der letzte große Sturm war, wo er die englische Familie nur mit Not ans Land gebracht habe. Sie werde sich erin= nern.

15

„Nein," sagte die Frau.

Nun, sie solle an ihn denken, wenn sich's noch vor Nacht verändere.

„Sind viele Besucher drüben (*over there*)?" fragte die Wirtin nach einer Weile.

„Es fängt eben an. Bisher hatten wir schlechte Zeit. Diejenigen, 20 die wegen der Bäder [1] kommen, ließen auf sich warten."

„Der Frühling kam spät. Habt ihr mehr verdient, als wir hier auf Capri?"

„Es wäre nicht genug gewesen, zweimal die Woche Makkaroni zu essen, wenn ich all mein Geld von dem Kahn hätte. Dann und 25 wann einen Brief nach Neapel zu bringen, oder einen vornehmen Herrn aufs Meer zu rudern, der fischen wollte — das war alles.

[1] das Bad (from baden) *bath*

Aber Ihr wißt, daß mein Onkel sehr, sehr viele Apfelsinenbäume hat und ein reicher Mann ist. Tonino, sagt er, solang ich lebe, sollst du nicht Not leiden, und nachher wird auch für dich gesorgt werden. So hab' ich den Winter mit Gottes Hilfe durchlebt."

5 „Hat er Kinder, Euer Onkel?"

„Nein. Er war nie verheiratet und lange außer Landes, wo er denn manches Geld zusammengebracht hat. Nun will er eine große Fischerei anfangen, und will mich über das ganze Geschäft setzen, daß ich nach dem Rechten sehe."

10 „So seid Ihr ja ein gemachter Mann, Antonino."

Der junge Schiffer zuckte die Achseln. „Es hat jeder sein Bündel zu tragen," sagte er. Damit sprang er auf und sah wieder links und rechts nach dem Wetter, obwohl er wissen mußte, daß es nur eine Wetterseite gibt.

15 „Ich bring' Euch noch eine Flasche. Euer Onkel kann's bezahlen," sagte die Wirtin.

„Nur noch ein Glas, denn Ihr habt hier eine feurige Art Wein. Der Kopf ist mir schon ganz warm."

„Er geht nicht ins Blut. Ihr könnt trinken, so viel Ihr wollt. 20 Da kommt eben mein Mann, mit dem müßt Ihr noch eine Weile sitzen und schwatzen."

Wirklich kam, das Netz über die Schulter gehängt, die rote Mütze über den lockigen (*curly*) Haaren, der stattliche Wirt von dem hie=sigen Wirtshaus von der Höhe herunter. Er hatte Fische in die 25 Stadt gebracht, die jene vornehme Dame haben wollte, um sie dem kleinen Pfarrer von Sorrent vorzusetzen. Wie er den jungen Schiffer sah, winkte er ihm herzlich mit der Hand ein Willkommen zu, setzte sich dann neben ihn auf die Bank und fing an zu fragen und zu erzählen. Eben brachte sein Weib eine zweite Flasche des echten 30 Capri, als der Ufersand zur Linken knisterte (*crackled*) und Laurella des Weges von Anacapri daherkam.[2] Sie grüßte eilig mit dem Kopf und stand unschlüssig still.

Antonino sprang auf. „Ich muß fort," sagte er. „Es ist ein

[2] daher=kommen *to come along*

Mädchen aus Sorrent, das heute früh mit dem Padre kam und auf
die Nacht wieder zu ihrer kranken Mutter will."

„Nun, nun, 's ist noch lang bis Nacht," sagte der Fischer. „Sie
wird doch Zeit haben, ein Glas Wein zu trinken. Holla, Frau,
bring noch ein Glas." 5

„Ich danke, ich trinke nicht," sagte Laurella und blieb in einiger
Entfernung.

„Bring noch ein Glas, Frau, bring noch ein Glas! Sie wird
doch wenigstens ein Glas trinken."

„Laßt sie," sagte der Bursch. „Sie hat einen harten Kopf; was 10
sie einmal nicht will, das redet [3] ihr kein Heiliger ein." — Und damit
nahm er schnell Abschied, lief nach dem Kahn hinunter, löste das Seil
und stand nun und wartete auf das Mädchen. Die grüßte noch einmal nach den Wirten des hiesigen Wirtshauses und ging dann mit
unschlüssigen Schritten dem Boote zu. Sie sah vorher nach allen 15
Seiten um, als erwarte sie, daß sich noch andere Gesellschaft ein-
finden [4] würde. Der Hafen aber war menschenleer; die Fischer
schliefen oder fuhren im Meer mit ihren Netzen, wenige Frauen und
Kinder saßen unter den Türen, schlafend oder spinnend, und die
Fremden, die am Morgen herübergefahren waren, warteten die 20
kühlere Tageszeit zur Rückfahrt ab. Sie konnte auch nicht zu lange
umschauen, denn ehe sie es recht wußte, hatte Antonino sie in die
Arme genommen und trug sie wie ein Kind in den Kahn. Dann
sprang er nach, und mit wenigen Ruderschlägen waren sie schon im
offenen Meer. 25

4

Die Rückfahrt

Sie hatte sich vorn in den Kahn gesetzt und ihm halb den Rücken
zugedreht, daß er sie nur von der Seite sehen konnte. Ihre Züge

[3] ein=reden *to talk into, to persuade* [4] sich ein=finden *to appear*

waren jetzt noch ernsthafter als gewöhnlich. Über die kurze Stirn hing das Haar tief herein, um die feine Nase zitterte ein hartnäckiger Zug, der volle Mund war fest geschlossen. — Als sie eine Zeitlang so stillschweigend über Meer gefahren waren, empfand sie den Son-
5 nenbrand, nahm das Brot aus dem Tuch und schlang (*wrapped*) dieses über die Flechte. Dann fing sie an von dem Brote zu essen und ihr Mittagsmahl zu halten; denn sie hatte auf Capri nichts genossen.

Antonino sah das nicht lange mit an. Er holte aus einem der Körbe, der am Morgen mit Apfelsinen gefüllt gewesen, zwei hervor
10 und sagte: „Da hast du was zu deinem Brot, Laurella. Glaub' nicht, daß ich sie für dich zurückbehalten habe. Sie sind aus dem Korb in den Kahn gerollt, und ich fand sie, als ich die leeren Körbe wieder in das Boot setzte."

„Iß du sie doch. Ich hab' an meinem Brote genug."

15 „Sie sind erfrischend in der Hitze, und du bist weit gelaufen."

„Sie gaben mir oben ein Glas Wasser, das hat mich schon erfrischt."

„Wie du willst," sagte er, und ließ sie wieder in den Korb fallen.

Neues Stillschweigen. Das Meer war spiegelglatt und rauschte[1]
20 kaum um den Kiel. Auch die weißen Seevögel, die am Felsenufer ihr Nest haben, zogen lautlos an ihnen vorüber.

„Du könntest die zwei Apfelsinen deiner Mutter bringen," fing Antonino wieder an.

„Wir haben ihrer noch zu Haus, und wenn sie zu Ende sind, geh'
25 ich und kaufe neue."

„Bringe sie ihr nur, und ein Kompliment von mir."

„Sie kennt dich ja nicht."

„So könntest du ihr sagen, wer ich bin."

„Ich kenne dich auch nicht."

30 Es war nicht das erste Mal, daß sie ihn so verleugnete. Vor einem Jahr, als der Maler eben nach Sorrent gekommen war, traf sich's an einem Sonntage, daß Antonino mit anderen jungen Bur-schen aus dem Ort auf einem freien Platz neben der Hauptstraße

---

[1] rauschen *to rustle*

kegelte (*was bowling*). Dort begegnete der Maler zuerst Laurella, die, einen Wasserkrug (*water jug*) auf dem Kopfe tragend, ohne auf ihn zu achten vorüberschritt. Der Neapolitaner (*Neapolitan*), von dem Anblick[2] betroffen (*disconcerted*), stand und sah ihr nach, obwohl er sich mitten in der Bahn des Spieles befand und mit 5 zwei Schritten sie hätte verlassen können. Eine unsanfte Kugel,[3] die ihm gegen den Fuß fuhr, mußte ihn daran erinnern, daß hier der Ort nicht sei, sich in Gedanken zu verlieren. Er sah um, als erwarte er eine Entschuldigung. Der junge Schiffer, der den Wurf getan hatte, stand so schweigend und trotzig inmitten[4] seiner Freunde, 10 daß der Fremde es für gut fand, sich nicht in einen Wortwechsel[5] einzulassen und zu gehen. Doch hatte man von dem Handel[6] gesprochen und sprach von neuem davon, als der Maler Laurella offenbar zur Frau haben wollte. „Ich kenne ihn nicht," sagte diese zornig, als der Maler sie fragte, ob sie ihn jenes unhöflichen Burschen 15 wegen fortschicke. Und doch war auch ihr jenes Gerede[7] zu Ohren gekommen. Seitdem, wenn ihr Antonino begegnete, hatte sie ihn doch wohl wiedererkannt.

Und nun saßen sie im Kahn wie die bittersten Feinde, und beiden klopfte das Herz heftig. Das sonst gutmütige Gesicht Antoninos 20 war ganz gerötet; er schlug in die Wellen, daß das Wasser in den Kahn flog, und daß er durch und durch naß wurde. Seine Lippen zitterten dann und wann, als spräche er böse Worte. Sie tat, als bemerke sie es nicht, und machte ihr unbefangenstes Gesicht, neigte sich über den Bord des Kahnes und ließ das Wasser durch ihre 25 Finger gleiten. Dann band sie ihr Tuch wieder ab und ordnete ihr Haar, als sei sie ganz allein im Kahn. Nur die Augenbrauen (*eyebrows*) zuckten noch, und umsonst hielt sie die nassen Hände gegen ihre brennenden Wangen, um sie zu kühlen.

[2] der Anblick (from an=blicken) *sight, spectacle*
[3] die Kugel *sphere* = *ball*   [4] inmitten = in der Mitte *in the midst of*
[5] der Wortwechsel (das Wort + der Wechsel *change, exchange* from wech=seln) *exchange of words* = *argument*
[6] der Handel usually means *trade, business,* or *commerce* but here means *affair*
[7] das Gerede (cf. note 4, Chap. 8, *Immensee*) *talk, gossip.*

5

Mitten auf dem Meer

Nun waren sie mitten auf dem Meer, und nah und fern ließ sich kein Segel blicken. Die Insel war zurückgeblieben, die Küste lag im Sonnenschein weitab, nicht einmal ein Vogel durchflog die tiefe Einsamkeit. Antonino sah um sich her. Ein Gedanke schien in ihm auf-
5 zusteigen. Die Röte verschwand plötzlich von seinen Wangen, und er ließ die Ruder sinken. Unwillkürlich sah Laurella nach ihm um, gespannt, aber furchtlos.

„Ich muß ein Ende machen," brach der Bursch heraus. „Es dauert mir schon zu lange und wundert mich fast, daß ich nicht darüber
10 wahnsinnig[1] geworden bin. Du kennst mich nicht, sagst du? Hast du nicht lange genug mit angesehen, wie ich bei dir vorüberging als ein Wahnsinniger und hatte das Herz voll, dir zu sagen? Dann machtest du deinen bösen Mund und drehtest[2] mir den Rücken."

„Was hatt' ich mit dir zu reden?" sagte sie kurz. „Ich habe wohl
15 gesehen, daß du mit mir umgehen wolltest. Ich wollt' aber nicht in der Leute Mäuler kommen um nichts und wieder nichts. Denn zum Manne nehmen mag ich dich nicht, dich nicht und keinen."

„Und keinen? So wirst du nicht immer sagen. Weil du den Maler weggeschickt hast? Pah! Du warst noch ein Kind damals.
20 Es wird dir schon einmal einsam werden, und dann, närrisch wie du bist, nimmst du den ersten besten."

„Es weiß keiner seine Zukunft. Kann sein, daß ich noch meinen Sinn ändere.[3] Was geht's dich an?"

„Was es mich angeht?" schrie er zornig und sprang auf von der
25 Ruderbank, daß der Kahn schaukelte (shook). „Was es mich angeht? Und so kannst du noch fragen, nachdem du weißt, wie es um

---

[1] wahnsinnig (from der Wahnsinn *madness, insanity*) *mad, insane*
[2] drehen *to turn*
[3] ändern *to change*

98

mich steht? Möge der in Not sterben, dem je besser von dir begeg=
net würde, als mir!"

„Hab' ich mich dir je versprochen? Kann ich dafür, wenn dein
Kopf närrisch ist? Was hast du für ein Recht auf mich?"

„O," rief er aus, „es steht freilich nicht geschrieben, es hat's kein [5]
Advokat [4] in Latein geschrieben; aber das weiß ich, daß ich so viel
Recht auf dich habe, wie in den Himmel zu kommen, wenn ich ein
braver Junge gewesen bin. Meinst du, daß ich mit ansehen will,
wenn du mit einem andern in die Kirche gehst, und die Mädchen
gehen mir vorüber und zucken die Achseln. Soll ich so einen Schimpf [5] [10]
ruhig leiden?"

„Tu, was du willst. Ich lasse mich nicht ängstigen, so viel du
auch drohst. [6] Ich will auch tun, was ich will."

„Du wirst nicht lange so sprechen," sagte er und zitterte am ganzen
Leibe. „Ich bin Manns genug, daß ich mir das Leben nicht länger [15]
von solch einem Trotzkopf verderben lasse. Weißt du, daß du hier
in meiner Macht bist und tun mußt, was ich will?"

Sie erschrak, aber ihre Augen blitzten.

„Töte mich, wenn du's wagst," sagte sie langsam.

„Man muß nichts halb tun," sagte er, und seine Stimme klang [20]
rauh. „Es ist Platz für uns beide im Meer. Ich kann dir nicht
helfen, Kind," — und er sprach fast mitleidig, wie aus dem Traum
— „aber wir müssen hinunter, alle beide, und auf einmal, und jetzt!"
schrie er überlaut und faßte sie plötzlich mit beiden Armen an. Aber
im Augenblick zog er die rechte Hand zurück, das Blut strömte her= [25]
vor, sie hatte ihn heftig hineingebissen.

„Muß ich tun, was du willst?" rief sie und stieß ihn mit einer
raschen Bewegung von sich. „Laß sehen, ob ich in deiner Macht
bin!" — Damit sprang sie über den Bord des Kahns und verschwand
einen Augenblick in der Tiefe. [30]

Sie kam gleich wieder herauf; ihr Röckchen umschloß [7] sie fest,

---

[4] der Advokat *lawyer*   [5] der Schimpf *insult*
[6] drohen *to threaten*
[7] umschließen *to close around* = *to enclose, to surround*

99

ihre Haare waren von den Wellen aufgelöst [8] und hingen schwer
über den Hals nieder, mit den Armen ruderte sie fleißig und schwamm,
ohne einen Laut von sich zu geben, kräftig von dem Kahn weg nach
der Küste zu. Der plötzliche Schreck [9] schien ihn fast von Sinnen
5 gebracht zu haben. Er stand im Kahn, vorgebeugt,[10] die Blicke starr
auf sie gelenkt, als geschehe ein Wunder [11] vor seinen Augen. Dann
schüttelte er sich, stürzte nach den Rudern, und fuhr ihr mit aller
Kraft, die er aufzubieten [12] hatte, nach, während der Boden seines
Kahnes von dem immer zuströmenden Blute rot wurde.

10 Bald war er an ihrer Seite, so hastig sie schwamm. „Bei Maria
Santissima!" rief er, „komm in den Kahn. Ich bin ein Narr gewe=
sen; Gott weiß, was mir die Sinnen benebelte. Wie ein Blitz vom
Himmel fuhr mir's ins Hirn,[13] daß ich ganz aufbrannte und wußte
nicht, was ich tat und redete. Du sollst mir nicht vergeben, Laurella,
15 nur dein Leben retten und wieder einsteigen."

Sie schwamm fort, als habe sie nichts gehört.

„Du kannst nicht bis ans Land kommen, es sind noch zwei Meilen.
Denk' an deine Mutter. Wenn dir ein Unglück begegnete, ich stürbe
vor Schrecken."

20 Sie maß mit einem Blick die Entfernung von der Küste. Dann,
ohne zu antworten, schwamm sie an das Boot heran und faßte den
Bord mit den Händen. Er stand auf, ihr zu helfen; sein Rock, der
auf der Bank gelegen hatte, glitt ins Meer, als der Kahn von der
Last des Mädchens nach der einen Seite hinübergezogen wurde.
25 Wieder, ohne ein Wort zu sagen, stieg sie ein und nahm ihren frühe=
ren Platz. Als er sie in Sicherheit sah, griff er wieder zu den Rudern.
Sie aber breitete ihr nasses Röckchen aus und rang das Wasser aus
den Flechten. Dabei sah sie auf den Boden des Bootes und bemerkte
jetzt das Blut. Sie warf einen raschen Blick nach der Hand, die,

---

[8] auf=lösen *to loosen (up)*
[9] der Schreck or der Schrecken *fright*
[10] vor=beugen (from beugen *to bend, to bow*) *to bend forward*
[11] das Wunder (cf. wundern, wunderbar, etc.) *wonder, miracle*
[12] auf=bieten *to offer up = to muster up, to exert*
[13] das Hirn or das Gehirn *brain, mind*

als sei sie unverwundet,[14] das Ruder führte. „Da!" sagte sie und reichte ihm ihr Tuch. Er schüttelte den Kopf und ruderte vorwärts. Sie stand endlich auf, trat zu ihm und band ihm das Tuch fest um die tiefe Wunde. Darauf nahm sie ihm, obwohl er es zuerst nicht leiden wollte, das eine Ruder aus der Hand und setzte sich ihm 5 gegenüber, doch ohne ihn anzusehen, fest auf das Ruder blickend, das vom Blut gerötet war, und trieb mit kräftigen Stößen den Kahn fort. Sie waren beide blaß und still. Als sie näher ans Land kamen, begegneten ihnen Fischer, die ihre Netze auf die Nacht auswerfen wollten. Sie riefen Antonino an und machten sich lustig über 10 Laurella. Keins sah auf oder erwiderte ein Wort.

Die Sonne stand noch ziemlich hoch am Himmel, als sie den Hafen erreichten. Laurella schüttelte ihr Röckchen, das jetzt fast ganz getrocknet war, und sprang ans Land. Die alte spinnende Frau, die sie schon am Morgen hatte abfahren sehen, stand wieder auf dem 15 Dach. „Was hast du an der Hand, Tonino?" rief sie hinunter. „Maria Santissima, der Kahn schwimmt ja in Blut!"

„Es ist nichts," erwiderte der Bursch. „Ich riß mich an einem Nagel, der zu weit hervorragte. Morgen ist's vorbei. Das ver= wünschte (*confounded*) Blut ist nur gleich bei der Hand, daß es 20 gefährlicher[15] aussieht, als es ist."

„Ich will kommen und dir Kräuter[16] auflegen, mein Junge. Wart', ich komme schon."

„Bemüht Euch nicht, bitte. Ist schon alles geschehen, und morgen wird's vorbei sein und vergessen. Ich habe eine gesunde Haut, die 25 gleich wieder über jede Wunde zuwächst."

„Leb' wohl!" sagte Laurella und wandte sich nach dem Pfad, der hinaufführt.

„Gute Nacht!" rief ihr der Bursch nach, ohne sie anzusehen. Dann trug er die Ruder aus dem Schiff und die Körbe dazu und stieg die 30 kleine Steintreppe zu seinem Häuschen hinauf.

[14] unverwundet (from die Wunde *wound* and verwunden *to wound*) *un-wounded, uninjured*
[15] gefährlich (from die Gefahr) *dangerous*
[16] das Kraut *plant, vegetable, herb*

6

Zu Hause

Es war keiner außer ihm in den zwei Stuben, durch die er nun hin und her ging. Durch die offenen Fensterchen strich die Luft etwas erfrischender herein, als über das ruhige Meer, und in der Einsamkeit war ihm wohl. Er stand auch lange vor dem kleinen Bilde der
5 Mutter Gottes und sah die daraufgemalten Silbersterne andächtig [1] an. Doch zu beten fiel ihm nicht ein.[2] Um was hätte er bitten sollen, da er nichts mehr hoffte?

Und der Tag schien heute stillzustehen. Er sehnte sich nach der Dunkelheit, denn er war müde und schwach von dem Blutverlust.
10 Er fühlte heftige Schmerzen an der Hand, setzte sich auf einen Stuhl und löste den Verband.[3] Das zurückgedrängte Blut schoß wieder hervor, und die Hand war stark um die Wunde angeschwollen (*swollen*). Er wusch[4] sie sorgfältig und kühlte sie lange. Als er sie wieder vorzog, unterschied er deutlich die Spur (*mark*) von
15 Laurellas Zähnen. „Sie hatte recht," sagte er. „Ein Wahnsinniger war ich und verdien' es nicht besser. Ich will ihr morgen das Tuch durch den Giuseppe zurückschicken. Denn mich soll sie nicht wieder sehen." — Und nun wusch er das Tuch sorgfältig und breitete es in der Sonne aus, nachdem er sich die Hand wieder verbunden hatte,
20 so gut er's mit der Linken und den Zähnen konnte. Dann warf er sich auf sein Bett und schloß die Augen.

Der helle Mond weckte[5] ihn aus einem halben Schlaf, zugleich der Schmerz in der Hand. Er sprang eben wieder auf, um die hämmernden (*hammering*) Schläge des Bluts in Wasser zu beruhi=

---

[1] andächtig (from die Andacht *devotion, worship*) *devoutly*
[2] ein=fallen *to occur to* (impersonal); *to interrupt* (personal)
[3] der Verband (from verbinden *to unite, to connect, to bandage* — cf. die Verbindung *connection*) *bandage*
[4] waschen *to wash*
[5] wecken *to awaken*

gen, als er jemand an seine Tür klopfen hörte. „Wer ist da?" rief er und öffnete. Laurella stand vor ihm.

Ohne viel zu fragen, trat sie ein. Sie warf das Tuch ab, das sie über den Kopf geschlungen hatte, und stellte ein Körbchen auf den Tisch. Dann holte sie tief Atem. 5

„Du kommst, dein Tuch zu holen," sagte er; „du hättest dir die Mühe sparen [6] können, denn morgen früh hätte ich Giuseppe gebeten, es dir zu bringen."

„Es ist nicht um das Tuch," erwiderte sie rasch. „Ich bin auf dem Berg gewesen, um dir Kräuter zu holen, die gegen das Bluten 10 sind. Da!" Und sie hob den Deckel [7] vom Körbchen.

„Zu viel Mühe," sagte er fast demütig, „zu viel Mühe. Es geht schon besser, viel besser; und wenn es schlimmer ginge, ging' es auch gerade, wie ich es verdiene. Was willst du hier um diese Zeit? Wenn dich einer hier träfe! Du weißt, wie sie schwatzen, obwohl sie 15 nicht wissen, was sie sagen."

„Ich kümmere mich um keinen," sprach sie heftig. „Aber die Hand will ich sehen, und die Kräuter darauf tun, denn mit der Linken kannst du es nicht tun."

„Ich sage dir, daß es unnötig ist." 20

„So laß es mich sehen, damit ich's glaube."

Sie ergriff ohne weiteres die Hand, die sich nicht verteidigen konnte, und nahm den Verband ab. Als sie die starke Anschwellung (*swelling*) sah, erschrak sie und sah ihn mitleidsvoll an.

„Es ist ein bißchen angeschwollen," sagte er. „Das geht weg in 25 einem Tag und einer Nacht."

Sie schüttelte den Kopf: „So kannst du eine Woche lang nicht aufs Meer."

„Ich denk', schon übermorgen. Was tut's auch?"

Indessen hatte sie etwas Wasser geholt und die Wunde von neuem 30 gewaschen, was er litt wie ein Kind. Dann legte sie die Blätter des Krautes darauf, die ihm das Brennen sogleich abkühlten, und verband die Hand mit einem reinen Tuch, das sie auch mitgebracht hatte.

---

[6] sparen *to save*   [7] der Deckel (from decken) *cover*

Als es getan war, sagte er: „Ich danke dir. Und höre, wenn du mir noch einen Gefallen tun willst, vergib mir, daß mir heut so eine Narrheit in den Kopf kam, und vergiß das alles, was ich gesagt und getan habe. Ich weiß selbst nicht, wie es kam. Du hast mir
5 nie Veranlassung (*cause*) dazu gegeben, du gewiß nicht. Und du sollst schon nichts wieder von mir hören, was dir zuwider sein könnte."

„Du hast mir auch zu vergeben," fiel sie ein. „Ich hätte dir alles anders und besser erklären können und dich nicht reizen durch meine
10 stumme Art. Und nun gar die Wunde —"

„Man muß sich verteidigen, und es war die höchste Zeit, daß ich meiner Sinne wieder mächtig wurde. Und wie gesagt, es hat nichts zu bedeuten. Sprich nicht von Vergeben. Du hast mir wohlgetan, und das danke ich dir. Und nun geh schlafen, und da — da ist auch
15 dein Tuch, daß du's gleich mitnehmen kannst."

Er reichte es ihr, aber sie stand noch immer und schien mit sich zu kämpfen. Endlich sagte sie: „Du hast auch deinen Rock verloren um meinetwegen (*on my account*), und ich weiß, daß das Geld für die Apfelsinen darin steckte. Es fiel mir alles erst unterwegs ein.
20 Ich kann dir's nicht so wieder ersetzen,[8] denn wir haben es nicht, und wenn wir's hätten, gehört' es der Mutter. Aber da hab' ich das silberne Kreuz, das mir der Maler auf den Tisch legte, als er das letztemal bei uns war. Ich hab' es seitdem nicht angesehen und mag es nicht länger zu Hause haben. Wenn du es verkaufst — es
25 ist wohl ein paar Piaster wert, sagte damals die Mutter —, so wäre dir dein Schaden ersetzt, und was fehlen sollte, will ich suchen mit Spinnen zu verdienen, nachts, wenn die Mutter schläft."

„Ich nehme nichts," sagte er kurz und schob das blanke (*shiny*) Kreuzchen zurück, das sie aus der Tasche geholt hatte.
30 „Du mußt's nehmen," sagte sie. „Wer weiß, wie lang du mit dieser Hand nichts verdienen kannst. Da liegt's, und ich will's nie wieder sehen mit meinen Augen."

„So wirf es ins Meer."

[8] ersetzen *to replace, to substitute*

„Es ist ja kein Geschenk,[9] das ich dir mache; es ist nicht mehr als dein gutes Recht und was dir zukommt."

„Recht? Ich habe kein Recht auf irgend was von dir. Wenn du mir später einmal begegnen solltest, tu mir den Gefallen, und sieh mich nicht an, daß ich nicht denke, du erinnerst mich an das, was ich 5 dir schuldig [10] bin. Und nun gute Nacht, und laß es das letzte sein."

Er legte ihr das Tuch in den Korb und das Kreuz dazu und schloß den Deckel darauf. Als er dann aufsah und ihr ins Gesicht, erschrak er. Große schwere Tropfen stürzten ihr über die Wangen. Sie ließ ihnen ihren Lauf.[11] 10

„Maria Santissima!" rief er, „bist du krank? Du zitterst von Kopf bis zu Fuß."

„Es ist nichts," sagte sie. „Ich will heim!" und wankte [12] nach der Tür. Das Weinen übermannte sie, daß sie die Stirn gegen die Tür drückte und nun laut und heftig schluchzte (*sobbed*). Aber eh' 15 er ihr nachkonnte, um sie zurückzuhalten, wandte sie sich plötzlich um und stürzte ihm an den Hals.

„Ich kann's nicht aushalten," [13] schrie sie und preßte ihn an sich, wie sich ein Sterbender ans Leben hält, „ich kann's nicht hören, daß du mir gute Worte gibst, und mich von dir gehen heißt mit all 20 der Schuld auf dem Gewissen.[14] Schlage mich, tritt mich mit Füßen, verwünsche (*curse*) mich! — oder, wenn es wahr ist, daß du mich lieb= hast, noch, nach all dem Bösen, das ich dir getan habe, da nimm mich und behalte mich und mach' mit mir, was du willst. Aber schick' mich nicht so fort von dir!" — Neues, heftiges Schluchzen unterbrach sie. 25

Er hielt sie eine Weile sprachlos in den Armen. „Ob ich dich noch liebe?" rief er endlich. „Heilige Mutter Gottes! meinst du, es sei all mein Herzblut aus der kleinen Wunde von mir geflossen? Fühlst du's nicht da in meiner Brust hämmern (*pound*), als wollt' es heraus und zu dir? Wenn du's nur sagst, um mich zu versuchen 30 oder weil du Mitleid mit mir hast, so geh, und ich will auch das

---

[9] das Geschenk (from schenken) *present*
[10] schuldig *guilty, owing* — ich bin es dir schuldig *I owe it to you*
[11] der Lauf (from laufen) *course*   [12] wanken *to waver, to sway, to stagger*
[13] aus=halten *to endure, to bear*   [14] das Gewissen *conscience*

noch vergessen. Du sollst nicht denken, daß du mir's schuldig bist,
weil du weißt, was ich um dich leide."

„Nein," sagte sie fest und sah von seiner Schulter auf und ihm
mit den nassen Augen heftig ins Gesicht, „ich liebe dich, und daß ich's
5 nur sage, ich habe es lange gefürchtet und dagegen getrotzt. Und nun
will ich anders werden, denn ich kann's nicht mehr aushalten, dich
nicht anzusehen, wenn du mir auf der Gasse vorüberkommst. Nun
will ich dich auch küssen," sagte sie, „daß du dir sagen kannst, wenn
du wieder in Zweifel sein solltest: Sie hat mich geküßt, und Laurella
10 küßt keinen, als den sie zum Manne will."

Sie küßte ihn dreimal, und dann machte sie sich los und sagte:
„Gute Nacht, mein Liebster! Geh nun schlafen und heile [15] deine
Hand, und geh nicht mit mir, denn ich fürchte mich nicht, vor keinem,
als nur vor dir."

15 Damit eilte sie durch die Tür und verschwand in den Schatten
der Mauer. Er aber sah noch lange durchs Fenster, aufs Meer
hinaus, über dem alle Sterne zu wanken schienen.

7

Der Padre

Als der kleine Padre das nächste Mal aus dem Beichtstuhl
(*confessional*) kam, in dem Laurella lange gekniet [1] hatte, lächelte
20 er still vor sich hin. „Wer hätte gedacht," sagte er bei sich selbst,
„daß Gott so schnell Mitleid mit diesem wunderlichen Herzen haben
würde? Und ich meinte damals sogar, daß ich ihre Hartnäckigkeit
nicht hart genug bedroht hatte. Aber unsere Augen sind kurzsichtig
für die Wege des Himmels. Nun so segne sie der Herr und lasse
25 mich leben, bis mich Laurellas ältester Sohn einmal anstatt seines
Vaters über Meer fährt! Ei ei ei! l'Arrabbiata!" —

---

[15] heilen *to heal*   [1] knien (from das Knie) *to kneel*

höher als die Kirche

Wilhelmine von Hillern

WILHELMINE VON HILLERN (1836–1916) had an artistic background. Her father was a writer, her mother a famous actress. Wilhelmine also devoted herself to the stage and had achieved a goodly degree of fame in this career by the time of her marriage, in 1857, to the senior judge of the district court of Freiburg in Breisgau. Having left the stage to marry, she turned in 1865 to writing and, especially during the sixties and seventies, turned out a number of long novels, among the most successful of which was the four-volume *Ein Arzt der Seele*, which appeared in 1869. During this period she also wrote a few comedies and, in some of her narratives, turned her attention to the German antiquity of the thirteenth and of the sixteenth centuries.

After the death of her husband in 1882, she went to Oberammergau and became deeply interested in the Passion Play. In fact, one of her works, *Am Kreuz*, which appeared in two volumes in 1890, takes as its theme this magnificent spectacle. This interest has lived on in her daughter, who has written descriptive materials about Oberammergau and its Passion Play. The effect of this period, however, on the novels of Wilhelmine von Hillern cannot be said to have been a good one. Her works had previously been rather romantic — now they became even more sentimental.

Her literary fame, if indeed it may so be called, rests on the novels mentioned above but, in German classes in the United States and indeed among the Germans themselves, her most lasting popular work is without doubt her treatment of a tale of the Reformation Period: *Höher als die Kirche*.

1

Das Meſſer

Es war im Jahre des Heils 1511, als zwei ſtattliche Männer=
geſtalten über den Raſen (*turf*) des ſtillen Münſterplatzes[1] dahin=
ſchritten. Der eine, etwas ältere, mit feingebogener Naſe, vollem
graublondem Bart und langen Locken, die reich unter dem roten
Sammetbarett (*velvet beret*) niederfielen, ſchritt ſo majeſtätiſch 5
einher, daß man es auf den erſten Blick ſah, es war kein gewöhnlicher
Chriſtenmenſch, ſondern einer, auf deſſen breiten Schultern eine
unſichtbare Weltkugel ruhte. Schön, groß und edel, wie man ſich die
höchſten der Menſchen denkt, ein Kaiſer — ein deutſcher Kaiſer —
vom Kopf bis zu Fuß; zugleich ein Dichter und ein Held im wahren 10
Sinne des Wortes, Anaſtaſius Grüns letzter Ritter[2] — Maxi=
milian I.

Hier in „ſeiner Stadt" Breiſach, wie er ſie nannte, ruhte der
Kaiſer gerne aus von den Händeln, welche ihn und mit ihm die Welt
bewegten, hier in dieſer tiefen Ruhe und Stille arbeitete er an einem 15
Buch über das Leben ſeines Vaters, hier ſchrieb er die zarten Briefe
an ſeine Tochter Margareta in den Niederlanden. Das jetzt ſo

---

[1] der Münſterplatz (das Münſter *minster, cathedral* + der Platz) *cathedral
square*
[2] der Ritter (cf. reiten) *knight*

vergessene, unbeachtete [3] Städtchen am Oberrhein,[4] es war das „Sanssouci" Kaisers Maximilian. Aber zur Zeit des Jahres 1511 lagen auch um dies „Ohnesorge" drohende Wolken, die des Kaisers Stirn verdunkelten, und ein Sturm wollte eben aufkommen, der ihn
5 weit mit sich fortreißen sollte, fort für immer von dem stillen Ort, den er so geliebt hatte. Schon stiegen da und dort im eigenen Reiche die Flammen des Bauernkrieges auf, und draußen waren wieder viele feindliche [5] Völker — der Verlust Mailands (of Milan) drohte, und der alte Feind, der Türke, tauchte in weiter Ferne auf —
10 es war fast zu viel selbst für einen Kaiser. So ging er stolzen aber schweren Schrittes an der Mauer des Münsterplatzes hin, und sein Auge hing traurig an der heiteren Landschaft zu seinen Füßen; die unsichtbare Weltkugel drückte heute mehr als je auf seinen Schultern.

Plötzlich blieb er stehen: „Was sind das für Kinder?" fragte er den
15 ihm folgenden Herrn, den edlen Ritter Marx Treitzsauerwein, seinen Geheimschreiber,[6] und deutete auf eine Gruppe von zwei Kindern, die mit großem Eifer in einer Nische (niche) der Mauer einen jungen Rosenstock [7] pflanzten.

Es waren Kinder so schön, wie sie nur die Phantasie eines Künstlers
20 denken kann. Ein Mädchen und ein Knabe, ersteres etwa acht, letzterer zwölf Jahre alt. Die Kleinen waren so in ihre Arbeit vertieft, daß sie den Kaiser nicht kommen hörten; erst als er dicht vor ihnen stand, fuhren sie in die Höhe, und der Knabe stieß das Mädchen an und sagte ganz laut: „Du, das ist der Kaiser."

25 „Was macht ihr denn da?" fragte Maximilian, und sein Künstlerauge ruhte liebevoll an dem reizenden [8] Pärchen.

„Wir setzen dem lieben Gott einen Rosenstock," sagte der Junge unerschrocken.

---

[3] unbeachtet (cf. achten auf to pay attention to) unnoticed
[4] der Oberrhein (ober upper + der Rhein Rhine) upper Rhine
[5] feindlich (from der Feind) hostile
[6] der Geheimschreiber (geheim + der Schreiber writer, clerk) private secretary
[7] der Rosenstock rosebush
[8] reizend (from reizen) charming — note that reizen means not only to charm but also to irritate, to provoke

„Glaubt ihr, daß sich der liebe Gott sehr daran freuen wird?"

Der Junge zuckte die Achseln. „Je nun, wir haben nichts Besseres."

Der Kaiser lachte. „Da wird er sich schon an dem guten Willen freuen! Wie heißest du denn?"

„Hans Liefrink."   5

„Und die Kleine, ist sie deine Schwester?"

„Nein, das ist Ruppachers Marie, mein Nachbarskind. — Pfui, Maili, tu' die Schürze (*apron*) aus dem Mund!"

„Ah so — da habt ihr euch wohl sehr gern?"

„Ja, wenn ich einmal groß bin und ein Messer habe, dann heirat' 10 ich sie."

Der Kaiser machte große Augen. „Braucht man denn zum Heiraten ein Messer?"

„Ja freilich," antwortete der Knabe ernsthaft, „wenn ich kein Messer habe, kann ich nicht schneiden, und wenn ich nicht schneiden 15 kann, verdiene ich kein Geld — und die Mutter hat gesagt, ohne Geld könne man nicht heiraten, und ich müsse viel Geld haben, wenn ich die Marie wolle, weil sie eine Ratstochter [9] ist."

„Aber," fragte der Kaiser weiter, „was willst du denn schneiden?"

„Holz!"   20

„Aha, ich verstehe, du willst Holzschneider werden. Nun erinnere ich mich auch, daß ich zwei junge Burschen deines Namens einmal bei Dürer in Nürnberg sah — sind das Verwandte [10] von dir?"

„Ja, meine Vettern."

„Da übten eure Väter diese Kunst?"   25

„Ja — und ich hab', als ich klein war, zugesehen und nun will ich's auch lernen, aber der Vater und der Onkel sind tot, und die Mutter kauft mir kein Messer."

Der Kaiser griff in die Tasche und zog ein sehr schönes Messer heraus. „Tut's das?"   30

---

[9] die Ratstochter (der Rat means *advice, council, councilor*) *daughter of a councilor* — cf. das Rathaus *city hall,* der Ratsherr *councilor,* der Rats=diener *servant of the council,* der Ratsbuchhalter *bookkeeper of the council,* die Ratssitzung *council session,* etc.

[10] der Verwandte (from verwandt) *relative*

Dem Knaben stieg vor freudigem Schreck eine heiße Röte ins Gesicht, man sah's durch das grobe zerrissene Hemdchen, wie ihm das Herz schlug.

„Ja, freilich," sagte er verschämt, „das tät's schon."

5 „Nun, da nimm's und sei fleißig damit," sagte der Kaiser.

Der Junge nahm den Schatz so sorgfältig aus des Kaisers Hand, als sei's glühend heiß und könne ihm die Finger verbrennen.

„Ich dank' vielmals!" war alles, was er herausbrachte, aber in den Augen des Knaben flammte ein helles Freudenfeuer auf, und der 10 Kaiser sah, welche Liebe und Dankbarkeit in diesen dunklen Augen lag.

„Willst du nicht zu deinen Vettern nach Nürnberg gehen und ihnen helfen, Platten¹¹ schneiden? Da gibt's viel Arbeit."

„Nach Nürnberg zum Dürer möcht' ich schon, aber Platten will ich nicht machen. Ich mag die Holzschnitte nicht leiden, die sind so 15 flach, daß man mit der Hand darüber hinwischen¹² kann. Außer=dem weiß man nicht, was an ihnen nah und was fern ist, und muß sich die Hälfte dazu denken. Da schneide ich viel lieber Figuren, das sieht viel natürlicher aus, und man kann's greifen!"

„Man kann's greifen!" wiederholte der Kaiser lächelnd, „der echte 20 Plastiker (*sculptor*)! Du wirst ein ganzer Kerl,¹³ Hans Liefrink. Du hast recht, halte dich an das, was natürlich ist und was man greifen kann — dann wird es dir gelingen!"

Er zog eine kleine Börse aus seinem Mantel und gab sie dem Jungen. „Paß' auf, Hans. Die Goldstücke da drinnen behalte für 25 dich selbst; gib sie niemand, auch deiner Mutter nicht, sag', der Kaiser hätte befohlen, daß du sie nur zu deiner Ausbildung¹⁴ ge=brauchest.¹⁵ Lerne fleißig, und wenn du groß bist und reisen kannst, dann geh nach Nürnberg zum Dürer, bring' ihm einen Gruß von mir und sag' ihm, wie sein Kaiser ihm einst die Leiter (*ladder*) gehalten 30 habe, so solle er nun dir die Leiter halten, damit du recht hoch hinauf=steigen könnest. Versprichst du mir das alles in die Hand hinein?"

---

¹¹ die Platte *plate (for woodcuts)*
¹² hin=wischen *to wipe (across)*   ¹³ der Kerl *fellow*
¹⁴ die Ausbildung (from bilden, and aus=bilden *to develop*) *development = education, training*   ¹⁵ gebrauchen *to use*

„Ja, Herr Kaiser!" erwiderte Hans begeistert [16] und schlug ein in des Kaisers Rechte und schüttelte sie herzhaft in seiner großen Freude.

„Herr Kaiser," rief er freudestrahlend, „wenn ich einmal den lieben Gott schneide, dann mache ich ihn so wie Ihr — gerade so wie Ihr muß er aussehen." 5

„Lebe wohl," lachte der Kaiser und stieg mit seinem Begleiter den Berg hinab.

Der Knabe stand da, als habe er geträumt; Maili hatte trotz seines Befehls inzwischen in die Schürze (apron) gebissen und hielt jetzt das nasse Tuch gedankenlos in der Hand. Jetzt lief es einer 10 Dienerin entgegen, die zornig das Kind zu suchen kam, und flüsterte ihr zu: „Denk', der Kaiser war da und hat dem Hans ein Messer geschenkt und viele Goldstücke." Die Dienerin wollt's nicht glauben, aber als sie das Messer sah — in die Hand nehmen durfte sie's nicht — da mußte sie's wohl glauben, und sie rief den ganzen Berg 15 hinunter die Leute zusammen, und alle wollten das Messer sehen und den Inhalt der Börse, aber die zeigte der kluge Junge niemandem.

Am andern Tage reiste der Kaiser ab, und die Geschichte mit Hans Liefrink war noch viele Wochen das Stadtgespräch von Breisach: „Freilich war es kein Wunder, der Hans Liefrink war immer ein 20 frecher [17] Kerl gewesen und redete immer sehr kühn — warum sollte er sich nicht auch beim Kaiser anzuschwätzen [18] verstanden haben."

2

Unter dem Kaiserbaum

Jahre waren seitdem vergangen. Hans Liefrink verlor seine Mutter, Maili die ihre, und fester und fester schlossen [1] sich die mutterlosen Kinder aneinander an. Abends nach der Arbeit, wenn 25

---

[16] begeistern *to inspire* — cf. der Geist   [17] frech *fresh, impudent*
[18] sich bei einem an=schwätzen *to talk oneself into favor with*
[1] sich an=schließen an *to join, to become attached to*

der Vater im Wirtshaus sich mit anderen Ratsherren unterhielt und
die Haushälterin (*housekeeper*) mit Nachbarinnen an der Tür
schwatzte, da stiegen die Kinder über die Mauer, die die Gärten
hinter dem Hause trennte, und setzten sich zusammen, und Hans
5 schnitt dem Maili schöne Spielsachen und Figürchen, wie sie kein
Kind in ganz Breisach hatte, und erzählte ihr von allem, was er
wußte von den schönen Bildern und Schnitzwerken, die er in Freiburg
im Münster gesehen hatte, und von den großen Meistern seiner
Kunst, Baldung Grün in Freiburg und Martin Schön in Kolmar;
10 denn er ging jetzt oft da und dort hin, wo es was zu sehen und zu
lernen gab, und lernte unermüdlich.

Stundenlang saßen sie so beieinander und erzählten sich, was sie
wußten. Wenn es sich aber tun ließ, so liefen sie hinauf zum Münster
und gossen ihren Rosenstock, den Hans nun zur Erinnerung den
15 Kaiserbaum nannte. Dort verbrachten sie am liebsten ihre Frei=
stunden, denn sie meinten immer, der Kaiser müsse doch einmal
wiederkommen und dort oben so vor ihnen stehen, wie das erstemal.
Und oft riefen sie laut hinaus: „Herr Kaiser, Herr Kaiser, komm
wieder!“

20 Aber ihre Kinderstimmen riefen ungehört in die weite, weite
Welt, wo der Kaiser auf blutigen Schlachtfeldern kämpfte. Die
Kinder warteten vergebens, Maximilian kam nicht wieder!

So wuchsen die Kleinen heran, und der „Kaiserbaum“ wuchs mit
ihnen, und als hätten die zarten Fäden unbewußter [2] Liebe in ihren
25 Herzen sich mit den Wurzeln des Bäumchens vereint,[3] so zog es
auch den jungen Mann und das schöne Mädchen immer wieder zu
dem Rosenstock in der Mauernische (*niche in the wall*), hier fanden
sie sich Tag für Tag. Das Bäumchen war wie ein treuer Freund,
der ihre beiden Hände in der seinen vereinte und festhielt. Aber der
30 treue Freund war leider nicht stark genug, um auch äußerlich [4]
zusammenzuhalten, was die Menschen trennen wollten.

[2] unbewußt (from wissen) *unconscious*
[3] (sich) vereinen *to unite* — cf. der Verein *club*, i.e., that which is made
one or "united"
[4] äußerlich (from außer) *outwardly*

Unter dem Kaiserbaum

Die schöne stattliche Jungfrau Ruppacherin, die hochangesehene [5] Ratsherrntochter, durfte nicht mehr freundnachbarlich mit dem armen Bildschnitzer umgehen; der Vater verbot es ihr eines Tages auf das strengste, denn Hans Liefrink war nicht nur arm — er war auch nicht einmal ein Breisacher Bürgerskind. Seine Familie waren [5] Niederländer, die erst später nach Breisach gekommen waren. Ein Fremder, ein armer Fremder noch dazu, war zu jenen Zeiten nicht willkommen, er konnte überhaupt nicht aufgenommen werden in die damalige enge Gesellschaft von Breisach. Nun aber trieb der Hans auch noch nicht einmal ein ordentliches Handwerk, ein Künstler [10] wollte er werden — das war damals so viel wie ein Dieb, ein heimatloser Wanderer, ein Zauberer, der ehrliche Leute durch Zaubertränkchen unglücklich macht oder gar in Sünde bringt. Und der Hans war auch gerade so eine Art Mensch, der solchen Hokus= pokus treiben konnte. Die Mädchen bezauberte er so, wo er vor= [15] überging, daß sie stehenblieben und ihm nachschauen mußten; Locken hatte er wie von brauner Seide, und seine dunklen Augen hatten auch so etwas Eigenes, was kein Mensch sagen konnte; sie bezauberten wohl jeden, mit dem er sprach. Was er trieb und schaffte, das wußte auch kein Mensch. Das kleine Haus, in dem er wohnte, hatte er sich [20] gekauft, und nach seiner Mutter Tod bewohnte er's ganz allein, und keiner ging bei ihm ein noch aus, als der berühmte und daher auch gehaßte Bilderhauer (*sculptor*) Jakob Schmidt, der eines Tages im Streit einen Breisacher tötete und fliehen mußte. Man sagte sogar, Hans habe ihm noch zur Flucht [6] verholfen. [7] Seitdem vermied man [25] ihn ganz und gar, und sein stolzer Nachbar Ruppacher, dem der treue Spielkamerad seiner Tochter längst ein Dorn im Auge war, ließ sogar zwischen seinem und Hansens Garten eine noch höhere Mauer bauen, so daß sich die jungen Leute gar nicht mehr als beim „Kaiserbaum" treffen konnten und auch dies nur selten, wenn es [30] eben recht still und leer da oben war. Aber gerade dieses Hindernis schwellte den ruhig hinfließenden Strom unbewußter Gefühle in den

---

[5] hochangesehen (cf. an=sehen *to regard*) *highly regarded, highly respected*
[6] die Flucht (from fliehen) *flight*   [7] verhelfen = helfen

jungen Herzen erst an, daß er ihnen über die Lippen floß. Eines Abends, als Maili lange nicht zum Rosenbäumchen gekommen war, sang Hans unter ihrem Fenster, das nach dem Garten ging, sein erstes Liebeslied:

5
      Am Rosendorn, am Rosendorn
      Da blieb mein Herze hangen,
      Und wenn du kommst zum Rosenbaum,
      Kannst du's herunterlangen.[8]

10
      Viel Früchte trägt der Früchtebaum,
      Die mög'n dir wohl behagen,
      Doch solche Frucht, das glaube mir,
      Hat noch kein Baum getragen.

15
      Süß Liebchen, komm und pflück' sie ab,
      Laß nicht zu lang sie hängen,
      Sonst muß sie, ach! im Sonnenbrand
      Verwelken und versengen.

Und sie kam auch richtig am andern Tag und holte das Herz herunter und legte es an das ihre und versprach in seligem Erröten, es nimmer lassen zu wollen. Und es war ein Augenblick der Seligkeit,
20 daß Hans laut ausrief: „Ach, wenn jetzt der Kaiser käme!" als gehöre ihm diese Stunde nicht allein, und als könne sie nur ein Kaiser mit ihm teilen. Der Kaiser kam aber wieder nicht, und Hans schnitt mit dem heiligen Messer, das er aus des Kaisers Hand empfing, die Buchstaben M. und H. in die Rinde (bark) des Rosen-
25 stocks und eine kleine Kaiserkrone darüber. Das sollte heißen: Maria, Hans und Kaiser Maximilian.

Der Herbst verging und der Winter kam, und da sie sich nun immer seltener sahen, sang Hans immer öfter das Lied vom Rosendorn und noch manches andere, bis es eines Tages der Ruppacher
30 merkte und drohte, das Mädchen für immer aus seinem Hause fortzujagen, wenn sie von dem frechen Kerl nicht ließe.

[8] herunter=langen *to take down*, behagen *to please*, ab=pflücken *to pick off*, versengen *to burn*

So standen denn eines Abends die jungen Leute zum letztenmal unter dem Rosenstock, den sie vor acht Jahren gepflanzt hatten. Er, ein zwanzigjähriger schöner Jüngling,[9] sie, ein schlankes Mädchen von sechzehn Sommern. Es war ein warmer Februartag, wie sie im Süden nicht selten sind. Der Schnee war schon fort, und ein 5 leiser Wind schüttelte die noch braunen dornigen Äste des Rosenstocks. Das Mädchen stand gesenkten Hauptes vor dem Jüngling, sie hatte ihm alles erzählt, was sie hatte hören müssen, und schwieg jetzt. Ihre Hand ruhte in der seinen, und große Tropfen rannen ihr über die Wangen herab. 10

„Maili," sagte der Jüngling mit tiefem Schmerz, „am Ende glaubst du auch noch, daß ich solch ein schlechter Mensch bin?"

Da schlug sie voll die blauen Augen zu ihm auf, ein schönes Lächeln glitt über ihr sanftes Mädchengesicht. „Nein, Hans, nie und nimmer. Mich soll keiner glauben machen, daß du nicht gut bist. Sie 15 kennen dich alle nicht, aber ich kenne dich, du hast mich erzogen und mich gelehrt, was die andern nicht wissen, was schön und groß ist. Du hast mich zu dem gemacht, was ich bin, wie deine geübte Hand aus einem Stück Holz ein Menschenbild gestaltet,"[10] und sie nahm seine kräftige rauhe Hand und drückte sie leise an ihre weichen, war= 20 men Lippen. Er ließ es geschehen, denn die Leute wußten damals noch nichts von der Liebesetikette unserer Tage, und sie faltete ihre zarten Finger über den seinen und sprach weiter: „Ich werde immer an dich glauben, denn du verherrlichst (*glorify*) Gott mit deiner Kunst, und wer das tut in Wort oder Bild, der kann nicht schlecht 25 sein!"

„Und willst du mir treu bleiben, Maili, bis ich mich und meine Kunst zu Ehren gebracht habe und als ein angesehener Mann kommen kann, um dich zu heiraten?"

„Ja, Hans, ich will den Fuß nicht aus meines Vaters Hause 30 setzen als zu dir — oder ins Kloster. Und wenn ich sterbe, ehe du kommst, dann will ich hier begraben sein, hier unter dem Kaiserbaum, wo wir so glücklich waren. Und nicht wahr, dann kommst

---

[9] der Jüngling *youth, young man*   [10] gestalten (from die Gestalt) *to form*

du und ruhst hier aus von deiner Müh' und Arbeit, und jedes
Rosenblatt, das auf dich niederfällt, soll dich an mich erinnern, als
sei's ein Kuß von mir!"

Und sie sank in Tränen an des Jünglings Brust, und die beiden
5 jungen traurigen Herzen schlugen aneinander in ihrem Abschieds=
schmerz heiß und ernst, und selbst in dem Rosenbaum war es, als
ob der Frühling da sei.

„Weine nicht, Maili," sagte Hans endlich. „Es wird noch alles
gut werden. Ich gehe zum Dürer, wie's der Kaiser befohlen hat,
10 und lerne bei ihm alles, was ich kann, und wenn ich dann was
Rechtes kann, dann suche ich mir den Kaiser auf, wo er auch sei,
trage ihm die Sache vor und bitte ihn um seine Fürbitte (*intercession*) bei deinem Vater."

„Ach ja, der Kaiser," rief Maili, „ach wenn der doch endlich wieder=
15 käme, der würde uns helfen!"

„Er kommt gewiß wieder, mein Lieb," meinte Hans entschlossen,
„wir wollen recht beten, daß der liebe Gott ihn zu uns oder mich
zu ihm führt."

Und sie knieten beide in dem feuchten kalten Wintergras nieder,
20 und es war ihnen, als müsse Gott ein Wunder tun und den Kaiser=
baum vor ihren Augen in den Kaiser selbst verwandeln.

Da — was war das? Da begann die große Glocke des Münsters
zu schlagen — langsam, feierlich,[11] tieftraurig.

Die Liebenden schauten auf. „Was ist das — brennt es — kommen
25 Feinde?" Sie fühlten, als ob ein schweres Unglück ihnen bevorstände.

Jetzt stiegen Leute den Berg hinauf, die nach der Kirche wollten.
Hans eilte ihnen entgegen, um zu hören, was es gab, während
Maili sich in der Mauernische verbarg.

„Wo steckt Ihr denn, daß Ihr nichts wißt," schrieen die Leute,
30 „auf dem Markte ist es ja vorgelesen worden, der Kaiser ist tot!"

Der Kaiser ist tot!

Da stand der arme Hans wie vom Donner gerührt, alle seine
Hoffnungen[12] waren mit einem Schlage zu Ende. Und als es

[11] feierlich (cf. feiern) *solemnly*   [12] die Hoffnung (from hoffen) *hope*

wieder still und leer war auf dem Platz, setzte er sich auf die Bank, lehnte die Stirn in ausbrechendem Schmerz an das schlanke Stämm= chen des Rosenbaumes und schluchzte laut: „O mein Kaiser, mein lieber guter Kaiser, warum bist du mir gestorben!" Da legte sich leise eine Hand auf seine Schulter, Maili stand neben ihm. Es 5 dunkelte, und nur vom Wasserspiegel [13] des Rheins herauf schim= merte noch ein matter Wiederschein [14] der letzten Lichtstrahlen. Es hatte aufgehört zu läuten, die eiserne Totenklage [15] war vorüber, und es war so still und ausgestorben um sie her in der Natur, als könne es nie wieder Frühling werden. 10

„O Maili," klagte Hans hoffnungslos, „der Kaiser kommt nicht wieder!"

„Aber Gott ist da, und der verläßt uns nicht!" sagte Maili, und ihre blauen Augen schimmerten durch die Dämmerung wie ein Paar vom Himmel verbannte [16] Sterne, die sich wieder in ihre Heimat 15 zurücksehnten.

Und als Hans sie so anschaute, wie sie so vor ihm stand mit über der Brust gekreuzten Armen in ihrer jungfräulichen Reine und Demut, da flammte eine hohe Freude in seinem Gesicht auf, und er faltete begeistert die Hände. 20

„Maria!" flüsterte er. „Ja, Gott verläßt uns nicht, er zeigt mir seine Himmelskönigin in diesem Augenblick, und wenn ich das end= lich schaffen kann, was ich jetzt vor mir sehe — dann bin ich ein Künstler, der keines Kaisers Hilfe mehr braucht."

Am andern Morgen, als alles noch in tiefer Dämmerung lag, 25 trat Hans reisefertig, einen Tornister (*knapsack*) auf dem Rücken und auf der Brust die kleine Börse mit dem letzten Rest von Kaiser Maximilians Goldstücken, aus seiner Tür, schloß das kleine Haus ab, steckte den Schlüssel [17] in die Tasche und schritt langsam fort. Laut und deutlich klang seine volle weiche Stimme noch einmal: 30

[13] der Wasserspiegel (das Wasser + der Spiegel *mirror*) *surface of the water*
[14] der Wiederschein *shine again = reflection*
[15] die Totenklage (eine Klage für die Toten) *death lament*
[16] verbannen *to banish, to exile*   [17] der Schlüssel *key* — cf. schließen

119

„Am Rosendorn, am Rosendorn
Da bleibt mein Herze hangen."

Leise öffnete sich in Ruppachers Haus eines der niederen Fensterchen mit den runden, in Blei gefaßten Scheiben, und ein weißes
5 Tüchlein winkte durch die Dämmerung einen stummen Abschiedsgruß. Da war es, als ob die Stimme sich bräche in Tränen, und
es tönte nur noch zitternd und unsicher herüber:

„Viel Früchte trägt der Früchtebaum,
Die mög'n dir wohl behagen,
10   Doch solche Frucht, das glaube mir —"

Jetzt verstummte das Lied, die Bewegung hatte den Scheidenden
übermannt, und nur noch seine festen Tritte [18] und das Klirren
(clatter) des Wanderstabes schallten zu Maria herüber.

3

Die Zwischenzeit

Jahr um Jahr verging, Hans Liefrink war verschwunden. Man
15 dachte an ihn nur noch, wenn man an dem verschlossenen Häuschen
mit den erblindeten (shuttered) Fenstern vorüberging, von dem
man nicht wußte, wer nun zunächst ein Recht darauf habe.

Nur eine dachte noch immer an ihn und hoffte und wartete in
tiefer Sehnsucht. Kein Bitten, kein Drohen und Schelten des Vaters
20 war so stark, daß die Maria Ruppacherin einem ihrer vielen Bewerber
(suitors) ihre Hand schenkte. Nie verließ sie das Haus, als um in
die Kirche zu gehen, und jeden Abend nach dem Abendessen begoß sie
den Kaiserbaum, daß er stattlich heranwachse und des Treuliebsten
Herz erfreue,[1] wenn er wiederkäme. Es war ja das einzige, was

---

[18] der Tritt (from treten) footstep
[1] erfreuen to rejoice, to gladden

mit ihm in Verbindung stand, er hatte es mit ihr gepflanzt, es mit
ihr geliebt, — sie pflegte das Bäumchen mit doppelter Sorgfalt,[2]
wie eine Mutter dem fernen Vater das Kind pflegt, das er ihr
zurückließ, damit er's recht groß und stark finde bei der Ankunft in
der Heimat. Und das Bäumchen wuchs immer mehr. Schon war 5
es so hoch wie die Nische (niche), in der es stand, und wollte darüber
hervorragen, aber sie bog es in die Nische hinein und band es an
der Mauer fest, so daß sich sein blühender Wipfel (top) unter die
Wölbung[3] beugen mußte.

Dies stille Tun war ihre einzige Freude, ihre einzige Erholung.[4] 10
In Arbeit und Gebet gingen ihre Tage hin, und ihre frischen Wangen
begannen blaß zu werden. Ihr Vater sah es ohne Mitleid, wie sein
schönes Kind immer stiller wurde und trauriger, und wie sie öfter
krank wurde. Es war ein Glück für sie, daß die beginnenden Refor=
mationskämpfe, die auch Breisach bedrohten, ihren Vater dazu zwan= 15
gen, immer mehr Zeit im hohen Rat zu verbringen und ihn nicht
dazu kommen ließen, seine Absicht auszuführen[5] und Maria mit
Gewalt zu verheiraten.

Die Stürme um Breisach zogen näher, die Bauern in der Gegend
standen in Waffen auf für die neue Lehre, und immer mehr strömten 20
andere Leute ihnen zu. Die Stadt zitterte für ihren alten Glauben,[6]
und während sie sich nach außen befestigte,[7] um sich gegen den Feind
zu verteidigen, riet ihr Erzherzog (Archduke) Ferdinand, der Enkel
Kaiser Maximilians, auch nach innen alles zu tun, was den alten
Glauben stärken und befestigen könne. Jeder wollte das Seine 25
tun; Geschenke wurden gemacht zu Erhöhung des Ansehens der
Geistlichen, zur Vermehrung und Verbesserung der kirchlichen Ämter
und endlich zur Verherrlichung der idealen Gestalten des katholischen
Glaubens durch Bild und Bildwerk in der Kirche selbst. Längst[8]

---

[2] die Sorgfalt (cf. sorgfältig) *care*
[3] die Wölbung (from wölben *to arch*) *arch*
[4] die Erholung (from sich erholen *to recover, to rest*) *recreation*
[5] aus=führen *to carry out, to execute*
[6] der Glaube (from glauben) *belief, faith*
[7] befestigen = fest machen *to fortify, to establish*
[8] längst (cf. lange) *for a very long time*

fehlte es an einem würdigen Hochaltar, gerade in einer Zeit wie
diese mußte so etwas gebaut werden, und man beschloß, ein Werk
machen zu lassen, welches die ganze himmlische Glorie den wankenden
Herzen vor Augen führe.

5 Ein Brief ging an die deutschen Künstler, sie sollten Zeichnungen
und Vorschläge für das Werk einsenden, und dem, der die besten ein=
sandte, sollte die Ausführung übertragen [9] werden. Von alledem
hörte Maria nicht viel, denn sie ging nicht mehr unter die Leute, die
sie schon kopfschüttelnd die Himmelsbraut [10] nannten. Sie lebte
10 einsam in ihrem kleinen Stübchen, und immer trauriger wurde der
Blick, mit dem sie zu dem hölzernen Christus aufblickte, den ihr
Hans einst geschnitzt hatte. Es ging nun ins fünfte Jahr, daß Hans
von sich nichts mehr hatte hören lassen. Freilich konnte und durfte
er ihr ja nicht schreiben, und Freunde hatte er in Breisach keine. Aber
15 solche Ungewißheit zehrt (*preys*) am Leben; Maria wurde müde, da
sie schon so sehr, sehr lange vergebens hatte warten müssen — todes=
müde.

Eines Abends setzte sie sich denn hin und begann ihren letzten
Willen niederzuschreiben. Ihr Vater war in einer Ratssitzung, und
20 sie war ganz allein zu Hause.

„Wenn ich gestorben bin," schrieb sie, „so bitte ich, daß man mich
begrabe oben am Münster unter dem Rosenbaum, den ich als Kind
dem lieben Gott gepflanzt habe. Sollte Hans Liefrink jemals wieder=
kommen, so bitte ich —"

25   „Und wenn du kommst zum Rosenbaum,
          Kannst du's herunterlangen —"

hörte sie einen plötzlich leise, ganz leise, unter ihrem Fenster singen.

Schneller fällt kein Stern vom Himmel, schneller springt keine
Blume auf, als das Mädchen bei diesem Gesang ans Fenster sprang
30 und mit zitternder Stimme den Endreim wiederholte.

      „Süß Liebchen, komm' und pflück' sie ab,"

---

[9] übertragen *to turn over to, to entrust to*
[10] die Himmelsbraut (der Himmel + die Braut *fiancée) bride of heaven*

antwortete es wieder von drüben (*over there*) über die Mauer —
und das Pergament (*parchment*) mit dem begonnenen Testament,
Feder und Tinte, alles flog in den Kasten, das Mädchen aber wie
ein aus dem Käfig erlöster [11] Vogel den Berg hinauf, ohne sich um=
zusehen, als könne das Glück, das ihr folgte, wenn sie sich umsah, 5
verschwinden, und ein anderer als der Gehoffte hinter ihr stehen.
Schneller, immer schneller werdende Tritte kamen ihr nach. Jetzt
hielt sie klopfenden Herzens atemlos am Kaiserbaum an, und im
selben Augenblick umfaßten [12] sie zwei Arme, die Sinne schwanden
ihr — es war ihr, als stiegen die Wasser des Rheins den Berg hin= 10
auf und gössen sich über sie hin und rissen sie mit fort, und sie hielt
fest an den Geliebten, um nicht hinabzusinken in die Tiefe. Weiter
wußte sie nichts mehr, sie lag bewußtlos [13] und blaß an des Gelieb=
ten Brust.

Zum Glück war niemand weit und breit auf den Wegen, und als 15
Maili wieder zum Bewußtsein kam, saß Hans auf der Bank und
hielt sie sanft auf seinen Knien, rieb [14] ihre Stirn und Hände, und
sie konnte den warmen Atem seines Lebens und Liebens fühlen.
Lange, lange hielten sie sich schweigend umfaßt, denn die echte, rechte
Liebe spricht nicht, sie küßt zuerst. 20

„Mein treues Lieb,“ sagte Hans endlich, „du bist so blaß gewor=
den, bist du krank?“

Sie schüttelte mit einem seligen Lächeln das Haupt: „Nein, jetzt
nicht mehr, gewiß nicht mehr! Du bliebst [15] aber auch gar zu lange
aus! Hättest du nicht früher wiederkommen können?“ 25

„Nein, mein Lieb, das konnt’ ich nicht. Wäre ich gekommen als
ein armer unberühmter Lehrling,[16] hätte mich da dein Vater nicht
wieder mit Schimpf von seiner Tür gejagt? Wir hätten uns nur
wiedergesehen, um uns zum zweitenmal zu trennen. Schau, darum

---

[11] erlösen (from los and lösen) *to release, to redeem*
[12] umfassen *to envelop, to embrace*
[13] bewußtlos (from wissen — cf. das Bewußtsein *consciousness*, and note 2,
Chap. 2, above) *unconscious*
[14] reiben *to rub*
[15] aus=bleiben *to remain away, to stay away*
[16] der Lehrling (from lehren) *apprentice* — cf. die Lehrzeit *apprenticeship*

habe ich ausgehalten, so lange als meine Lehrzeit dauerte, bis ich mir
sagen konnte: jetzt darfst du um die Hand der schönen vornehmen
Ruppacherin bitten. Ich habe die Welt gesehen und mein Auge
gebildet an all den Kunstschätzen der großen Städte, und dann bin
5 ich beim Dürer gewesen, habe in seiner Werkstatt[17] mitgearbeitet,
und mein Name ist mit Ehren genannt unter Dürers Schülern."

„O Hans, glaubst du wirklich, daß das meinen Vater milder
machen wird?" sagte Maria angstvoll.

„Ja, Maili, es kann mir nicht fehlen. Ich habe in Nürnberg
10 gehört, daß der Magistrat endlich einen neuen Hochaltar für das
Münster machen lassen will. Ich bin hierher geeilt, um zu bitten,
ob ich die Arbeit unternehmen darf, und werde ich für würdig gehalten, solch ein Werk zu schaffen — was kann dann dein Vater noch
gegen mich haben?"

15 Maili schüttelte immer noch ungläubig[18] den Kopf, aber Hans
war voll Hoffnung.

„Schau, das alte Kaiserbäumchen, wie es gewachsen ist," rief er
bewundernd[19] aus, „das hast du gut gepflegt! Ist es doch, als hätt'
es all das frische Blut in sich aufgenommen, das aus deinen Wangen
20 verschwunden ist, mein Lieb, so rot sind die Rosen. Gib mir meines
Liebchens Blut wieder," sagte er froh, brach eine Handvoll Rosen
und strich damit sanft über Mailis Wangen, als wollte er sie schmin-
ken (*rouge*), aber sie blieben weiß. „Das hilft nicht, aber vielleicht
hilft das?" Er küßte sie: „Da, das ist eine bessere Schminke," lachte
25 er und drückte das errötende Gesicht des Mädchens in überströmender
Seligkeit an seine Brust. „Blüh' auf, mein Röslein, blüh' auf, der
Frühling kommt!"

[17] die Werkstatt (cf. anstatt *in the place of*) *the place where one works* =
workshop
[18] ungläubig = sie wollte es nicht glauben *unbelieving, skeptical*
[19] bewundern (from wundern) *to admire* — bewundernd *admiringly*

4

Kein Prophet im Vaterland

Eine halbe Stunde später trat scheuen Schrittes der Ratsdiener in den Sitzungssaal des hochgegiebelten (*high-gabled*) Breisacher Rathauses.

„Der hochweise Rat möge mich entschuldigen," bat er, „es ist einer draußen, der sehr gerne vor den hochweisen Rat geführt werden 5 möchte."

„Wer ist es denn?" fragte der Bürgermeister.[1]

„Es ist der Hans Liefrink," sagte der Ratsdiener, „aber ganz schön gekleidet — ich hätte ihn fast nicht mehr erkannt."

Das war eine Überraschung! „Der Hans Liefrink, der Ausreißer 10 (*runaway*), der heimatlose Wanderer, der bei Nacht und Nebel fortlief, Gott weiß wohin, und jahrelang herumwanderte, Gott weiß wo? Was will der?"

„Er möchte die Arbeit für den Hochaltar unternehmen und seine Zeichnungen vorlegen." 15

„Was, mit solch einem frechen Kerl sollten wir uns einlassen, der nie was anderes gemacht hat, als was jeder Handwerksbursch kann?" schrie Rat Nuppacher, und die übrigen hochweisen Herren waren derselben Meinung.

„Er soll sich fortmachen, woher er kam!" entschloß man endlich, 20 „solch ein Werk vertraut[2] man nicht jedem hergelaufenen Stümper (*bungler*) an, von dem kein Mensch je gehört habe, daß er was könne."

Der gutmütige Ratsdiener verließ traurig mit dem rauhen Ent= schluß[3] den Saal. Aber gleich darauf kam er wieder und brachte 25 unter tausend Bücklingen (*bows*) eine Mappe herein.

[1] der Bürgermeister = der Schulze *mayor*
[2] an=vertrauen (from trauen) *to entrust to*
[3] der Entschluß (from entschließen) *decision*

„Der Liefrink tut's nicht anders, die weisen Herren möchten doch nur einmal seine Zeichnungen ansehen — und wenn die Ratsherren nicht wüßten, was der Hans Liefrink könne, dann möchten sie nur in Nürnberg bei Dürer nachfragen, der werde es ihnen schon sagen."

5 „Wenn sich der Kerl nicht bald fortmacht," schrie Rat Ruppacher, „so lassen wir ihn einfach fortjagen."

„Nur ruhig, bitte, Meister Ruppacher," sprach der Bürgermeister, ein ruhiger Mann, der indessen die Mappe geöffnet hatte, „die Zeich= nung kommt mir nicht so übel vor. Das ist die Krönung [4] der 10 Mutter Gottes im Himmel. Sieh, sieh, recht gut ausgedacht."

„Aber so etwas zeichnen ist leichter, als es ausführen," meinten andere. „Der Liefrink hat so was nie machen können."

„Er hat vielleicht in den letzten fünf Jahren viel gelernt," bemerkte der Bürgermeister, — „und tut's am Ende wohl billiger, als die 15 berühmten Meister."

Es waren zwar viele derselben Meinung; aber es wäre doch uner= hört gewesen, wenn man solch ein großes Kunstwerk einem einfachen Breisacher Kind wie Hans Liefrink übertragen hätte, den jeder als dummen Jungen gekannt hatte, den man so aufwachsen sah, ohne 20 je etwas Besonderes an ihm zu merken, — ja, den man so über die Achseln angesehen hatte! Nein, es war schon um des Ansehens [5] der Sache willen nicht zu wagen! So wurde denn Hans Liefrink ganz und gar abgewiesen.

Aber ein Gutes hatte der Vorschlag Liefrinks doch gehabt, die 25 Herren waren dadurch auf den Gedanken gebracht, um sicher zu sein, daß die Arbeit in die rechten Hände komme, dem Albrecht Dürer die bisher eingesandten Zeichnungen zu schicken und seine Meinung dar= über zu verlangen.

Maili weinte bitterlich, als sie hörte, wie man Hans auf dem 30 Rathause mißhandelt hatte; aber noch verzweifelte [6] er nicht ganz, er hoffte auf Albrecht Dürer, und gleichzeitig mit dem Schreiben des

[4] die Krönung (from krönen *to crown* — cf. die Krone) *crowning, coro-nation*
[5] das Ansehen (cf. an=sehen *to look at* and angesehen *highly regarded*) means both *looks* and *regard*   [6] verzweifeln (from zweifeln) *to despair*

126

Rates ging auch ein Brief Hans Liefrinks an seinen großen Freund und Lehrer ab.

Wochen vergingen den Liebenden abwechselnd in ängstlicher Erwartung und süßem, verstohlenem Glück, denn die Unruhe und die politischen Kämpfe des Jahres 1524 zogen die Aufmerksamkeit Rup= 5 pachers zu sehr von seiner Tochter ab. Sie sahen sich ungestörter als je, und Maria lebte und blühte rasch wieder auf in dem neu angebrochenen Liebesfrühling. Hans wohnte wieder in seinem Häuschen und hatte inzwischen eine Haustür geschnitzt, welche trotz der geringen Meinung über den Breisacher Künstler bewundert wurde. 10

Dürers Antwort blieb lange aus, denn mit der Post war es damals eine üble Sache, und die Leute mußten mehr Geduld [7] üben als heutzutage, wo man, statt mit Monden und Wochen, mit Tagen und Stunden rechnet. Endlich nach vier Wochen kam sie. Aber wer beschreibt das Staunen des versammelten Rats, als das Schreiben 15 keine andere, als die so rauh abgewiesene Zeichnung Hans Liefrinks enthielt,[8] und Dürer schrieb: „er könne ihnen mit dem besten Willen nichts Schöneres empfehlen, als diese Zeichnung seines Freundes und Schülers Hans Liefrink, für deren vollendete Ausführung er gut stehe. Er begreife nicht, wie eine Stadt, die einen solchen Künstler 20 schon in ihrer Mitte habe, sich noch an andere Künstler wende. Hans Liefrink sei ein so ehrlicher Jüngling und ein so großer Künstler, daß die Stadt Breisach stolz darauf sein könne, ihn den ihrigen zu nennen, und alles tun müsse, ihn zu behalten, denn dem Liefrink stehe die Welt offen, und nur seine treue Liebe zu Breisach habe ihn 25 bewogen, überhaupt wieder dorthin zurückzukehren."

Eine halbe Stunde nach Ankunft dieses Briefes zog eine für Breisach unerhörte Menschenmasse die enge Straße hinauf. Hans, der ruhig in seiner Werkstatt arbeitete, lief an das Fenster, um zu sehen, was es gäbe. Aber, o Wunder! der Zug hielt vor seinem Hause 30 an, und laut tönte der metallische Klopfer im Rachen (*jaws*) des geschnitzten Löwenkopfes an der Tür.

---

[7] die Geduld (from dulden *to bear, to stand for, to tolerate*) *patience*
[8] enthalten *to contain*

Hans trat heraus, und vor ihm stand eine Deputation des Rats in feierlichem Zuge, gefolgt von den Bewohnern aller Straßen, die vom Rathaus herführten.

„Was wünschen die Herren von mir?" fragte Hans erstaunt.

5 „Hans Liefrink," begann der Sprecher der Deputation, „der hoch= weise Rat dieser Stadt läßt Euch hiermit wissen, daß er fast einstim= mig beschlossen hat, daß Ihr den Hochaltar für unser Münster ausführen solltet, und zwar ohne Akkordsumme (*agreed price*), und wenn Ihr Geld brauchet, um Holz usw. zu kaufen, so möget Ihr es 10 beim Ratsbuchhalter erhalten."

Hans schlug die Hände zusammen vor Freude: „Ist es wahr, ist es möglich! Sagt mir, hochedle Herren, wem verdanke⁹ ich dieses Glück?"

„Der Rat sendet Euch dieses Schreiben Albrecht Dürers, welches wir Euch hier vor allem Volke vorlesen wollen," sagte der Wort= 15 führer und las laut den Brief Dürers vor. Hans hatte in seiner Freude nicht bemerkt, wie Nachbar Ruppacher zornig seine Fenster= laden (*blinds*) zumachte, so daß das Lob des jungen Künstlers nicht zu seinen Ohren kommen würde. Und nachdem ihn die Deputation verlassen hatte und er allein war, zog er seine besten Kleider an und 20 ging hinüber zum Nachbar Ruppacher, denn jetzt war der Augenblick da, wo er um Mailis Hand bitten durfte.

5

Die Bedingung

Maili machte ihm die Tür auf, ein leiser Schrei freudigen Schrecks — ein rascher Kuß — und sie verschwand in ihr Zimmer, wo sie klopfenden Herzens vor ihrem Bett niedersank und betete, daß die 25 heilige Jungfrau ihr jetzt beistehe. Hans trat unerschrocken bei Rat Ruppacher ein.

---

⁹ verdanken (from danken) *to owe, to be obliged for*

„Oho, was wollt Ihr?" rief Ruppacher mit flammenden Augen.

„Ich wollte Euch zuerst danken, Herr Rat, für das Zutrauen, welches mir der hochweise Magistrat —"

„Braucht mir nicht zu danken," unterbrach ihn Ruppacher rauh, „ich habe Euch meine Stimme nicht gegeben." 5

„So?" sagte Hans betroffen, „das war nicht wohl getan, Herr Rat, was hattet Ihr denn gegen mich?"

„Was, das fragt Ihr noch? Seid Ihr nicht mit meiner Tochter umgegangen, und habt Ihr dem Mädchen nicht das Herz bezaubert, daß es nun keines ehrlichen Mannes Frau mehr werden will, weil 10 Ihr ihm fort und fort im Sinne steckt?"

„Herr Rat," sagte Hans ruhig weiter, „ich weiß einen ehrlichen Mann, dessen Frau sie werden will, und ich bin gekommen, um ihn Euch zu bringen." 15

„Nun, wer wäre denn das?"

„Ich, Herr Rat!"

Ruppacher lachte laut auf: „Du? Da hat man was ganz Uner= hörtes! Der Betteljunge wagt es —"

„Herr Rat!" unterbrach Hans sogleich, „ich war und bin kein 20 Betteljunge. Ich war arm, aber der soll kommen, der von mir sagen kann, er hätte dem Hans ein einziges Geldstück geschenkt! Mein Vater hat sein Geld durch sein Plattenschneiden verdient, und meine Mutter hat sich und mich nach seinem Tode ehrlich durchge= bracht mit ihrer Hände Arbeit. Das einzige, was ich, solange ich 25 lebe, geschenkt bekam, das war das Messer und die Börse und Gold= stücke von Kaiser Max, und das habe ich nicht erbettelt. Der Kaiser hat mir's gegeben, weil der große Mann, dessen Auge mit Gottes= blick in die Seelen der Menschen drang, in dem armen Knaben ein Streben erkannte. Es war kein faules Geschenk, faul empfangen 30 und faul verbraucht,[1] — mit dem Messer hab' ich gearbeitet, und die Goldstücke habe ich gespart und zusammengehalten, bis ich sie in dem besseren Kapital meiner künstlerischen Ausbildung anlegen

---

[1] verbrauchen *to use up, to use completely*

(*invest*) konnte, und wahrlich, sie haben Zinsen (*interest*) getragen. Ich bin kein Bettler, Herr Rat, und dulde solchen Schimpf nicht."

„Nicht, du duldest ihn nicht?" sagte Ruppacher etwas ruhiger, „nun, wo haft du denn dein Geld? Zeig' es mir, dann wollen wir
5 weiter sprechen."

„Hier hab' ich es, Herr Rat." Hans zeigte auf seinen Kopf und seine Hand.

„Hältst du mich für einen Narren, Kerl?" schrie Ruppacher zornig.

„Nein, Herr Rat, ich will Euch damit nur sagen, daß ein denkender
10 Kopf und eine fleißige Hand auch Geld ist, denn durch meinen Kopf und meine Hand entstehen die Werke, die mir Geld und Gut bringen — und glaubt es mir, darin steckt noch viel Geld, das mit der Zeit zu Tage kommen wird."

„Und an so was soll ich glauben, und meine Tochter einem Manne
15 geben, der alle sieben Tauben (*pigeons*) auf dem Dache und keine in der Hand hat?"

„Herr Rat, für die nächsten zwei Jahre habe ich mehr als genug für mich und meine Frau, durch die Arbeit im Münster bin ich ein gemachter Mann —"

20 „Auf zwei Jahre, und dann?"

„Dann gibt es wieder ein Kunstwerk zu schaffen —"

„So, also Ihr meint, die Welt wird nichts zu tun haben, als sich mit Euren Schnitzereien zu putzen? Jetzt kommen schwere Zeiten, wißt Ihr, da hat man für solche Sachen kein Geld. Wäret Ihr
25 noch ein ehrlicher Schneider (*tailor*) oder Schuhmacher, Kleider und Schuhe braucht jeder Mensch, aber wer solche brotlosen Künste treibt wie Ihr, der kann in unsern Zeiten nur mit den Bettlern und Straßenmusikanten ziehen — und da könnte dann die schöne Rats-herrntochter auf den Gassen die Laute (*lute*) dazu schlagen. Ei, ja,
30 das wäre etwas!"

Hans Liefrink zitterte vor Zorn, aber noch nahm er sich zusammen um Mailis willen, und er erwiderte bescheiden: „Ihr kennt mich nicht, Herr Rat. Ich war ein stolzer Bursch, der immer mit dem Kopf durch die Wand wollte, dem ist aber nicht mehr so. Ich bin

ziemlich lange draußen in der Welt gewesen, und habe einsehen gelernt,
daß die Kunst nach Brot gehen muß, wenn der Künstler nicht hun=
gern soll; ich habe auch das Handwerk meiner Kunst treiben gelernt,
um zu leben, und wenn es sein muß, schnitze ich Sachen für Wirts=
häuser und für das Haus, denn die brauchen die Menschen auch im= 5
mer. Eure Tochter soll nicht hungern, selbst wenn der reiche Vater
sie enterbt,[2] und sobald bessere Zeiten kommen, wo auch hier die
Liebe zum Schönen und zu den Künsten des Friedens neu erwacht,
dann wird auch Hans Liefrink wieder ein Künstler sein dürfen!"

„Ei, und dann ist er was Rechtes — nicht wahr? wenn er ein 10
Künstler ist!" lachte Ruppacher; „was meinst du wohl, du Narr, was
ich unter einem Künstler verstehe? Tagediebe (*loafers*) seid ihr, die
zu faul sind zum Arbeiten und zu dumm, um ein ordentliches Amt
zu bekleiden.[3] Tagediebe seid ihr, die in ihrem müßigen Hirn nichts
als wahnsinnige Ideen herumtragen und sie andern in den Kopf 15
setzen. Wer Ordnung haben will, der jagt solch wildes Gesindel
(*rabble*) hinaus, — damit es mit seinem Hokuspokus nicht auch
andere ihre Pflicht vergessen macht!"

„Herr Gott, gib mir Geduld!" rief Hans Liefrink und sprang auf
in glühendem Zorn. „Mann, Ihr seid mir heilig als der Vater 20
Eurer Tochter, sonst würde ich so einen Schimpf überhaupt nicht
dulden. Herr mein Gott, unter welche Menschen soll ich mich beugen,
da ich es bin, der ich mit ‚wahnsinnigen Ideen' kämpfen muß! Da
draußen um mich her liegt eine ganze lachende, reizende Welt im
ersten Sonnenglanz der erwachenden Idee des Schönen — alles, was 25
denkt und fühlt, strömt jubelnd dieser neuaufgehenden Welt zu; die
Humanisten, die Künstler, alles vereint sich im fröhlichen Schaffen,
und das Volk, geblendet (*dazzled*) von dem ungewohnten Licht, sinkt
ihnen zu Füßen und sagt ‚führet uns!' Ein Kaiser hat einem Albrecht
Dürer die Leiter (*ladder*) gehalten, auf der er malte — und ein 30
Ratsherr von Breisach, dessen Staub einst die Winde verwehen
(*blow away*), mißhandelt Dürers Lieblingsschüler (*favorite pupil*)

---

[2] enterben (cf. der Erbe *heir*) *to disinherit*
[3] ein Amt bekleiden *to clothe an office = to hold an office*

wie einen gemeinen Dieb! Da draußen habe ich als Künstler alle
Ehren genossen, und hier in diesem dunklen Ort muß ich mich mit
Füßen treten lassen, weil ich einen Strahl aus jener lichteren Welt
herüberbringe, der Euren lichtscheuen Augen weh tut — weil ich ein
5 Künstler bin!"

„So geh' doch, so geh' wieder in deine lichtere Welt, wie du sie
nennst, du frecher Kerl," donnerte Ruppacher ihn an. „Warum bist
du nicht geblieben, wo du warst; warum hast du dich so tief herab=
gelassen, unsern dunkeln Ort aufzusuchen?"

10 „Weil ich Eure Tochter liebe, Vater Ruppacher, so liebe, daß ich
alles aufgeben würde für sie!"

„Und du hast allen Ernstes geglaubt, du ‚edler' Herr, der Rup=
pacher werde so tief heruntersinken, daß er einem Künstler seine
Tochter gäbe?"

15 „Ja, Vater Ruppacher, nach dem Ansehen, das der Künstler
draußen genießt, konnte ich das denken."

„Ich kümmere mich nichts darum, wie's draußen ist, und wenn
der Kaiser zehnmal dem Dürer die Leiter halten will — oder gar die
Schuhe putzen — ich halte mich an das, was man hierzulande tut,
20 und ich sage dir, so wenig du einen Altar in das Münster hinein=
bringst, der höher ist als das Münster selbst, so wenig wirst du je
ein Weib heimführen, das so viel höher steht als du, wie meine
Tochter!"

„Herr Rat, ist das Euer letztes Wort?"

25 Ruppacher lachte wieder laut: „Schnitz' mir einen Altar, der höher
ist als die Kirche, in der er steht — dann sollst du meine Tochter
haben — eher nicht, so wahr Gott mir helfe!"

Ein herzzerreißender Schrei drang aus dem Nebenzimmer herein.
Ruppacher ging hin und öffnete, Maili lag bewußtlos hinter der
30 Tür. Hans eilte heran, aber Ruppacher hob den Arm gegen ihn
auf: „Fort aus diesem Hause, oder ich schlage dir ins Gesicht."

Einen Augenblick war es dem Jüngling, als zucke ihm das heilige
Messer, das ihm ein Kaiser geschenkt hatte, damit er Künstler werde,
in der Tasche. Er kämpfte einen inneren Kampf, daß ihm die

Schweißtropfen [4] von der Stirn hinabliefen, aber das Messer blieb in der Tasche, er hatte den Sieg über sich davongetragen, neigte stumm das Haupt und ging. Glühend heiß brannte ihm die Sonne auf den Kopf, als er wankenden Schrittes heraustrat, das Blut hämmerte ihm in den Schläfen (*temples*), er mußte sich einen Augen= [5] blick an die Tür lehnen, um nicht niederzusinken. Dann eilte er fort, aber nicht in sein Haus, sondern zum Münster hinauf, zu seinem alten Freund, dem Kaiserbaum.

Es war ein göttlich schöner Mittag, schattenlos lag die Welt vor ihm, die hellen Sonnenstrahlen verbannten jede Dunkelheit. Glanz [10] und Herrlichkeit strahlte von dem blaugewölbten Himmel nieder, strahlte wieder von der grünen Erde, von dem rauschenden Strom. Ein stolzes Schloß stach in der Ferne von dem goldenen Hintergrunde ab, die Wellen des Rheins schlugen stark an den steilen Felsen, auf dem das Schloß gebaut war. Sehnsüchtigen Blickes schaute Hans [15] nach der Richtung Straßburgs zu, das schon damals voll deutscher Kunst war. Aber der Glanz des reinen Himmels tat ihm weh, die strahlend schöne Natur kam ihm heute vor wie eine frühere Freundin, die nun lacht, während der Freund weint. Er setzte sich in die Nische unter den Rosenbaum, wo der Geist des toten Kaisers immer noch [20] zu ruhen schien, wo jede Rose unter seinen und Mailis Küssen geblüht hatte; dahin trieb es ihn immer wieder, da hatte er stets sein Heil gefunden.

Aber was konnte ihm jetzt noch für ein Heil kommen? Konnte der Baum sich mit seinen Wurzeln aus der Erde reißen und zum [25] Ruppacher gehen, um für ihn zu bitten? Konnte der Kaiser, der bei Lebzeiten nicht wiederkam, nach dem Tode kommen, um ihm zu helfen? Und wenn auch der Baum sich aus der Erde höbe, und wenn auch der Kaiser aus dem Grabe stiege, und wenn auch Ruppachers Herz milder würde — was hälfe es ihm? Ruppacher selbst könnte [30] ihm seine Tochter nicht mehr geben, denn er hatte ja einen Eid [5]

[4] der Schweißtropfen (der Schweiß *sweat* + der Tropfen *drop*) *bead of perspiration*
[5] der Eid *oath, vow*

getan, daß er sie nur haben solle, wenn er einen Altar mache, der
höher sei als die Kirche, in der er stehe! Aber dies war ja unmöglich,
— und es hätte ein Wunder geschehen müssen, um ihm zu helfen.
Aber Wunder tat Gott nicht für ein so unbedeutendes Menschenkind,
5 wie er war.

Für ihn und Maili war keine Rettung, keine Hoffnung mehr!
Immer sah er das blasse, geliebte Mädchen vor sich, das er nicht
mehr berühren durfte, und Schmerz, Liebe und Zorn brachten dem
sonst so starken Mann heiße Tränen in die Augen. Er begrub die
10 schweißbedeckte Stirn in den Händen und schluchzte wieder wie vor
Jahren hilflos wie ein Kind: „O mein Kaiser, mein Kaiser, warum
bist du mir gestorben?" Aber diesmal war Maili nicht da, um ihm
zu sagen, daß Gott bei ihnen sei, und keine Künstlervision winkte
ihm wie damals mit stolzen Hoffnungen zu. Alles blieb still um
15 ihn her, nur die Bienen flogen summend um die Rosen, und in den
Lüften schrie ein Vogel.

Da plötzlich gab ihm etwas einen kräftigen Schlag in den Rücken.

Er erschrak, ihm war, als müsse der Kaiser hinter ihm stehen,
wenn er umblicke. Aber es war nicht die Geisterhand des toten
20 Kaisers, die ihn berührte; das Rosenbäumchen hatte sich endlich
durch die eigne Kraft von der Rückwand der Nische losgerissen, in
die Maili es hineingebunden hatte, und war im Emporschnellen
(*flying upwards*) gegen Hans gestoßen.

Da stand es nun kerzengerade (*straight as a candle*) weit über
25 die Wölbung hervorragend, und jetzt erst sah Hans, wie viel höher
das Bäumchen schon war, als die Nische, in der es gestanden hatte.
Aber wie ein Blitz schoß jetzt dem armen Hans ein Gedanke durch
den Kopf.

Er saß eine Zeitlang noch im Gedanken, dann ein Schrei des
30 Jubels: „Herr, mein Gott, du bist groß auch im Kleinsten, und
deine Wunder geschehen heute noch!"

Was hatte ihn das Bäumchen gelehrt? Was war es, das ihn so
plötzlich auf die Knie stürzen und den rauhen Stamm des Kaiser-
baumes wie wahnsinnig vor Freude küssen ließ?

6

Erfüllt

Hans sah Maili nicht mehr, Vater Ruppacher begriff, daß er das Mädchen nicht mehr im Auge behalten könne, und brachte sie selbst in ein naheliegendes Kloster, damit sie weder Wort noch Blick mit dem Geliebten wechseln könne. Aber da war man doch nicht so streng mit dem Mädchen, daß nicht dann und wann von Hans 5 Liefrink ein Gruß, ein Lied und ein Wort der Hoffnung zu ihr gedrungen wäre.

Auch Hans lebte indessen wie getrennt von der Welt. Vom frühen Morgen bis in die Nacht hinein arbeitete er ohne Ruhe, und weder Bitten noch Schelten konnte ihn bewegen, sein Werk einem 10 anderen zu zeigen. Das stehe nicht in seinem Vertrag,[1] erwiderte er auf jede Bitte darum, und so wuchs die Neugier[2] aufs höchste.

Zwei lange Jahre waren vergangen, die ersten Reformations= kämpfe, viel schwere Tage waren an Breisach vorübergezogen, Hans hatte sich durch nichts von seiner Arbeit abbringen lassen, ruhig und 15 fleißig hatte er weitergearbeitet, ohne nach rechts oder nach links zu schauen, und endlich im Sommer des Jahres 1526 erschien er auf dem Rathaus und erklärte das Werk als vollendet.[3]

Nun war große Bewegung in Breisach. Das Münster wurde auf drei Tage geschlossen, solange der Altar aufgestellt wurde. Hunderte 20 von Neugierigen standen um Hans Liefrinks Haus und die Kirche, um etwas von dem Werke zu sehen. Aber fest verhüllt[4] kamen die einzelnen Teile aus der Werkstatt, und die Neugier wuchs immer mehr.

Am vierten Tage sollte der Altar eingeweiht (*consecrated*) wer= 25 den. Schon früh am Morgen stiegen große Menschenmengen den Berg hinauf dem nun wieder geöffneten Gotteshaus zu. Laut tönte

---

[1] der Vertrag *contract*
[3] vollenden *to complete*
[2] die Neugier *curiosity*
[4] verhüllt *wrapped*

die große Glocke weithin über den Rhein und die Nachbardörfer. In ganzen Zügen, zu Fuß und zu Wagen, strömten die Landleute von nah und fern herüber, um das Wunderwerk zu sehen, von dem schon seit zwei Jahren die Rede war.

5 Hans Liefrink war schon seit Tagesanbruch in der Kirche. Noch einmal betrachtete er prüfenden Auges seine Arbeit, und als die große Glocke über seinem Haupte zu schlagen begann, um das Volk zu rufen, da überflog ein leises Zittern seine hohe schlanke Gestalt, er nahm das Käppchen (*little cap*) ab und sprach mit gefalteten 10 Händen: „Herr, nun segne meinen Schweiß!"

Es war ein kurzes Gebet, aber wer jemals gearbeitet hat, jahrelang im Schweiße seines Angesichts (*brow*), um seine ganze Zukunft, sein ganzes Glück, der weiß, wie Hans Liefrink bei den wenigen Worten zumute war, und unser Herrgott wußte es auch.

15 Nun strömte die Menge herein, und der schwere Augenblick war da, wo der Künstler das Werk seiner einsamen Tage und Nächte dem Publikum übergibt. Noch einen letzten Blick warf Hans Liefrink auf sein Werk, dann verschwand er und beobachtete in ängstlicher Erwartung den Eindruck, den es auf das versammelte Volk machte. 20 Die Morgensonne warf ihre vollen Strahlen herein, gerade auf den Altar, und ein Ausruf des Staunens, der Freude und Bewunderung schallte von dem hohen Gewölbe wieder.

Da stand sie den Leuten vor Augen, die ganze himmlische Glorie, sichtbar und greifbar. Gott, Vater und Sohn, in ihrer Mitte Maria, 25 die Arme über die Brust gekreuzt, das Haupt demütigst neigend unter der Krone, die Vater und Sohn über ihr hielten. Ein Sturm der Freude schien durch den ganzen Himmel zu wehen,[5] wie im Sturme flatterten die Kleidung und Locken der Himmlischen; war das wirklich Holz, steifes (*rigid*) hartes Holz, was da so beweglich 30 schien? War es möglich, das Leblose lebendig zu machen? Bewegten sich diese Gestalten? Und diese Engelscharen (*angelic hosts*), die im wilden Jubelchor Halleluja sangen! Und die Heiligen alle, jeder so ganz natürlich und so besonders in seiner Art. Alle Figuren in

[5] wehen *to wave, to blow*

Lebensgröße,[6] und das Ganze umwunden (*entwined*) und gekrönt von dichtem Laubwerk, die Mitte, mächtig aufstrebend,[7] zog sich noch an der Wölbung des Chors (*choir loft*) hin. Das ungeübte Auge der einfachen Leute konnte es nicht auf einmal überblicken, all das Herrliche, was es da zu schauen gab. Solch ein Werk hatte noch keiner gesehen von allen, die da waren, und die einfachen Seelen nahmen ihn mit kindlicher Ehrfurcht in sich auf, diesen mächtigen Zauber der Kunst.

Das Hochamt (*high mass*) begann; solch ein Amt war nicht gehalten, solange man denken konnte. Schauer (*waves*) der Andacht durchzogen die Kirche, von Angesicht zu Angesicht (*face to face*) waren die Leute noch nie dem Himmlischen gegenübergestanden — wie mußte da gebetet werden! Und als die Schellen (*bells*) der Wandlung (*transubstantiation*) tönten, da wagte keiner aufzublicken — sie meinten alle, der Erlöser da oben müsse nun lebendig werden und hinaussteigen aus seinem Rahmen.

Als aber der Gottesdienst vorüber war, da drängte alles sogleich heran, um den Meister zu sehen, der das Werk geschaffen hatte.

Ein Diener wurde abgeschickt, um Hans Liefrink zu suchen.

Da trat er hinter dem Altar hervor, bescheiden und tiefbewegt, aber so schön und so voll unbewußten echten Stolzes, daß jedes Auge mit Liebe an ihm hing. Der Bürgermeister, der einst das erste gute Wort im Rat für ihn gesprochen hatte, trat ihm entgegen und schüttelte ihm die Hand; der ganze Rat folgte seinem Beispiel mit Ausnahme Ruppachers, der finster an der Wand lehnte, weil er nicht durch die Menge hatte entkommen [8] können. Seine Tochter hatte zu dieser feierlichen Gelegenheit das Kloster verlassen dürfen und stand da neben ihm, blasser als je, aber mit einem seligen Ausdruck in dem reizenden Gesicht.

„Findet Ihr nicht, daß die Ruppacherin der Mutter Gottes da oben ähnlich ist?" flüsterte einer dem andern zu.

---

[6] die Lebensgröße (das Leben + die Größe from groß) *life size*
[7] auf=streben *to strive upwards* = *to rise, to tower*
[8] entkommen (ent= denotes separation) *to get away, to escape*

„Ja, das ist wahr!"

„Und der Gott Vater dem Kaiser Max!" meinte ein alter Mann,
„gerade so sah er aus!" Und wie ein Lauffeuer (*wildfire*) ging es
durch die Reihen, der Liefrink habe die Maria Ruppacherin und den
5 Kaiser Max abgebildet.[9]

„Ja, liebe Freunde," sagte Hans ruhig aber hörbar, „das tat ich,
weil ich nichts Schöneres auf der Welt kenne als Kaiser Max und
Jungfrau Ruppacherin. Gott hat die Menschen zu seinen Eben=
bildern (*image*) geschaffen, und der Künstler, der Gott darstellen soll,
10 hat das Recht, sich an diejenigen zu halten, von denen er denkt, daß
sie ihm am ähnlichsten sind."

„Gut gesagt!" hieß es von allen Seiten.

„Meister Liefrink, Ihr kommt noch in den Rat, das glaube ich
fest!" sagte der Bürgermeister.

15 Jetzt näherte sich Hans kühnen Schrittes der Bank, wo Ruppacher
sich vergebens bemühte, seine Tochter mit sich fortzuziehen. „Halt,
Meister Ruppacher!" rief er mit fester Stimme, „ich habe noch mit
Euch zu reden, und Ihr müßt mich hören! Ihr stelltet mir vor
zwei Jahren eine seltsame Bedingung, unter der allein Ihr mir
20 Eure Tochter zum Weibe geben wolltet. Wißt Ihr's noch?"

Ruppacher schwieg trotzig.

Hans fuhr fort: „Ihr verlangtet, was nicht möglich schien, ich
sollte einen Altar schnitzen, der höher ist als die Kirche, in der er
steht — und Ihr tatet einen heiligen Eid, daß ich dann Eure Tochter
25 haben solle! Nun, Meister Ruppacher, blickt über Euch, der Altar
ist hier genau einen Schuh höher als die Kirche, und doch steht er
darin — ich habe nur die Spitze umgebogen."

Ruppacher schaute hinauf und wurde blaß — daran hatte er nicht
gedacht! Eine Bewegung des Beifalls[10] ging durch die Kirche.

30 „Also, Herr Rat," sprach Hans ruhig weiter, „ich habe meine
Bedingung erfüllt, nun erfüllt Ihr Euren Eid und gebt mir Eure
Tochter zur Frau!"

Ruppacher war wie vom Schlag gerührt, die Leute mußten ihn

[9] ab=bilden *to portray, to model from*   [10] der Beifall *approval*

138

stützen, aber er war eine starke Natur und erholte sich schnell. Er
war nicht der Mann, um mit Eiden zu spielen; Hans Liefrink hatte ihn
beim Wort genommen, in einer Weise, die kein Mensch voraussehen
konnte; das Wort mußte gehalten werden, und zwar mit Würde.
Ein Ratsherr durfte nicht vor allem Volke Ärgernis [11] geben. 5

Eine lange Pause entstand, Hans wartete geduldig — endlich brach
sich Ruppacher durch die Menge Bahn und führte stolz dem jungen
Manne seine Tochter zu. „Ein Ruppacher hat noch nie seinen Eid
gebrochen. Da habt Ihr mein Kind, wie ich's gelobte (*vowed*),"
sagte er trocken. 10

„Maria, mein Weib," jubelte Hans, der Zitternden die Arme
entgegenbreitend.

Wer beschreibt den Blick, mit dem Maili nach siebenjahrelangem
Warten in die Arme des Bräutigams [12] sank; er mußte sie halten,
sonst wäre sie vor ihm auf die Knie gefallen. Lautlos hielten sie sich 15
umfaßt. Erfüllung, die schöne Himmelstochter, stieg zu ihnen nieder,
und da oben lächelte die holzgeschnitzte Maria und der zum Gott
erhobene Kaiser Max freundlich auf sie herab, und alle Anwesenden
freuten sich mit.

Einige junge Burschen liefen hinaus, brachen in aller Eile Zweige 20
vom Rosenbäumchen und flochten zwei Kränze [13] für das Braut=
paar. Unter lautem Beifall krönten sie den Meister und seine Braut.
Aber demütig nahm Hans seinen Kranz ab und legte ihn auf den
Altar nieder: „Gottes seien diese Rosen — er hat mich gerettet durch
sie! Siehst du, Maria," flüsterte er und deutete nach der umgebo= 25
genen Spitze des Altars, „das hat mich das Kaiserbäumchen gelehrt!
Euch aber, Herr Rat, mag es erkennen lehren, daß einer sich beugen
kann und doch größer sein, als die, die ihn gebeugt haben!"

Drei Wochen später wurden Hans und Maili vor demselben Altar
getraut. 30

Es war eine Hochzeit, wie Breisach keine schönere gesehen hatte,
die dankbare Stadt hatte Hans eine Summe für sein Werk bezahlt,

---

[11] das Ärgernis *offense* — cf. ärgerlich
[12] der Bräutigam *bridegroom, fiancé*   [13] der Kranz *wreath*

die für die damalige Zeit ein kleines Vermögen [14] war, und der
Rat ließ es sich nicht nehmen, dem Künstler noch dazu die Hochzeit
auszurichten (*arrange*).

Vater Ruppacher aber war gar nicht mehr so verdrießlich,[15] wie
5 man hätte denken sollen, denn er hatte nun doch Respekt vor den
„brotlosen Künsten" seines Schwiegersohnes (*son-in-law's*) be=
kommen.

[14] das Vermögen *fortune*   [15] verdrießlich *vexed*

Notes

(Bold-face numerals refer to pages, light-face to lines, in the text.)

3, 9 Der auf einer Seite ſitzende, breiträndige Hut   *The broad-brimmed hat perched on one side.* Note the order of translation of these participial constructions, which are very common in German, especially in scientific writings: (1) the der or ein word; (2) the noun with which it agrees, together with any modifiers between it and the verbal; (3) the verbal, i.e. the participle; (4) the remaining words between the der or ein word and the verbal.

4, 4 ſein mochte   *might possibly be*

   8 noch immer ſtand er   *he continued to stand*

   10 bei den Seinen   *with his folks*

   15 in der er die Heimat wußte   *in which he knew his home town to be*

   21 ob   *(to see) whether*

   22 auf=knöpfen   The hyphen is used to denote separable prefixes in the footnotes.

5, 9 trockenen Fußes   adverbial genitive of manner: *dry shod*

6, 3 wohin . . . auch   *wherever.* Note the force of auch here.

   7 wollte eben   *was just about to*

7, 7 Seid.   Note that the polite form of address in *Germelshausen, L'Arrabbiata,* and *Höher als die Kirche* is not the modern Sie form, but the older Ihr form.

   10 daß ich's nicht bin   *that I am not the one.* Ich bin es usually means *It is I.*

8, 16 dir.   This word is letter-spaced, which serves the same purpose in German as do italics in English.

   30 die is here a demonstrative and not a relative, as the word order shows.

9, 4 was tut's   *what's the difference.* Cf. es tut nichts   *it doesn't make any difference.*

10, 1 was ſoll ich dort?   *what am I (to do) there?* Cf. also such expressions as: Er iſt fort, ich muß heim, wie könnt Ihr das, etc.

   19 dürft . . . nicht.   Dürfen with a negative is translated *must not.*

   20 da, like wo, frequently refers to time rather than to place: *then, in that case*

141

Notes

11, 7 Der Heinrich. The article is often used familiarly before proper names. Do not translate it.

   13 auf die ... Wolfen *to the clouds passing high above them*

   20 vor with schützen = *from;* cf. sich fürchten vor *to be afraid of*

   26 Hab' ich dich getroffen? *Have I "caught" you,* i.e. *made a good likeness*

12, 8 zu wissen *to know (that it was)*

   23 nach, used after its object, usually means *according to,* or *from.*

13, 6 die ... Gertrud *Gertrude (who was) walking at his side*

   15 auf die ... Dorfbewohner *to the villagers meeting them*

   20 Grüß' Gott. A south German greeting: *Good day.*

14, 5 mit ihren ... Giebeln *with their high gables covered with scroll work*

   8 die runden ... Scheiben *the round panes held in lead* = *the round, leaded panes*

   24 Gott sei Dank *Heaven be praised*

15, 18 voll und groß In such expressions add the words: *"with eyes."*

   25 eine ... Treppe *a broad stone stair, protected with iron bars.* The student should henceforth make a list of these participial phrases as they occur.

16, 20 Schön Willkommen *A hearty welcome*

   20 wo ... auch *wherever.* Cf. note to **6,** 3.

18, 1 Dieser *the latter;* jener would mean *the former.*

19, 6 Ohne daß er ... wußte *Without his knowing*

20, 19 machen *put it*

   27 zu often means *in addition to, along with.* Cf. Darf ich mich zu Ihnen setzen?

22, 17 danach *like it, that way*

   29 daran, daß *(for the fact) that.* The da=combinations preceding daß clauses are usually to be omitted in the English translation.

25, 12 von der ... Kirchhofmauer aus. Do not translate the aus — it means really *as a vantage point,* or *as a starting point.* Cf. the English "from out of the west."

   23 es is here impersonal. It may usually be translated in such expressions as *one, someone, everyone,* or *there.* Cf. es wird getanzt *there is dancing.*

26, 1 Germelshauser *people of Germelshausen.* Germelshausener would be more usual.

   14 im Leben = in meinem ganzen Leben

   15 es ist ... schon lange her *that was a long time ago*

   20 Das sollt' ich meinen = Ich sollt' es denken *I should say so*

Notes

27, 2 **machen, daß** *see to it that* = *hurry and*

9 **aufs beste** absolute superlative: (*in*) *their best* (*clothes*)

28, 23 **werden nicht schlecht schauen** *will be wide-eyed with surprise*

29, 13 **zu** omit in translation

20 **bekämet Ihr ... zu sehen** = **würdet Ihr sehen** *you would see.* Cf. the colloquial English expression: "You would get to see."

30, 16 **zu halten** *of holding*

18 **wenn ... auch** means *even if*

31, 1 **hörte ... auf zu spielen** *stopped playing* — **aufhören** is construed with the infinitive with **zu.**

12 **nur so** *like water*

13 **im stillen** *on the quiet, to himself*

24 **sollte** *was to*

32, 20 **Herr.** German is replete with such titles, which are usually not to be translated.

20 **getanzt.** The past participle is often used as an imperative.

33, 18 **Grüßt Eure Mutter von mir** *Give your mother my regards*

34, 2 **so lange** *until then*

35, 24 **er meinte ... zu finden** *he thought he would find.* Cf. **er glaubte ... zu hören** *he thought he heard.*

36, 5 **mit Mühe und Not** *with great difficulty*

17 **um ... unrecht zu haben** *only to be mistaken*

38, 16 **wie gerufen** *in the nick of time, as a godsend*

21 **Hals über Kopf** *head over heels*

39, 17 **soll es** *it is said to*

40, 3 **solche** is frequently used in place of **die** or **diejenigen** as the antecedent of the relative = *those*

28 **liegen sehen** = **vor uns liegen sehen** *catch sight of*

48, 9 **nur so eine** *just a, only a*

17 **Ob** *You ask me whether.* Cf. note to **4,** 21. **Es gibt** means *there is, there are.*

20 **bei uns** not *at our house* but *in our country* here

50, 17 **Das allein war ... ein Geheimnis** *That, however, was a secret from Elisabeth.*

24 **zu Wagen** *by wagon.* Cf. **zu Pferd** *on horseback.*

51, 11 **hielt eine Rede** *made a speech*

16 **der sie zu finden weiß** *who knows how to find them*

30 **aber das schreibt ... Ohren** *but put this in your pipe and smoke it*

52, 4 **sich ... auf den Weg machen** *to start, to set out*

7 **zu finden sind** *are to be found.* Not only **sein,** but also **sich lassen,**

143

will yield the same type of translation. Cf. **es läßt sich wünschen** *it is to be hoped.*

53, 17 **in die Höhe** *up(wards)*

21 **die hohle Hand** *the hollow of his hand, cupped hands*

55, 23 **es hatten ... versammelt. Gäste** is the logical subject. Translate: *There had assembled but few customers.*

56, 19 **Was** *how*

21 **die flache Hand** *the palm of her hand*

58, 5 **wurde ... gesungen** = **es wurde gesungen** *there was singing*

20 **Dir.** All forms of direct address, **Du** and **Ihr**, as well as **Sie**, are capitalized in writing letters.

30 **recht aus Kräften** *very vigorously, with all his might*

59, 2 **muß ich.** Frequently **müssen** means *can't help.*

2 **zur Tür herein** *in the door.* Cf. **zum Fenster hinaus** *out of the window.*

14 **es ist wohl anders** *it is probably something else*

21 **wußte nicht hinaus** *did not know what to do*, or *where to turn*

60, 11 **ließ ... fahren** *let go (of)*

61, 9 **Tag für Tag** *day after day*

63, 8 **Mir fehlt noch** *I am still lacking, I still don't have*

21 **in der Weise; der** is demonstrative here: *in that manner*, or *fashion*

64, 9 **war es ihm** *it seemed to him as if;* **als ob** is omitted here

22 **hattest du das nötig** *was that necessary*, or *did you have to do that*

65, 4 **Was hast du** *What is the matter.* But the play on words, **Ich habe ein Geheimnis**, is lost in translation.

66, 14 **geht's hier recht** *is this the right way*

67, 6 **das waren** *those were;* **dies, das,** and **es** as indeclinable pronouns may be both singular and plural: *this, these; that, those; there is,* and *there are.*

69, 23 **auf halbem Wege** *after covering half the distance*

26 **uns** is here a reciprocal reflexive = *each other.*

70, 9 **wie fremd ... worden ist.** This sentence is awkward and the form **worden** is incorrect. Such colloquial language shows Erich's lack of schooling.

23 **aufs beste** *its best = in fine shape*

29 **wo ... nur** *wherever, whenever*

72, 1 **es ging** *it was getting on*

7 **geschickt** *by post, by mail*

16 **mit halber Stimme sang** *sang sotto voce, hummed*

74, 18 Elisabeth hat . . . zu tun. Supply etwas.

23 schlug = sang

76, 1 es ist aber nichts daraus geworden *but nothing came of it*

3 Das versteht . . . kein Mensch *That's another thing no one can understand.*

25 um sie ganz . . . zu können *to get as full a view of her as possible*

78, 1 trat schnell das Rad *was working the treadle rapidly*

11 noch immer indicates continued action: *continued to stand.*

79, 11 legte sich *stretched out, sprawled out*

83, 13 derer is the antecedent of die: *of those.*

84, 15 was *that;* was is used as the relative when the antecedent is a neuter adjective or pronoun.

18 If nun meant *now* here, it would be followed by the verb, so it must mean *well.*

29 eben . . . wollte *was just about to*

85, 13 stand ihr wie *was as becoming to her as*

16 darum *because of that, for that reason*

27 Wie steht's? *How is everything? How are things going?*

86, 4 daß Platz wurde *so that there would be room*

14 das treibt's immer so *they always do that way*

14 wird mehr gesorgt *more care is taken*

87, 8 es geht *things are going*

88, 16 so einem = solchem *such a*

25 zur Last gefallen *become a burden*

26 einen großen Herrn *a fine,* or *great gentleman*

28 Was du auch redest! *How you talk!*

89, 20 dir recht zu geben *to admit you are right*

24 tief in die Stirn gezogen *pulled down over his forehead*

90, 5 Wie das? *How so?*

6 mit Füßen getreten *kicked*

14 daß ich nie . . . sagen soll *from ever saying*

26 weiß ich mich zu verteidigen *I know how to defend myself*

32 auf Erden = auf der Erde. The –n is an old dative ending, still used in certain phrases.

91, 1 begegnen here means *treat*

6 Wenn es so um die Liebe ist *If that's the way love is*

12 Du wirst auch viel gefragt werden *A lot you'll be asked!*

20 der's übers Herz bringt *who can bring himself (to)*

92, 8 machte sich . . . zu schaffen *busied herself with her dress*

12 auch gleich *all the same, a matter of indifference*

93, 21 ließen auf sich warten *were slow in coming*

94, 8 daß ich nach dem Rechten sehe *so that I can look after things*

95, 10 Laßt sie *Let her alone*

19 unter den Türen *in the doorways*

96, 8 sah das . . . mit an *didn't watch that idly for long*

10 zu *to eat with.* See note to **20,** 27. Cf. Nehmen Sie Zucker zu Ihrem Kaffee?

24 ihrer *of them* = *some*

97, 7 mußte — cf. note to **59,** 2.

11 es für gut fand *considered it advisable*

98, 12 voll *full of things*

21 den ersten besten *the first one that comes along*

24 Was es mich angeht? (*You ask me*) *how it concerns me?* Cf. note to **48,** 17.

26 wie es um mich steht *how things are with me*

99, 3 Kann ich dafür *Can I help it, Am I to blame*

9 in die Kirche gehst, i.e. to be married

15 Manns genug *enough of a man, man enough*

20 halb *by halves, halfway*

23 alle beide *both of us*

25 im Augenblick = in demselben Augenblick

100, 3 ohne . . . von sich zu geben *without uttering*

4 von Sinnen *out of his senses*

10 so hastig sie schwamm *fast as she was swimming*

101, 16 Was hast du an der Hand *What's the matter with your hand*

20 bei der Hand *at hand, on the surface*

102, 7 da er nichts mehr hoffte *since he no longer had any hopes*

17 durch frequently means *by, by means of, through the agency of.*

103, 7 morgen früh *tomorrow morning*

10 gegen *against* = *to stop*

27 eine Woche lang *for a week*

104, 11 die höchste Zeit *high time*

12 es hat nichts zu bedeuten *it's of no consequence*

105, 9 Sie ließ ihnen ihren Lauf *She let them run, She did not wipe them away*

106, 4 daß ich's nur sage *I may as well admit it*

13 vor keinem, als. After a negative, als means *but*, or *except*.

109, 11 Anastasius Grün (1806–76) wrote a poem on Maximilian I (1459–1519) referring to him as the "last of the knights," in deference to his consuming interest in chivalric ideals and customs. Maximilian I, in conjunction with his secretary, Marx Treitzsauerwein, produced a chivalric, allegorical history of his father (*Weißkunig*, i.e. the wise king), and one about himself (*Teuerdank*). The medieval folk-epic *Gudrun* was saved for posterity only because Maximilian had a copy made of it. This, perhaps, is his greatest literary merit.

13 Breisach, a city in Baden, on the east bank of the Rhine south of Strasbourg.

17 Margareta, Maximilian's daughter, was Regent of the Netherlands.

110, 2 Sanssouci refers to the pleasure castle which Frederick the Great built in Potsdam in 1745.

2 zur Zeit   *at the time*

7 des Bauernkrieges. The Peasant War came to a head only in 1524 after Luther's revolt from Rome.

9 der Türke. After the conquest of Constantinople in 1453, the Turks constituted a menace to the regions to the north and west.

23 fuhren fie in die Höhe   *did they start up*

111, 2 Je nun   *Well*

8 tu'   *take*

23 Albrecht Dürer (1471–1528) was one of the two greatest painters of the high Renaissance in Germany. His etchings and woodcuts are without equal in this period. It was quite fitting that Nürnberg (Nuremberg) should boast of such an artist at this time, for this old city in northern Bavaria was the center of culture in the Germany of that day.

112, 14 Ich mag ... nicht leiden   *I dislike*

18 greifen   *grasp, get one's hands on*

20 Du wirft ein ganzer Kerl   *You'll become quite a fellow*, or *a man indeed*

30 recht hoch   *very high (in the world)*

31 Versprichst du ... hinein   *Will you shake hands on it?*

113, 18 Am andern Tage   *on the next day*

18 die Geschichte mit Hans   *the story about Hans*

114, 5 wie fie   *such as*

9 Baldung Grün (1470–1552), painter and maker of woodcuts, worked mostly in Freiburg, a city to the east of Breisach.

9 Martin Schön (1440–88), painter and etcher, who worked mostly in Colmar across the Rhine, northwest of Breisach. Until 1919 Colmar was the capital of Upper Alsace.

115, 18 ſagen konnte *could say what it was*

26 ganz und gar *absolutely, entirely*

30 wenn es eben . . . war *when it chanced to be*

117, 28 zu Ehren *into honor.* Cf. note to **90,** 32.

118, 10 bei ihm *under him, under his instruction*

10 was Rechtes *something worthwhile*

11 mir is a dative of interest, literally *for myself.*

11 wo . . . auch *wherever.* Cf. note to **16,** 20.

27 was es gab *what was up*

29 Wo ſteckt Ihr *Where have you been*

119, 4 mir. See note to **118,** 11. *Why did you die (on me)?*

120, 18 dachte noch immer. Cf. note to **4,** 8.

121, 20 die neue Lehre, i.e. Luther's

23 Ferdinand, Archduke of Austria since 1521, Holy Roman Emperor 1556–64.

25 das Seine *his share, his bit*

123, 9 die Sinne ſchwanden ihr *her senses reeled*

15 zum Glück *fortunately*

125, 22 daß er was könne *that he could accomplish anything*

126, 24 ein Gutes *one good thing*

31 er hoffte auf *he pinned his hopes on*

127, 30 was es gäbe. Cf. note to **118,** 27.

129, 21 der ſoll kommen *let the person come!*

130, 12 das . . . kommen wird *which will come forth in the course of time*

15 alle ſieben Tauben. Cf. the English: "A bird in hand is worth two in the bush."

20 Auf zwei Jahre *For two years*

33 der immer . . . nicht mehr ſo *who was always willing to run against a stone wall* (i.e. was very stubborn), *but that is no longer so*

131, 23 da ich es bin, der ich *since it is I who.* The German repeats a first or second person pronoun in apposition with the relative, when the relative is the subject of its clause. Cf. Du, der du vom Himmel biſt *You who are from heaven.*

132, 12 allen Ernſtes *in all seriousness*

134, 30 Herr, mein Gott *Lord God*

135, 17 auf dem Rathaus. Cf. the use of auf also in auf dem Lande, auf dem Feld, auf der Univerſität, auf mein Zimmer, etc. The meanings *away* and *up* explain these usages, e.g. *up to my room, away at school, away in the country*, etc.

136, 3 von dem . . . die Rede war *which had been the topic of conversation*

137, 30 die Ruppacherin *the Ruppacher girl*

138, 12 hieß es *was remarked, was the opinion*

33 vom Schlag gerührt *touched by a stroke = stricken with apoplexy*

139, 31 wie Breisach ... gesehen hatte *the like of which Breisach had never seen,* or *the most beautiful Breisach had ever seen*

140, 2 ließ es sich nicht nehmen *did not allow itself to be deprived of the pleasure of*

Fragen

Germelshausen

1

1. Warum wandert ein Handwerksbursch von Ort zu Ort?
2. Was für Haare hatte unser Wanderer?
3. Wie war das Wetter an diesem Herbsttage?
4. Wo lag das Dorf, in welchem seine Mutter zu Hause war?
5. Was suchte der Künstler rechts und links vom Wege?
6. Welchen Vorteil hatte er von dem Fußpfad?
7. Wo könnten die Bauern zu dieser Tageszeit sein?
8. Warum gehen sie nicht gern spazieren?

2

1. Wie lange wanderte schon der Künstler?
2. Warum wollte er nun schneller schreiten?
3. Wen sah er vor sich im Tale?
4. Was machte die Bäuerin, als sie den Maler erblickte?
5. Wie hieß der Künstler?
6. Wie alt war das Mädchen?
7. Für wen hielt ihn die Bäuerin?
8. Worauf hatte sie sich gefreut?
9. Warum ist der Erwartete wohl nicht gekommen?
10. In welchem Dorf wohnte der Junge, auf den das Mädchen wartete?
11. War Arnold schon in Bischofsroda gewesen?
12. Was liegt zwischen den jungen Leuten und Bischofsroda?
13. Was hörte Arnold im Tale?
14. Warum ist das Wirtshaus in Germelshausen zu gut?
15. Was für Arbeit kann Arnold machen?

3

1. Wie hieß die schöne Bäuerin?
2. Wer ist der Schulze in Germelshausen?
3. Warum soll Arnold so lange bei dem Schulzen bleiben?
4. Warum warf Gertrud ein Tuch über den Kopf?
5. Würde es dem Mädchen gefallen, wenn der junge Maler ihr Bild mit sich fortnähme?
6. Was machte Arnold, indem die Bäuerin auf ihn wartete?
7. Brauchten die jungen Leute lange zu gehen, um das Dorf zu erreichen?

4

1. Was für eine Straße fand man in Germelshausen?
2. Wie sah das Dorf aus?
3. Warum schaute Gertrud wohl nicht zu dem Maler hinüber?
4. Was fiel dem Künstler auf?
5. Beschreiben Sie die Häuser im Dorfe!
6. Wie wurde es dem jungen Maler in dem stillen Ort?
7. Warum wollte Arnold lieber im Wirtshause zu Mittag essen?
8. Wo findet man gewöhnlich das Wirtshaus in deutschen Dörfern?
9. Unter welcher Bedingung würde Arnold recht lange bei Gertrud bleiben?

5

1. Wer schaute aus einem der oberen Fenster hinaus, während Arnold und Gertrud auf der Treppe standen?
2. Was fiel Arnold im Hause selber auf?
3. Beschreiben Sie die Familie des Schulzen!
4. Was machte der Schulze, bevor man sich an den Tisch setzte?
5. Warum wurde man endlich fröhlicher?

6

1. Was machte die alte Mutter nach dem Essen?
2. Was sah man auf der Straße?

3. Welchen Vorschlag machte der Schulze über Arnolds Zeichnung von Gertrud?
4. Um wieviel Uhr müssen die jungen Leute von ihrem Spaziergange zurückkehren?

7

1. Wohin sehnte sich Arnold?
2. Weshalb war die Sonne nicht imstande, recht hell auf Germelshausen zu scheinen?
3. Woher wußte Arnold, daß die Leute gar wenig aus ihrem Dorfe kämen?
4. Was wird wohl schuld daran sein, das die Obstbäume keine Früchte tragen?
5. Wodurch suchte der Maler Gertrud aufzuheitern?
6. Was war so erstaunend an dem Gottesacker?

8

1. Warum geht keiner in die Kirche?
2. Was für ein Leben führt der Pfarrer?
3. Welche ist die einzige Person, die sich keine Ruhe gibt?
4. Mit wem möchte Arnold zuerst tanzen?

9

1. Wie kleidete sich Arnold für den Abend?
2. Was ging Arnold durch den Sinn, als er mit Gertrud die Straße entlangschritt?
3. Was für Musik hörte er im Tanzsaal?
4. Welches Wort benutzen Gertrud und die Burschen sehr oft?

10

1. Um welche Zeit begann das Fest?
2. Was fiel Arnold auf?
3. Wie lange dauerte es, bevor eine Pause im Tanzen gemacht wurde?

4. Wie war es im Eßsaal?
5. Wann begann der Tanz wieder?
6. Wohin ging Gertrud zuerst, nachdem sie das Wirtshaus ver=
laffen hatten?
7. Wohin führte sie ihn zuletzt?
8. Was mußte er ihr versprechen?

11

1. Was bemerkte der junge Maler erst jetzt?
2. Was fühlte er vor sich auf der Erde?
3. Wonach suchte er in den Büschen herum, als der Tanz aus war?
4. Was machte er immer wieder während der Nacht?

12

1. Wie wußte Arnold endlich genau, woher er gekommen war?
2. Wie lange suchte er vergebens nach dem verschwundenen Dorfe?
3. Worum kümmerte er sich, wenn nicht um seine besten Kleider?

13

1. Wem begegnete Arnold endlich?
2. Was für ein Dorf war Germelshausen eigentlich?
3. Wodurch suchte Arnold dem Förster zu beweisen, daß er wirklich
in Germelshausen gewesen sei?

Immensee

1

1. Woher weiß man, daß der Alte ein Fremder in dieser Gegend ist?
2. Beschreiben Sie das Zimmer, in das er eintrat!
3. Was erinnerte den Alten an seine Jugend?

2

1. Was hatten die Kinder gebaut?
2. Welche Geschichte hat Elisabeth auswendig gewußt?
3. In welchem Lande sind Löwen zu finden?
4. Warum wird das Mädchen ganz allein mit Reinhard nach Indien reisen dürfen?
5. Was machte Reinhard, nachdem Elisabeth vom Lehrer gescholten wurde?
6. Wie alt war Elisabeth, als Reinhard die Stadt verlassen sollte, um seine Studien fortzusetzen?

3

1. Was machte man den Tag vor Reinhards Abreise?
2. Was für einen Wald durchwanderte man zuerst?
3. Was machte ein alter Herr, als sie endlich eine Waldwiese erreichten?
4. Um wieviel Uhr wird man die Eier kochen?
5. Warum konnte Reinhard keine Erdbeeren finden?
6. Woher wußten die Kinder endlich, in welcher Richtung sie gekommen waren?
7. Was hatte Reinhard eigentlich im Walde gefunden?

4

1. War Reinhard in seiner Vaterstadt, als Weihnachtsabend näherrückte?
2. Wo saß Reinhard an diesem Nachmittage?
3. Was für ein Lied singt das Zigeunermädchen?
4. Warum ging Reinhard so plötzlich nach Hause?
5. Wollte das Zigeunermädchen ihn gehen lassen?
6. Wie war es nun auf der Straße?
7. Wie sieht der Freund Erich aus?
8. Warum verläßt Reinhard wieder sein Zimmer?
9. Wen bringt er diesmal mit nach Hause?

5

1. Wann kam Reinhard wieder in die Heimat?
2. Wer hatte Elisabeth den Kanarienvogel geschenkt?
3. Hat Reinhard diesen Vogel gern?
4. Was stand in dem Buch, aus dem Reinhard eine Maiblume herausnahm?
5. Was wollte er dem Mädchen noch vor seiner Abreise sagen?
6. Gegen wen mußte ihn das Mädchen verteidigen?

6

1. Was war in Reinhards Vaterstadt anders geworden?
2. Woraus kann man schließen, daß Elisabeth den Erich nicht so sehr liebte?

7

1. Beschreiben Sie das Gut Immensee!
2. Wie sieht Erich nun aus?
3. Was meint Erich, als er sagt, er habe das große Los gezogen?
4. Weiß Elisabeth, daß ihr Jugendfreund kommt?
5. Wie war es Reinhard, als er nach so vielen Jahren Elisabeths Stimme wieder hörte?
6. Welche Worte besagen, daß Elisabeth noch immer an Reinhard gedacht habe?
7. Was sammelte Reinhard seit Jahren?
8. Was pflegte er abends auf Gut Immensee zu tun?

8

1. Wer hat diese Lieder eigentlich gedichtet?
2. Warum wird Elisabeth wohl in den Garten hinabgegangen sein, nachdem Reinhard das Gedicht vorgelesen hatte?
3. Was sollen wir unter der Wasserlilie verstehen?
4. Schien die Sonne noch immer, während Reinhard umherschwamm?

9

1. Was machten Elisabeth und Reinhard am nächsten Nachmittage?
2. Warum wird keine Erdbeerenzeit wiederkommen?
3. Wer hatte dem Reinhard einst eine Erika gegeben?
4. Was verriet ihm Elisabeths Hand?
5. Wo war uns früher dieses Zigeunermädchen begegnet?
6. Ging Erich diese Nacht zu Bett?
7. Wie sah Elisabeth am andern Morgen aus, als er das Haus verließ?

10

1. Wie lange, meinen Sie, hat der Alte allein in seinem Zimmer gesessen?

L'Arrabbiata

1

1. Was für Leute sieht man im Hafen?
2. Wie sieht der Padre heute morgen aus?
3. Warum können die Leute von Sorrent sich segnen?
4. Warum will der Padre gleich abfahren?
5. Verdient Laurella viel Geld?

2

1. Wann war der Pfarrer das letztemal bei Laurella?
2. Warum machen sich die Burschen lustig über sie?
3. Warum hat sie den Maler fortgeschickt?
4. Was für Gründe hatte das Mädchen, so hartnäckig zu sein?
5. Was hatte die Mutter Laurella verboten?
6. Warum klagte die Mutter nie über ihren Mann?
7. Wie lange dauerte die Fahrt von Sorrent nach Capri?
8. Warum meint der Padre, Laurella solle noch an demselben Tage zurückkehren?

3

1. Wie lange wartet Antonino schon auf das Mädchen?
2. Wann hat das Wetter früher einmal gerade so wie heute ausgesehen?
3. Hat Tonino dieses Jahr viel Geld verdient?
4. Warum bringt ihm die Wirtin so gerne noch eine Flasche roten Weines?
5. Wo war der Wirt gewesen?
6. Warum sah sich wohl Laurella nach anderen Menschen um, bevor sie dem Boote zuging?

4

1. Glauben Sie, daß Antonino wirklich die zwei Apfelsinen für Laurella zurückbehalten hat?
2. Kennt Laurellas Mutter den jungen Mann?
3. Wann hatte Laurella früher einmal den Burschen verleugnet?
4. Warum meinte der Maler, daß das Mädchen ihn fortschicke?

5

1. Warum wird Antonino so zornig?
2. Fürchtet sich das Mädchen vor ihm?
3. Wie weit würde das Mädchen schwimmen müssen, um ans Land zu kommen?
4. Was glitt ins Meer, als der Bursche dem Mädchen helfen wollte?
5. Was machte Laurella, nachdem sie wieder ins Boot eingestiegen war?

6

1. Warum fiel es dem Burschen nicht ein zu beten?
2. Wonach sehnte er sich nun?
3. Wo war Laurella in der Zwischenzeit gewesen?
4. Wie lange wird es dauern, bis Antonino wieder aufs Meer wird fahren können?

5. Was war in dem Rock, den der Bursche verlor?
6. Wer hatte Laurella das silberne Kreuz geschenkt?
7. Was kann das Mädchen nicht mehr aushalten?

Höher als die Kirche

1

1. Wen nennt man „den letzten Ritter"?
2. An welchem Fluß liegt die Stadt Breisach?
3. Welcher Krieg flammte schon in Deutschland auf?
4. Wie hieß des Kaisers Geheimschreiber?
5. Was machten diese zwei Kinder am Münsterplatz?
6. Warum braucht der Kleine ein Messer?
7. Wer war damals der große Künstler in Nürnberg?
8. Warum schneidet der Junge lieber Figuren, als Platten?
9. Hatte der Kaiser den Nürnberger Künstler je gesehen?
10. Warum wird die Dienerin wohl zornig gewesen sein?
11. Wann reiste der Kaiser ab?

2

1. Wo spielen die Kinder nun oft zusammen?
2. Wohin gingen sie am liebsten?
3. Warum durfte das Mädchen nicht mehr mit dem Jungen um=
gehen?
4. Was für eine Meinung hatten die Leute damals von Künstlern?
5. Besuchte man den Hans dann und wann?
6. An welchem Orte konnten die jungen Leute nun zusammen=
kommen?
7. Wie alt waren die Liebenden, als sie voneinander Abschied
nehmen mußten?
8. Warum hat Maili trotz allem eine so hohe Meinung von Hans?
9. Was bringt noch immer Hoffnung in die Brust des Jungen?

10. Warum läutet die Glocke des Münsters?
11. Wie soll die heilige Jungfrau aussehen, wenn sie Hans einst schnitzt?

3

1. Hatte Maili je Gelegenheit gehabt, sich zu verheiraten?
2. Was machte sie nun jeden Abend?
3. Warum band das Mädchen den Rosenstock an der Mauer fest?
4. Was für ein Leben führte sie jetzt?
5. Für welche neue Lehre standen viele Bauern nun in Waffen auf?
6. Was wollte man in Breisach tun, um den alten Glauben zu befestigen?
7. Warum hörte Maria nicht viel von dem neuen Plan?
8. Wie alt mußte Hans zu dieser Zeit gewesen sein?
9. Was hörte Maria eines Abends, als sie am Schreibtisch saß?
10. Wohin lief sie sogleich?
11. Was hatte Hans in der Zwischenzeit getan?
12. Was will er nun in Breisach?

4

1. Warum war es dem Ratsdiener nicht leicht, Hans Liefrink wieder zu erkennen?
2. Warum entschloß man, daß Hans sich fortmachen sollte?
3. Welchen Vorschlag machte aber Hans Liefrink?
4. Was verstehen Sie unter „Kein Prophet im Vaterland"?
5. Schickte der Rat auch die Zeichnung Hans Liefrinks nach Nürnberg?
6. Wie lange mußte man warten, bis man endlich Dürers Antwort erhielt?
7. Was konnte der Nürnberger Künstler überhaupt nicht verstehen?
8. Wer erschien vor dem Hause des Breisacher Künstlers?
9. Warum machte Mailis Vater seine Fenster zu?

5

1. Warum machte Hans gerade jetzt einen Besuch bei Rat Ruppacher?
2. Hat der Rat seine Meinung von dem Jungen geändert?
3. Was für Geld hat Hans eigentlich?
4. Was kann Hans während schlechter Zeiten schaffen?
5. Wofür interessiert man sich nun draußen in der Welt?
6. Warum ist Hans gerne bereit, alles aufzugeben und in Breisach zu bleiben?
7. Welche Bedingung stellt Vater Ruppacher dem armen Bildschnitzer?
8. Wohin ging Hans, nachdem er Ruppachers Haus verlassen hatte?
9. Was konnte man schon damals in Straßburg finden?
10. Was war es für ein Wunder, das geschah, um dem armen Hans zu helfen?

6

1. Wie lange dauerte es, bis Hans sein Werk vollendet hatte?
2. Woher wissen Sie, daß die Menschen auch damals sehr neugierig waren?
3. Hatte man schon vorher so ein Werk in dieser Gegend zu sehen bekommen?
4. Was machte man, sobald der Gottesdienst vorüber war?
5. Wem sieht die heilige Jungfrau ähnlich?
6. Was hatte Hans vor Jahren dem Kaiser Max versprochen?
7. Was hatte der Kaiserbaum den Künstler gelehrt, daß er die Bedingung Ruppachers erfüllen konnte?
8. Hatte Hans am Ende der Geschichte Geld genug für sich und seine Frau?
9. Hat sich die Meinung Ruppachers über die Kunst endlich auch geändert?

Exercises

The following exercises for translation into German attempt to call to the student's attention the most frequent idioms on the Hauch list as they occur in the present stories. For this reason they do not vary a great deal from the wording found in the text, and are to be translated mainly as a basis for review and repetition of these idioms.

English words in parenthesis are to be translated into German; those in brackets are not to be translated into German.

Germelshausen

1

1. You can tell at a glance that the young man who is walking along the road on this autumn day is an artist.
2. It is already rather hot this morning.
3. The bell has stopped (aufhören zu) ringing, but he continues to stand there as if he did not want to walk on at all.
4. After he had wandered on for a while, he stopped and smiled to himself, for he didn't have any idea what the name of the next place was.
5. People are usually wrong about the distance from one village to another.
6. On Sunday the farmers don't like to walk at all, for they have been working hard all week.
7. Give the principal parts of the following verbs (e.g. sehen, sah, hat gesehen, er sieht) wandern, gehen, ansehen, halten, stehenbleiben, stehen, sein, scheinen, lassen, entlangschreiten, erkennen, laufen, messen.

2

1. The name of this young artist who has stopped so suddenly is Arnold.

2. After the pretty girl had rushed up to him, she blushed furiously.

3. Perhaps her friendly greeting is not meant for him — she has [mis]taken him for someone else, hasn't she?

4. It is not he for whom she has been waiting.

5. What attracted the attention of the young painter?

6. The peasant girl is looking forward to this autumn day.

7. Her peasant costume is very becoming to her.

8. Arnold probably does not know all the people in the village of Bischofsroda.

9. Since Heinrich is not here yet, he has not kept his word and the girl would be wrong to wait any longer for him.

10. It seems to Arnold as if there is a lot of smoke in the valley.

11. The bell rings when the church service is over.

12. The village may be rather distant, but that makes no⌣difference [1] (nichts) if one can walk rapidly.

13. The girl asks the young man if he won't even take his noon meal in Germelshausen. He certainly has sufficient (nicht fehlen an) time and money for this purpose.

14. The peasants often sit till late at night in the tavern, although they still have work to do in the house.

15. The girl is to sit down on the stone so that Arnold may sketch her features.

16. The painter would like to take her picture with him.

17. Give the principal parts of the following verbs: mögen, steigen, können, hinaustreten, aufspringen, eilen, zufliegen, halten, dürfen, sollen, rufen, werden, stehlen, versprechen.

3

1. The name of the girl with whom Arnold is going home is Gertrude.

2. Heinrich will surely remain away. Since he is not coming, he cannot be angry even if the artist is with her a great deal.

[1] Ligatured English words are to be rendered by one German word.

3. The painter asked (ſtellen an + *Acc.*) her several questions while he was sketching.
4. She did not answer him when he asked what she meant by „unſer Tag.“
5. Arnold was thinking only of his work but the girl wanted to protect herself from the sun.
6. If her father has nothing against it, it will please Gertrude if Arnold has her picture.
7. He had drawn such a good picture that she recognized it even from afar.
8. She stopped a while and waited for him before they went towards the village.
9. Give the principal parts of the following verbs: öffnen, zeichnen, nehmen, heißen, beſprechen, kommen, arbeiten, ausbleiben, antworten, aufſtehen, treffen, leiden, verbieten, wiſſen, zuſammenbinden, liegen.

4

1. Finally they approach the houses of Germelshausen, which they had seen from a distance.
2. The painter's gaze had not met that of the girl, as she had kept her eyes on the ground.
3. It strikes him that many of the villagers have gone past them without looking at him.
4. Perhaps they were thinking of their noonday meal — at least it looked that way.
5. Although they certainly took him to be a stranger, nevertheless they ought to have greeted him.
6. Not even a window has been polished in any of the houses.
7. One would think that everywhere in the village the people were either impolite or unable‿to‿talk (ſtumm).
8. This evening they will celebrate (the) Sunday in an entirely different manner.
9. Arnold was right — the tavern is located near the church.

10. Gertrude continued to hold his hand in hers as they walked toward her father's house.
11. At the mayor's house the artist hoped finally to see happy faces about him.
12. Give the principal parts of the following verbs: betreten, hinſchreiten, halten, auffallen, unterſcheiden, finden, erwarten, fortgehen, ſtehen, rufen.

5

1. Gertrude is proud of the young man she is bringing home.
2. She has stayed away for a rather long time this morning.
3. The mayor is pleased to see him and bids (heißen) him welcome to Germelshausen.
4. The mayor's wife would like best of all to see Heinrich but the former says: "This lad will do all right."
5. It seemed to Arnold that the house looked very tumble-down.
6. The hot, moist atmosphere in the house attracts Arnold's attention at once.
7. The living room contrasts with the appearance of the rest of the house.
8. After the mayor had walked to his chair, he clenched his fist angrily.
9. Before they sat down at the table, Gertrude went up to her father, but he said that nothing would help anyway.
10. It seemed to Arnold that he could never feel (as) at home here.
11. Give the principal parts of the following verbs: erwidern, überlegen, treten, mitbringen, fortfahren, auffinden, kennen, genießen, hineinwerfen, ſchließen, ergreifen.

6

1. After dinner everyone was laughing for joy until the mayor looked out of the window.

2. Then it became quiet nearly everywhere, for six men were carrying a coffin past the house.
3. Only the little girl on the street burst into laughter.
4. Gertrude is afraid that the wine may go more and more to Arnold's head.
5. She asks her father to look (once) at the picture Arnold has made; he does and says that it lacks something.
6. The artist will not be permitted to take the picture with [him] unless he paints the funeral procession on the sheet, too.
7. The young people are glad to take a walk and look the village over, even if they must return soon.
8. Give the principal parts of the following verbs: trinken, singen, schweigen, entziehen, umwerfen, anrennen, sterben, deuten, vorbeitragen, geben.

7

1. The wine is perhaps responsible for the fact that Arnold feels badly.
2. The people are no longer so quiet as before dinner.
3. Since the sun was not able to shine on Germelshausen, Arnold wondered if there was a forest fire in the vicinity.
4. He had not seen any birds yet and asked the girl if there were not a single one in the village.
5. He had seen only a few fruit trees in Germelshausen, and none of them bore any fruit.
6. Sometimes people passed them, sometimes they talked with Gertrude and then he always felt both pleased and sad.
7. The gravestones in the cemetery were, on the whole, very simple but still they attracted his attention.
8. He probably wished he were at home, since he felt so lonely.
9. One will not write "1884" for a long time yet, so the stone-cutter must have made a mistake, but Gertrude will not bother herself about such matters.

10. Give the principal parts of the following verbs: ſitzen, liegen, klingen, fortziehen, erreichen, betreten, begegnen, greifen, graben, leſen.

8

1. The church service is over but the artist does not see even the pastor coming out this afternoon.
2. Certainly the pastor doesn't take it to heart any longer but enjoys himself very much.
3. Arnold can't help (müſſen) marveling at (ſich wundern über) the story the girl has told him.
4. Gertrude's father doesn't like to talk about it.
5. The painter asks the girl if she will dance the first dance with him tonight.
6. Give the principal parts of the following verbs: zerſprin= gen, aufſtehen, folgen, erfahren, zuſchließen, aufſchreiben, gefallen, verſtehen, hängen.

9

1. Arnold dressed in his best [clothes] for the dance.
2. But he worries about the fact that he must leave on the next day.
3. Gertrude thinks that he will leave neither the next day nor the day after.
4. Everyone has been anticipating this festival for a long time (already).
5. Gertrude's father likes the young painter very [much].
6. Groups of young men were standing here and there in the dance hall when they arrived.
7. After Gertrude left him, one of the young fellows came up to the artist and asked him how he liked the life in Germels-hausen.
8. Finally he showed Arnold the other rooms, which were full of happy people.

9. He didn't even have time to see all the games before Gertrude returned.
10. All at once the musicians give the signal for the beginning of the dance.
11. Give the principal parts of the following verbs: abrufen, bitten, denken, ziehen, zuſchreiten, bringen, ſchießen, begreifen, mitbringen, vergeben.

10

1. Arnold couldn't get on to the tempo at all because the musicians were playing such strange melodies.
2. Gertrude told him it would soon be all right when he asked her what sort of music that was.
3. This [fact] attracted the painter's attention: Even though things went on very merrily during each hour, everyone stood still when the clock struck [the hour].
4. It was as if they were afraid of something.
5. Immediately after that things started up afresh.
6. When the dance was to begin anew at eleven o'clock, the mayor came up to his daughter and asked her if such a serious face was fitting for that evening.
7. Gertrude led Arnold at once out of the dance hall to her father's house.
8. Then they walked rapidly past the other houses.
9. After they had followed the street for a while, the girl stopped on a hill.
10. For the first time she called him by his first name, told him that she liked him very [much], and said "farewell" to him.
11. As she was about to return to the village, she told (heißen) him to remain where he was until the bell had struck twelve o'clock.
12. Give the principal parts of the following verbs: vergeſſen, fließen, ſchweigen, ziehen, beginnen, beten, brechen, wachſen, ſchneiden, gleiten, blaſen.

Exercises

11

1. A great storm came up just as the bell began to strike, and he could no longer hear the music.
2. He was frightened when he found his knapsack on the ground in front of him.
3. "There is no longer a light anywhere in the village," he said to himself.
4. He knew that the dance was over and he wanted to see Gertrude once again.
5. He looked in vain for the road several times.
6. The (je) farther he walked, the (deſto) softer the ground became.
7. He was wet through and through, shivering from cold, and afraid of losing his way.
8. He wasn't even able to find the solid road, although he searched again and again.
9. He spent the night under a tree on the little hill, but he could not sleep at all.
10. Give the principal parts of the following verbs: nieder=biegen, fallen, behalten, einſinken, laufen, zerreißen, ſchlagen, treten, verbringen, ſchlafen.

12

1. In the morning Arnold looks round about (him) but is not able to see the houses of Germelshausen anywhere.
2. He sees nothing but bushes and fears he has lost his way during the night.
3. He wanders back and forth in order to find the road he had followed yesterday morning with Gertrude.
4. He is not worried about his clothing even when he finds himself again in the swamp.
5. If he only knew the place from which he had come, he could find the village easily.

6. As he rested (up), he took out the picture of the lovely peasant girl.
7. Give the principal parts of the following verbs: vorüber=ziehen, singen, erkennen, anbrechen, zurückwandern, liegen, folgen, erzwingen, verschwinden, erschrecken.

13

1. A forester and his dog appear before the painter.
2. Arnold knows now that he has lost his way and asks the forester what the name of the next village is.
3. The forester would like to know how (was) that enchanted village concerns them.
4. It is said to be raised again every hundred years.
5. The night [he has spent] in the cold certainly has not agreed with the young man.
6. When the hunter thought the artist had drunk too much beer and did not remember where he had been, Arnold took out his sketches of Germelshausen.
7. The hunter did not know the village and cried out: "What an odd tower that is!"
8. He recognized neither the church nor the peasant costumes.
9. As Arnold starts on the road (sich auf den Weg machen) to Dillstedt, he stops once again and says: "Farewell, Gertrude!"

Immensee

1

1. An old man is returning home from a walk.
2. His dark eyes contrast curiously with his snow-white hair.
3. He looks back again at the city before he enters his house.
4. He asks his housekeeper not to light (machen) any lights yet and goes upstairs to his room at once.
5. As it becomes gradually darker he sits down in his chair and dreams of his youth.

Exercises

(No further lists of verbs will be given for study. The student, however, should continue his study of the principal parts of strong verbs as they occur, since a mastery of these is essential to a reading knowledge of German.)

2

1. The name of the young girl, whose red scarf contrasts so beautifully with her brown eyes, is Elizabeth.
2. The children have no school this day, so (alſo) they go out into the meadow to play.
3. Since their little house still needed a bench, the boy went right to work with hammer and nails, but the girl walked along the stone wall to look for flowers.
4. When he had finished the bench, they sat down on it
5. All at once he began to tell her a story, but she knew it by heart already.
6. She asked him whether there are really any angels at all.
7. There is no winter at all in the countries where there are lions.
8. In those countries it is more beautiful than here in our country.
9. The boy did not like to have snow (ber Sdjnee) round about him.
10. "If we go to India, we will indeed return," he says.
11. Soon afterward he lets her go, for he fears that nothing will come of these plans.
12. The children have no desire to forsake one another and continue to play together almost every day.
13. Reinhard became very angry when the teacher scolded the little girl.
14. Later on he went to another school but he still wrote poems to (an) Elizabeth.
15. She was pleased one day when she found out that he had little by little written down the stories she liked best of all.

172

16. After some years had passed, Elizabeth had to accustom her-self to the idea that Reinhard couldn't help (müſſen) going away to (auf) the university (die Univerſität) the next June.

3

1. When June was finally at hand (da), Reinhard was to leave his home town.
2. The friends of the family proposed (vorſchlagen) a festive day in the near-by woods.
3. They took a half-hour's walk through a forest, in which fir trees were everywhere to be seen.
4. An old [man] makes a speech [for] the youngsters so that they will know what they have to do.
5. The children are to have strawberries for breakfast, that is, if they know where they can be found.
6. The old [man] starts speaking once again and tells the children they owe the oldsters half of what they find.
7. The children started out at once in order to look everywhere for the strawberries.
8. Elizabeth has her basket ready and turns around and waits for Reinhard.
9. When he saw her waiting for him, he put on his hat and followed her.
10. Finally they found the place Reinhard was looking for, but there were no strawberries to be seen.
11. They looked everywhere in the forest but couldn't find any at all.
12. As Reinhard lifts his hand up to find out from which direction the wind is coming, the girl thinks she hears people talking on the other side of the brook.
13. Elizabeth is scared, but Reinhard says they will find the others all right.
14. It was very quiet about them after they had sat down under the beech tree.

15. When they hear the bell ring, they start on their return trip.
16. The old [man], who was still continuing to give his speech, saw them coming.
17. His speech wasn't finished yet!
18. When Reinhard was finally at home, it flashed through his mind that he had really found something in the forest anyway.

4

1. On Christmas Eve Reinhard is sitting in the rathskeller with some students.
2. The musicians are not playing, they are gazing into space!
3. They have their instruments lying on the floor.
4. The zither girl would like to know how (was) her eyes concern the young student.
5. Reinhard's friend was going to come˷and˷get him at (von) his house.
6. When Reinhard heard that Santa Claus had been at his house, he left the gypsy girl right away.
7. Here and there Christmas trees were brightly lighted.
8. He has gone past all the other houses, and runs up the stairs to his room.
9. He cannot˷help thinking of his mother's Christmas room at home, when he smells the fragrance there.
10. First he opens the two packages, and then he reads the letter Elizabeth has written.
11. She writes that she helps his mother with the work at (the) Christmas season (bie Weihnachtszeit).
12. Elizabeth can't help thinking now and then that Erich looks like his brown overcoat.
13. Reinhard has not kept his word, for he has not written down any stories at all for Elizabeth.
14. Reinhard paces back and forth in his room until half past seven and then reaches for his cap and goes down the stairs.

15. In the vicinity of his dwelling he finds a poor little girl whom he wishes to help.
16. He takes her along (mit) home and gives her some cookies.
17. Then he sits down, buttons on the cuffs he had received, and begins to write letters to his mother and Elizabeth.
18. The cuffs contrast most strangely with his wool jacket.

5

1. In the spring Reinhard went home again.
2. Elizabeth bade (heißen) him welcome to his home town.
3. However, it seemed to him as if she had become different while he had been away.
4. For the first time they collected (sammeln) plants together.
5. "Linnets do not usually turn into canaries!" Elizabeth's mother said when he spoke of the new bird in the cage.
6. That afternoon, when Elizabeth turned around toward him, Reinhard looked so sad that she asked him whether there were anything the matter with him.
7. The girl didn't have (fehlen) a lily of the valley, so Reinhard gave her one which he had in his parchment volume.
8. Then she saw all the poems that he had written to her.
9. The farther Elizabeth read, the redder became her cheeks.
10. When she gave the book back to him, she put in [it] his favorite flower, a heather (die Erika).
11. It seemed to him that he had something vital to tell her before he went back to (auf) the university.
12. She will not see him at all for a long time.
13. He walks more and more slowly and finally asks her if she will still be just as fond of him when he comes back again two years later.
14. She says that she had to defend him against her mother yesterday evening.
15. Once again they must say farewell, but he hopes someday to be able to tell her his secret.

6

1. We wonder why Reinhard has not written the girl in (ſeit) nearly two years.
2. What his mother has written him grieves the student.
3. The girl he loves is going to marry another.

7

1. One day in the middle of a forest a wanderer meets a peasant.
2. The former is Reinhard who is on his way to Immensee to visit Erich and Elizabeth.
3. He couldn't help thinking of the girl he had once said good-bye to in his home town.
4. It was almost as if he were going to the land of his youth again.
5. Once again he sees Erich approaching in his brown overcoat. The latter stops and cries out: "Welcome, Brother Reinhard! Is it really you?"
6. At (bei) these words the wanderer says: "It is I."
7. The friends had not seen each other for a long time.
8. Now and then Erich talks of his farm and of his buildings — one building at the end of the vegetable garden he built only two years ago.
9. Reinhard wonders what sort of a woman has developed (werden) from (aus) the merry girl he used to know.
10. They do not want to let their guest go away so soon this time.
11. The next day Erich asks him to go along into the field.
12. In the afternoon Reinhard is accustomed to go to his room and sit down at (an + Acc.) his work.
13. He went about arranging his songs in order to make a book of them.
14. In the evening he usually took a walk.
15. One evening, as he was returning from his walk, he thought he saw a female form under the birches.

16. Despite the rain he walked faster and faster in order to see who the girl was, but she turned aside suddenly.

8

1. One afternoon Reinhard went up to his room to get some folksongs he had not yet read aloud to the family.
2. They had just been sent him that day by a friend who lived in the country, and he intended to read them in order.
3. They consisted of songs which, Reinhard said, were really not "made" at all — they grew.
4. You could tell by listening to them that they were folksongs.
5. Elizabeth helped him sing one of them.
6. Although the song was finished, they still heard Caspar singing it for a while yet.
7. It looked very beautiful on the other side of the lake.
8. Elizabeth left the house after Reinhard read the next poem about the unfortunate girl who married a man she did not love.
9. All at once Reinhard had a desire to take a walk along the shore of the lake.
10. In the middle of the lake there is a lily which he wants to swim out to.
11. Although he swam faster and faster, he never seemed to get closer to the lily.
12. It seemed very eerie (unheimlich) round about him as he swam in the unknown waters.
13. It is perhaps a long time since (daß) Reinhard has (not) been swimming.
14. Nothing can come of his plans for he can never possess the lily.
15. He walks slowly back to the house.
16. Erich and his mother are intending to take a trip the next day.

9

1. Not until the following afternoon do Reinhard and Elizabeth take a walk.
2. It had been just like this on the day before he left his home town for the first time.
3. He couldn't help thinking of his youth when he found the heather, his favorite flower.
4. At home he used to go up to his room again and again to write poems to (an) Elizabeth.
5. It grieves her when he tells her that this has not been done for a long time now.
6. He still continues to talk of their youth.
7. When she hears him talking thus, she turns aside and has nothing more to say.
8. They go down to the boat which Reinhard unfastens.
9. When they arrive at the yard, Elizabeth turns away and goes upstairs.
10. For a second time Reinhard meets a girl he has known previously.
11. Suddenly the gipsy girl stops singing her song.
12. Reinhard is so sad he doesn't know what to do.
13. He paces back and forth in his room and finally hears the birds singing early in the morning.
14. Then he writes a letter on a piece of paper which he had lying on the table.
15. As he was just about to (eben wollen) leave the house, Elizabeth appeared before him.
16. He takes a step toward her, but then turns aside and goes out into the world with his memories.

10

1. There is no longer any light in the old man's room.
2. As he gazes into space, he sees again Bee Lake about him.

3. He was only dreaming of a girl he once knew. But that was a long time ago.

L'Arrabbiata

1

1. The sun is not yet up, and yet we see many people working here and there in the harbor of Sorrento.
2. One cannot even say that the old folks don't (do) work any longer.
3. One sees the fishermen setting out every day.
4. The people of Sorrento can be thankful that they have such a good pastor.
5. He will be rowed over to Capri by the young lad.
6. Antonino has got into his boat, and is just about to reach for the oars, when he sees another person coming toward him.
7. They wait for the girl who is coming toward the boat, for she probably wants to go to Capri also.
8. Her coiffure (Haartracht) is very becoming to her.
9. The little priest asks her how things are going.
10. Laurella gazes into space without saying a word as she sits down beside the padre.
11. Antonino pushes the boat out into the open [water] now.
12. She does not want to ride free‿of‿charge with the honest fellow.
13. It is astonishing to the pastor how the men take care of one little girl.

2

1. The girl has to see some people in Capri who will buy her silk and (her) yarn.
2. She is said to be able to make ribbons, too.
3. Her mother was quite well when the little padre was last at her house.

4. Now she has to remain in bed because of her illness.
5. Everyone seems to make fun of the young girl. The boys all call her "spitfire" (l'Arrabbiata).
6. The priest knows for what purpose the Neapolitan painter came to Sorrento.
7. Laurella drops her eyes when the priest asks if the painter has been heard from since then.
8. What would he want to do with her picture since there are many other girls who are much more beautiful than she!
9. He certainly wished her well, since he wanted her as his wife.
10. She did not want to become a burden to him and she thought she was not fit to marry a noble gentleman.
11. The priest says the painter would not have been ashamed of her at all.
12. The padre did not know her father but he knows that there are plenty of good men in the world.
13. If Laurella is right, he will admit that she is (right).
14. Even if her father was to blame for her mother's illness, she should not pass up her happiness for the sake of her childish ideas.
15. Her father used to come home and kick her mother, and then he would act as though he loved her.
16. She stopped talking as they arrived in the harbor of Capri.
17. The priest reminds her (of it) that she ought to go home to her mother tonight.
18. He will perhaps not return till tomorrow.
19. It really doesn't make any difference to the lad how long he has to wait for the girl.
20. After Laurella has said good-bye to the priest, she goes up the hill and then stops in order to catch her breath.

3

1. The fisherman has been waiting for the girl now for two hours.

Exercises

2. It flashes across his mind that the sky was exactly this color before the last storm.
3. Every five minutes he thinks of the weather.
4. He asks the innkeeper's wife if she remembers that storm.
5. Antonino's uncle will always take care of him, so he does not worry about the hard times.
6. There is good wine in Capri, and the wife of the tavern keeper is glad to bring him another glass of it.
7. The innkeeper has just arrived, and his head is quite warm because of the hot sun.
8. He bids his guest welcome and asks his wife for another bottle [of] wine.
9. They talk for a while longer and the fisherman learns that his host had taken some fish to town that morning.
10. When Laurella finally arrived, she didn't want to drink any wine at all.
11. Now and then a few fishermen were to be seen on the ocean, but many people were in their doorways.
12. It seemed as if Laurella was expecting someone.
13. Antonino carries her into the boat and soon they are on the open sea.

4

1. Laurella took some bread out in order to have her midday meal.
2. She had had (genießen) nothing in Capri but a glass of water and Antonino thought she ought to have something else with her bread.
3. He offered her a couple of oranges that had rolled into the boat.
4. The oranges which Laurella has at home aren't gone yet.
5. A year ago the girl said for the first time she did not know Tonino at all.
6. Laurella had walked past him without paying any attention to him.

7. It was Antonino who had thrown the ball that hit the painter.
8. The fisherman didn't even apologize.
9. The painter couldn't help thinking anew of the impolite fisherman when Laurella sent him away.
10. He remembered him only too well but Laurella acted as though she did not know him.
11. The painter really reminded the girl too much (ſehr) of her own father.
12. Antonino is very angry, but she acts as if she is all alone in the boat and takes her scarf off in order to arrange her hair.

5

1. When they are in the middle of the sea, Tonino looks about him but there is not even a bird to be seen.
2. He tells the girl he used to go past her like an insane man because she did not want him as a husband.
3. She would certainly like to (möchte nur) know what difference it makes to him if she wants to marry the first man that comes along.
4. What can she do about it if he thinks he has a claim on her?
5. No matter how much he threatens, she is not afraid.
6. All at once he seizes her but she pushes him away (from her) and leaps into the water.
7. He asks her to think of her mother who would die of grief (der Kummer) if anything should happen to her.
8. Without answering him, she gets into the boat and sits down opposite him.
9. She takes one of the oars from his hand for she wants to help him row.
10. The fishermen they meet continue to make fun of the girl.
11. A woman asks the young fisherman what is the matter with his hand.
12. He tells her not to bother about (um) it.

Exercises

6

1. Tonino walks back and forth in the two rooms of his small house.
2. He feels better at home alone, but he longs for (the) darkness [to come].
3. It occurs to him that he might sleep for a while.
4. He feels now that Laurella was right.
5. He is awakened from his sleep by Laurella, who knocks at his door.
6. He asks her not to bother about him, but she comes in without answering (him).
7. He says she should save herself the trouble, for his hand is better now and he will be able to row again the day after tomorrow.
8. She thinks he will not be able to work for a week and reminds him that she owes him a great deal.
9. Without further ado she looks at his injured hand.
10. As she washes the wound anew, it suddenly occurs to her that he does have a claim on her after all.
11. She knows now how much (ſehr) she loves him. What difference does it make if he mistreats her?
12. She wants to give him the cross which the painter left for her the last time he was at her house.
13. Tonino turns around and bids her [to] forget everything.
14. She feels her own heart beating as she tells him she is afraid of no one except him.
15. As he goes to sleep, he continues to think of her.

7

1. The next time the padre saw Laurella, he was very happy.
2. He thought to himself that the boys wouldn't make fun of her any more.
3. He hopes that Laurella's son may one day row him over the sea.

Höher als die Kirche

1

1. In 1511 one of the most important men a person could imagine — an emperor and, at the same time, a poet and a hero — was walking across the cathedral square in Breisach.
2. The emperor liked to rest up in Breisach, especially when he feared that wars were about to begin.
3. You could tell at a glance that he was not an ordinary man but a majestic person.
4. He stops and points to a couple of children.
5. They heard him coming only when he was close by.
6. They take pleasure in the work they are doing.
7. The name of the boy, who is very fond of the girl, is Hans Liefrink.
8. He hopes to marry her one day if he is successful in his work.
9. She is helping him plant a rosebush now.
10. He asks her to take her apron out of her mouth.
11. The emperor remembered Hans' cousins who had gone to Dürer's.
12. They can cut plates and figures as well.
13. Hans prefers to cut figures.
14. The emperor thinks that he is right and bids him [to] stick to that which is natural.
15. The boy beams with joy when Emperor Maximilian puts a purse into his right [hand].
16. Now he will go to Nuremberg so that he can climb very high [in the world].
17. The next day the Emperor had to leave.

2

1. Hans' mother had died some years ago.
2. Hans and Maili used to sit down together evenings and tell each other all that they had learned.

3. They hope the emperor will return some day, but he is unfortunately on distant battlefields.
4. When it can be done, they go up to the cathedral.
5. Again and again they are to be found by the rosebush as [they were] the first time.
6. In the years that have passed, Hans has been able to see other cathedrals here and there.
7. But he is now no longer allowed to associate with Maili day in and day out.
8. The people of Breisach think he doesn't even want to become something worth while.
9. Not until later will they understand (begreifen) that an artist is something worth while.
10. He is not even the child of a citizen of Breisach, therefore people have not gone in or out of his little house for a long time.
11. Moreover, the girls probably stop and look at him, don't they?
12. One day Father Ruppacher has a still higher wall built between their gardens.
13. The young people are able to see each other now less and less frequently.
14. Now Hans is almost entirely alone, since he can see Maili no longer except at the rosebush.
15. Maili believes in him after all, but he wants to make the others believe in him too.
16. She will have the rosebush to remind her of him when he is at Dürer's.
17. People do not yet know that this young man will bring his art into honor even in Breisach.
18. Wherever Hans may be, Maili will always remember that he made her what she is.
19. When Hans hears the bell ringing, he asks the people what the matter is.

20. Now the emperor is dead and Hans can never ask him for his help.
21. It seems to him as if all his hopes were done for.
22. As they see each other for the last time, all is deathly quiet about them.
23. Maria herself looks like a star that longs to be back home.
24. The next morning Maili sees Hans go past her house. Her gaze follows him even after he has stopped singing their love song.

3

1. Hans Liefrink has been away for years now.
2. Maili is almost always at home and continues to wait for the time when Hans will again let himself be heard from.
3. She no longer goes out among people.
4. The other people think of Hans only when they go by his house.
5. Maili does care for the rosebush so that it will be very large when he returns.
6. The Reformation wars have come closer and closer.
7. A suitable high altar has been lacking for a long time in Breisach, and the council (ber Rat) has written to artists to send in drawings.
8. One evening when Maili had sat down to write her will, so that she would be buried under the rosebush, she heard Hans singing the song he had once composed.
9. Fortunately her father was not at home.
10. Without waiting longer she hastened up to the cathedral to talk with the loved [one].
11. If the council considers him worthy, Hans will ask them this evening for the work on (an) the altar.
12. How can the people have anything against him now that (ba) he has studied with Dürer?
13. Maili hopes they have not seen each other again only to separate a second time.

4

1. The men of the council had thought they wouldn't see (the) Liefrink any more.
2. All the people of Breisach had been of the same opinion and had wondered who had a right to his house.
3. Hans' sketch seemed not bad to the mayor.
4. Perhaps it would be cheaper in the long run to let him carve the altar, but who really knows what he can [do]?
5. Hans says Dürer will be very glad to give his opinion if they ask for it.
6. After the council had rejected him, the thought came to Hans to write Dürer himself.
7. Hans pins his hopes on Dürer and even Maili now seems to have no fear at all any more.
8. Weeks pass and still the letter doesn't come.
9. One day Hans hears a crowd of people coming up the street and wonders what is going on.
10. Dürer was proud of his pupil and for the sake of art was glad to recommend him to the council.
11. Now that the moment is at hand when he thinks he can marry Maili, he claps his hands for joy.

5

1. Hans thinks Councilman Ruppacher will have nothing against him now, so he pays a visit to him in order to ask for the girl's hand.
2. Ruppacher says there will be no more work for Hans after the altar is done.
3. He considers the lad foolish to stay here for Maili's sake, for he will give him his daughter only when the artist builds an altar higher than the church it stands in, and not before.
4. Hans trembles with rage when Ruppacher tells him what he understands by the word "artist."

5. But he loves Maili more than ever, even though it looks hopeless.
6. He tells her father that he is no longer the proud boy he was years ago.
7. He has learned to carve things for the house also, so he will not go hungry even if hard times come.
8. The artist sees (around him) in Breisach only people who wish to kick him about.
9. These people do not bother themselves about the many cities full of German art — they stick to what is done in Breisach.
10. Ruppacher makes him forget that the mayor always wanted to help him.
11. Ruppacher's words contrast very [much] with those of Dürer.
12. It grieved the young artist that there was no one to intercede for him.
13. For years he and Maili have gone repeatedly to the rosebush, in order to keep on thinking of the help Maximilian had once given them.
14. Thus he went up the hill today, in order to sit beneath the rosebush and think of what he could do.
15. When the rosebush tore itself free, it seemed to Hans as if the emperor must be standing behind him.
16. It was nothing but the rosebush but still he wept for joy, for now for the first time he saw how he could fulfill Ruppacher's condition.

6

1. Maili could exchange neither glances nor words with Hans any more, for her father had sent her into a cloister.
2. But Hans thought often of the oath Ruppacher had taken and knew that he could take him at his word.
3. Nothing could keep him from his work, and he was to be seen in his shop until late at night.

4. One day two years later he went up to the city hall and said his work was done.

5. Now people walked by his house more and more in order to see something of this masterpiece.

6. People had been talking about this work for two years now.

7. We can imagine how he felt as, early in the morning, so many people came to Breisach to see the altar he had carved.

8. There was so much to be seen that the common people could not take it all in at one glance.

9. The middle of the altar seemed to trail along the vaulting above the choir loft.

10. It is no wonder that Hans was full of genuine pride when the church service was over.

11. Every one of the council approached him and shook his hand with the exception of Ruppacher, who was endeavoring to get away.

12. Hans had followed the example of other artists in that (darin, daß) his figures of God and the Virgin Mary resemble people he has known.

13. He knows that Councilman Ruppacher will keep his word when he points to the middle of the altar and tells him it is indeed higher than the church.

14. In the end not even Father Ruppacher was vexed any more, and the grateful (dankbar) council paid Hans a large sum [of money] and even arranged the wedding for him.

Vocabulary

The principal parts of strong (ablaut) and irregular verbs are given in full. Irregularities that occur in the second and third person of the singular of the present tense are indicated in parenthesis. Verbs that use the auxiliary ſein in the formation of their perfect tenses indicate this by an iſt before the past participle in the case of strong verbs or by placing (iſt) after the infinitive of regular verbs. Separable verbs are hyphenated.

For feminine nouns the plural form is also given; in the case of masculine and neuter nouns both the genitive singular and the plural forms are given.

Ordinarily the present and past participles, as well as infinitives used as nouns, are not accorded a separate listing unless the verb occurs only in that form or unless the meaning could not readily be derived from the meaning listed under the infinitive form of the verb.

Although German frequently uses adjectives as adverbs, the vocabulary ordinarily lists only the adjective form in English.

Ordinary da= or hier= and wo= combinations are omitted.

Accent marks are used only on words that might otherwise cause the student difficulty in pronunciation.

The following abbreviations are used: *adj.*, adjective; *decl.*, declension; *plu.*, plural; ſich, reflexive; (ſich), also used as reflexive.

A

ab off, away, aside

ab=biegen, bog ab, abgebogen to turn off, bend aside

ab=bilden to model from, portray

ab=binden, band ab, abgebunden to untie

ab=brechen, (bricht ab), brach ab, abgebrochen to break off

ab=bringen, brachte ab, abgebracht to deflect, divert, dissuade

der Abend, –s, –e evening; abends in the evening, evenings

die Abendbank, ⸗e evening bench

das Abendeſſen, –s, – dinner, evening meal

die Abendluft, ⸗e evening air

abends evenings, in the evening

der Abendſchein, –(e)s, –e evening glow

der Abendſonnenſchein, –(e)s, –e sunset, evening sun(shine)

die Abendſtille evening calm, evening stillness

aber but, however

ab=fahren, (fährt ab), fuhr ab, iſt abgefahren to depart, leave

ab⸗führen to lead off, branch off

ab⸗gehen, ging ab, ist abgegangen to go off, branch off

abgekühlt cooled off

abgeschieden separated, cut off

ab⸗hängen, hing ab, abgehangen (von) to depend (on), be dependent (on)

ab⸗holen to call for, meet, come and get

(sich) ab⸗kehren to turn away

ab⸗kühlen to cool off

ab⸗kommen, kam ab, ist abgekommen to come off, stray off

ab⸗nehmen, (nimmt ab), nahm ab, abgenommen to take off, remove

ab⸗pflücken to pick off

die Abreise, –n departure

ab⸗reisen (ist) to depart

ab⸗rufen, rief ab, abgerufen to call away

ab⸗schicken to send (away), send (off)

der Abschied, –(e)s, –e departure, farewell, leave

der Abschiedsgruß, –es, ⸗e farewell greeting

der Abschiedsschmerz, –es, –en pain of parting

(sich) abschließen, schloß ab, abgeschlossen to shut off, close up, lock up

ab⸗setzen to set down

die Absicht, –en intention

ab⸗stechen, (sticht ab), stach ab, abgestochen (von) or (gegen) to contrast (with)

ab⸗stoßen, (stößt ab), stieß ab, abgestoßen to push off; to repel, be disagreeable to

ab⸗warten to wait for

abwärts downward(s)

ab⸗wechseln to change off, alternate

ab⸗weisen, wies ab, abgewiesen to reject

ab⸗wenden, wandte ab, abgewandt or abgewendet to turn away, turn aside, turn off

ab⸗werfen, (wirft ab), warf ab, abgeworfen to throw off, cast aside

abwesend absent

die Abwesenheit, –en absence

ab⸗ziehen, zog ab, abgezogen to draw off, distract

ab⸗zweigen to branch off

ach oh, ah, alas; — was bah, pshaw, come now

die Achsel, –n shoulder; —n zucken to shrug one's shoulders; einem über die —n ansehen to look down upon, scorn

acht eight

achten (auf) to pay attention to

achtzehn eighteen

der Acker, –s, ⸗ field; acre

der Adler, –s, – eagle

der Advokat', –en, –en lawyer

aha aha

ah so oh, oh; oho

ähnlich like, similar (to)

die Akkord'summe, –n contract price, agreed or stipulated price

der Akzent', –(e)s, –e accent

die Alkohol'fabrik', –en alcohol factory

all all; —es everything, everyone; —e all, everyone, anyone; —e beide both of us

alledem all that

allein alone; only; however

allerdings to be sure, of course

allerlei all sorts of

allgemein general, universal

als when, as; than; — (ob) as if; — wenn as if

also therefore

alt old

der Alte (*adj. decl.*) old man; *plu.* old people

die Alte (*adj. decl.*) old woman; *plu.* old people

das Alter, –s, – age

das Altertum, –s, ⸗er antiquity

altertümlich old, ancient, antiquated

das Amt, –es, ⸗er office; service, mass

an to; by, alongside of, on, in, at, against

Anacapri Anacapri (*a village on the island of Capri*)

der Anblick, –(e)s, –e sight, spectacle

Vocabulary

an=bliden to look at

an=brechen, (bricht an), brach an, ift angebrochen to break, dawn

die Andacht, –en devotion, worship; church service

andächtig devout, pious

ander other, different, else; next

ändern to change

anders different, differently, otherwise, else

an=donnern to thunder at

aneinander to one another; against one another

der Anfang, –(e)s, ꞏe beginning; am — at first

an=fangen, (fängt an), fing an, angefangen to begin, commence; to do

der Anfangsbuchftabe, –n, –n initial letter

an=faffen to seize

an=flüftern to whisper to

an=fragen to propose (marriage)

an=gehen, ging an, angegangen to concern

an=gehören to belong to

angeschwollen swollen

angesehen respected

das Angesicht, –s, –e face, countenance; im Schweiße seines –s in the sweat of his brow; von — zu — face to face

die Angst, ꞏe anxiety, concern, fear; — haben to be afraid

ängftigen to worry, trouble, frighten

ängstlich anxious, timid

angstvoll anxious

an=halten, (hält an), hielt an, angehalten to stop

an=hören to listen to; das hört man ihm an you can tell that by listening to him

an=flagen to accuse, hold to blame

an=fnüpfen to button on, fasten on

an=fommen, fam an, ift angefommen to arrive

die Anfunft, ꞏe arrival

an=legen to invest

die Anmut charm, grace

anmutig charming, graceful, delightful

an=reden to address, speak to

an=rennen, rannte an, ift angerannt to run against

an=rufen, rief an, angerufen to call (to)

an=schauen to look at

fich an=schließen, schloß an, angeschloffen to join, connect, unite

fich an=schwätzen (bei) to talk oneself into favor (with)

an=schwellen, (schwillt an), schwoll an, ift angeschwollen (also weak) to swell, become inflamed

die Anschwellung, –en swelling

an=sehen, (sieht an), sah an, angesehen to look at, regard; fich — to look at, look over; etwas mit — to look on too, watch idly; das sieht man ihm an you can tell that by looking at him

das Ansehen, –s looks, appearance; regard, respect, dignity, authority

anftatt instead of

an=ftoßen, (ftößt an), ftieß an, angeftoßen to nudge, bump, touch

Antonino (Ital. proper name) Antonino, Anthony

an=treten, (tritt an), trat an, angetreten to start or begin (e.g. a journey)

die Antwort, –en reply, answer

antworten to answer, reply

an=vertrauen to entrust to

anwesend present

der Anwesende (adj. decl.) the one present

(fich) an=ziehen, zog an, angezogen to dress, put on

an=zünden to light

die Apfelfine, –n orange

der Apfelfinenbaum, –(e)s, ꞏe orange tree

die Arbeit, –en work

arbeiten to work

arbeitsheiß hot with work

das Ärgernis, –ses, –se offense, vexation

der Arm, –(e)s, –e arm

Vocabulary

arm poor, miserable
ärmlich poorly
Arnold Arnold
l'Arrabbiata (*Ital.*) l'Arrabbiata, Spitfire
die Art, —en kind, species, sort, variety, type; manner; **auf diese — in this manner, in this way
der Ast, —es, ⸗e branch, limb
der Atem, —s breath, breathing; **— holen** to take a deep breath, catch one's breath
atemlos breathless
das Atmen, —s breathing
atmen to breathe; **schwer —d** panting
auch also, too, even, anyway
auf on, upon, at; in; to; for; **— und ab** back and forth, to and fro; **— einmal** all at once, suddenly; **— mich zu** up to me; **— und nieder** back and forth, to and fro; **— (as a verbal prefix)** up, open
auf⸗bieten, bot auf, aufgeboten to muster up, exert
auf⸗binden, band auf, aufgebunden to tie up
auf⸗blasen, (bläst auf), blies auf, aufgeblasen to blow up, puff up
auf⸗blicken to look up
auf⸗blühen to bloom, blossom
auf⸗brennen, brannte auf, ist aufgebrannt to burn up, flare up
auf⸗fallen, (fällt auf), fiel auf, ist aufgefallen to be striking, be noticed by, become noticeable to; **es fällt mir auf** I am struck by it, I notice it, it strikes me (as strange), it attracts my attention
auf⸗finden, fand auf, aufgefunden to find, discover, track down
auf⸗flammen (ist) to flame up, rise
auf⸗fliegen, flog auf, ist aufgeflogen to fly up
die Aufgabe, —n lesson, task, problem
auf⸗geben, (gibt auf), gab auf, aufgegeben to give up, abandon

auf⸗gehen, ging auf, ist aufgegangen to rise, unfold, open
auf⸗greifen, griff auf, aufgegriffen to pick up
auf⸗halten, (hält auf), hielt auf, aufgehalten to hold up, detain, stop
auf⸗heben, hob auf, aufgehoben to lift up, raise
auf⸗heitern to cheer up
auf⸗helfen, (hilft auf), half auf, aufgeholfen to help up, help out
auf⸗hören to stop, cease; **— etwas zu tun** to stop doing something
auf⸗knöpfen to unbutton
auf⸗kommen, kam auf, ist aufgekommen to come up, rise, come to the surface
auf⸗lachen to laugh, break into laughter, burst out laughing
auf⸗leben to begin to live again, revive
auf⸗legen to lay on
auf⸗lösen to loosen (up)
auf⸗machen to open
aufmerksam attentive
die Aufmerksamkeit, —en attention, attentiveness, interest
auf⸗nehmen, (nimmt auf), nahm auf, aufgenommen to take up, pick up; to receive, accept; to treat; **in sich —** to take in, assimilate
auf⸗passen to pay attention
auf⸗reißen, riß auf, aufgerissen to tear open, throw open
auf⸗rollen to unroll
auf⸗schauen to look up
auf⸗schlagen, (schlägt auf), schlug auf, aufgeschlagen to open; to raise
auf⸗schnallen to unbuckle
auf⸗schreiben, schrieb auf, aufgeschrieben to write down, write up
auf⸗sehen, (sieht auf), sah auf, aufgesehen to look up
auf⸗setzen to put on
auf⸗sitzen, saß auf, aufgesessen to sit up
auf⸗springen, sprang auf, ist aufgesprungen to spring up, jump up; to spring open, open

Vocabulary

auf=stehen, stand auf, ift aufgestan=
ben to get up, rise, arise, stand
up

auf=steigen, stieg auf, ift aufgestiegen
to climb up, rise

auf=stellen to set up

auf=streben (ift) to strive upwards;
to rise, tower

auf=suchen to look up, seek out

auf=tauchen (ift) to come up, bob
up, emerge

auf=wachsen, (wächst auf), wuchs auf,
ift aufgewachsen to grow up

auf=werfen, (wirft auf), warf auf,
aufgeworfen to throw open; to
open quickly

das Auge, =s, =n eye

der Augenblick, =(e)s, =e moment,
instant

die Augenbraue, =n eyebrow

aus of; made of; out of; from,
over, out

aus=bilden to develop, train, educate

die Ausbildung, =en development,
training, education

aus=bleiben, blieb aus, ift ausgeblie=
ben to stay away, remain away,
be absent, fail to appear, fail to
come

aus=brechen, (bricht aus), brach aus,
ift ausgebrochen to burst forth,
break out

(sich) aus=breiten to spread out

aus=brennen, brannte aus, ausge=
brannt to burn out

aus=denken, dachte aus, ausgedacht
to think out, conceive

der Ausdruck, =(e)s, ⸗e expression

aus=drücken to express

aus=führen to carry out, execute

die Ausführung, =en execution

aus=gehen, ging aus, ift ausgegangen
to go out

ausgenommen excepted, aside from

ausgeruht rested up

ausgestorben desolate, lifeless

ausgestreckt stretched out

aus=halten, (hält aus), hielt aus,
ausgehalten to hold out, bear,
endure

aus=laufen, (läuft aus), lief aus, ift
ausgelaufen to run out

aus=leeren to empty

aus=legen to lay out

die Ausnahme, =n exception

aus=nehmen, (nimmt aus), nahm
aus, ausgenommen to take out,
except

der Ausreißer, =s, = runaway, de-
serter

aus=richten to arrange

der Ausruf, =(e)s, =e exclamation,
cry

aus=rufen, rief aus, ausgerufen to
cry out, call out

aus=ruhen to rest out, rest up,
repose

das Aussehen, =s appearance

aus=sehen, (sieht aus), sah aus, aus=
gesehen to look, appear

außen outside; nach — on the
outside, outwardly

außer aside from, outside of, besides

äußer outer

außerdem besides, moreover, fur-
thermore, aside from that

äußerlich outward

die Aussicht, =en view, prospect

die Aussprache, =n pronunciation

aus=sprechen, (spricht aus), sprach
aus, ausgesprochen to pronounce

aus=stecken to stick out

aus=strecken to stretch out

aus=streuen to strew, strew out

auswendig by heart

aus=werfen, (wirft aus), warf aus,
ausgeworfen to cast, cast out

Ave Maria Ave Maria, angelus

B

der Bach, =(e)s, ⸗e brook, stream,
creek

die Backe, =n cheek

das Bad, =(e)s, ⸗er bath

baden to bathe, swim

die Bahn, =en way, course, path,
track; sich — brechen to make a
path, make one's way

Vocabulary

bald soon; — . . . — sometimes
. . . sometimes

das Band, –(e)ß, ⸚er ribbon

die Bank, ⸚e bench

der Bart, –(e)ß, ⸚e beard

bauen to build

der Bauer, –ß, –n peasant, farmer

die Bäuerin, –nen peasant girl

Bäuerling Bäuerling

die Bauernfrau, –en peasant
woman

das Bauernkind, –(e)ß, –er peasant
child

der Bauernkrieg, –(e)ß, –e Peasants' War

die Bauerntracht, –en peasant costume

der Baum, –(e)ß, ⸚e tree

das Bäumchen, –ß, – little tree

der Baumschatten, –ß, – shadow of
a tree *or* of trees, shade of a tree
or of trees

der Baumstamm, –(e)ß, ⸚e tree
trunk

der Baumstumpf, –(e)ß, ⸚e stump
of a tree

bedecken to cover, spread over; to
coat over

bedeuten to mean, signify

bedeutend significant

die Bedingung, –en condition

bedrohen to threaten; to rebuke

(sich) beeilen to hurry, hasten

befangen shy, embarrassed

der Befehl, –(e)ß, –e order, command

befehlen, (befiehlt), befahl, befohlen
to order, command

befestigen to make firm, fortify,
establish

sich befinden, –fand, –funden to be,
find oneself

begegnen (ist) to meet; to treat;
to occur

das Begegnen, –ß meeting

begeistern to inspire

begießen, –goß, –gossen to water

der Beginn, –(e)ß beginning

beginnen, begann, begonnen to begin

begleiten to accompany

der Begleiter, –ß, – companion,
escort

begraben, (–gräbt), –grub, –graben
to bury

begreifen, –griff, –griffen to comprehend, understand, grasp, see

begrenzen to border, bound

der Begriff, –(e)ß, –e concept,
conception, comprehension

behagen to please

behaglich comfortable, cozy, at
ease

behalten, (–hält), –hielt, –halten to
keep, have, hold, retain; im Auge
— to keep in sight, keep an
eye on

behaupten to maintain

bei in the case of, at, by, with,
on, in; — uns here at home,
at our house

die Beichte, –n confession

beichten to confess

das Beichtkind, –(e)ß, –er parish-
ioner, confessant

der Beichtstuhl, –(e)ß, ⸚e confessional

der Beichtvater, –ß, ⸚ father-con-
fessor

beide both, the two

beieinander with one another

der Beifall, –(e)ß approval, ap-
probation, applause

das Bein, –(e)ß, –e leg

beiseite aside

beiseite-legen to lay aside

beiseite-schieben, schob beiseite, bei-
seitegeschoben to shove aside

das Beispiel, –(e)ß, –e example

beißen, biß, gebissen to bite

bei-stehen, stand bei, beigestanden to
help, assist, stand by, aid

bekannt familiar, acquainted

bekleiden to clothe; ein Amt —
to hold *or* occupy an office

bekommen, bekam, bekommen to
get, obtain, receive; shall, will;
to agree with

bellen to bark

bemerken to notice, observe

(sich) bemühen to try, endeavor,
bother

Vocabulary

benebeln to befog, cloud

benutzen *or* **benützen** to make use of, use, utilize

beobachten to observe

bepflanzen to plant

bequem comfortable, convenient

bereichern to enrich

bereit ready; —s already

der Berg, —(e)s, —e mountain

bergen, (birgt), barg, geborgen to save, salvage; to shelter, keep safe

die Bergeshalde, —n hillside

das Bergwasser, —s, — mountain stream

beruhigen to calm, quiet, placate

berühmt famous

berühren to touch

die Berührung, —en touch, contact

beschädigen to harm, injure

sich beschäftigen to busy oneself

bescheiden modest

beschließen, —schloß, —schlossen to decide

beschreiben, —schrieb, —schrieben to describe; to write on, cover with writing

besitzen, —saß, —sessen to possess

besonder special, noteworthy

besonders especially, characteristic; particularized, individual

besprechen, (—spricht), —sprach, —sprochen to discuss

besser better

die Besserung, —en betterment, improvement

best best; **mein —er Herr** my dear sir

bestäubt dusty, covered with dust

bestehen, —stand, —standen to exist; — aus to consist of

bestimmt definite, certain

bestreuen to strew

der Besuch, —(e)s, —e visit

besuchen to visit

der Besucher, —s, — visitor, tourist

beten to pray

betrachten to observe, look at

betreten, (—tritt), —trat, —treten to tread, walk upon, set foot on, enter

betroffen disconcerted

das Bett, —(e)s, —en bed

der Betteljunge, —n, —n beggar (boy)

das Bettelkind, —(e)s, —er beggar child

betteln to beg

der Bettler, —s, — beggar

die Bettlerin, —nen (female) beggar

beugen to bend; to bow

bevor-stehen, stand bevor, bevorgestanden to be imminent, be at hand, await

bewegen (*reg. vb.*) to move

bewegen, —wog, —wogen to induce, cause, move, motivate

beweglich movable, mobile, active

die Bewegung, —en movement, motion; emotion, commotion

bewegungslos motionless

beweisen, —wies, —wiesen to show, prove

der Bewerber, —s, — suitor

bewohnen to inhabit, live in

der Bewohner, —s, — inhabitant

bewundern to admire, marvel at

die Bewunderung admiration

bewußtlos unconscious

das Bewußtsein, —s consciousness

bezahlen to pay (for)

bezaubern to charm, cast a spell on

bezeichnen to designate, mark

(sich) biegen, bog, gebogen to bend

die Biegung, —en bend, curve

die Biene, —n bee

das Bier, —s beer

bieten, bot, geboten to offer, bid; to wish

das Bild, —(e)s, —er picture, portrait, painting, image, figure

bilden to form, educate

der Bildhauer, —s, — sculptor

bildhübsch pretty as a picture, very pretty

der Bildschnitzer, —s, — carver of images

das Bildwerk, —(e)s, —e sculpture, imagery, work of sculpture

billig cheap

Vocabulary

binden, band, gebunden to bind, tie
die Birke, -n birch tree
bis till, until; at; when; — an
to; — dahin to it, to there, till
then, so far; — um by; — zu
to
Bischofsroda Bischofsroda
bisher' previously
bißchen bit
die Bitte, -n request; begging,
asking
bitte please
bitten, bat, gebeten to ask, beg;
— um to ask for, make a request for
das Bitten, -s asking, begging
bitter bitter, sharp
bitterlich bitterly
blank shiny, shining, bright; clean
blasen, (bläst), blies, geblasen to
blow
blaß pale
blaßgelb pale yellow
das Blatt, -(e)s, -er leaf, sheet,
page
blätterreich very leafy
die Blattgirla'nde, -n garland of
leaves
das Blau, -s blue (color)
blaugewölbt blue-arched
das Blei, -(e)s lead
bleiben, blieb, ist geblieben to remain, stay; to be
der Bleistift, -(e)s, -e pencil
der Blick, -(e)s, -e glance, gaze,
look
blicken to look, see
der Blitz, -es, -e flash
blitzen to flash, sparkle
blond blond
blondhaarig blond
blühen to blossom, bloom
die Blume, -n flower
das Blumenbeet, -(e)s, -e flower
bed
das Blut, -(e)s blood
bluten to bleed
das Bluten bleeding
blutig bloody
der Blutverlust, -es, -e loss of
blood

der Boden, -s, - or - ground, soil;
bottom, floor
das Boot, -(e)s, -e boat
der Bord, -(e)s, -e board; side of
the boat; über den — overboard
die Börse, -n purse
bös(e) angry, bad
das Böse (adj. decl.) bad, evil,
harm
die Bota'nik botany
der Brand, -(e)s, -e fire; in —
bringen to light
braten, (brät), briet, gebraten to
roast
der Braten, -s, - roast
die Brathitze roasting heat
brauchen to need; to use
die Braue, -n (eye)brow
braun brown
bräunlich brownish
die Braut, -e fiancée, betrothed
der Bräutigam, -s, -e fiancé,
bridegroom
das Brautpaar, -(e)s, -e bridal
couple
brav honest, good
brechen, (bricht), brach, gebrochen to
break, break open, break off; to
open
breit broad, wide
breiten to spread
breiträndig broad-brimmed
das Brennen, -s burning
brennen, brannte, gebrannt to burn;
es brennt there is a fire
der Brief, -(e)s, -e letter
Brigit'te, -(n)s Bridget
bringen, brachte, gebracht to bring,
take
das Brot, -(e)s, -e bread, loaf of
bread; nach — gehen to look for
what pays, go begging, become
practical
brotlos breadless, impractical
die Brücke, -n bridge
der Bruder, -s, - brother
die Brust, -e chest, breast
das Buch, -(e)s, -er book
die Buche, -n beech (tree)
der Buchenwald, -(e)s, -er beech
forest

der **Bücherschrank,** –(e)s, ⸗e book-
case

der **Buchstabe,** –n, –n letter (of
alphabet)

die **Bucht,** –en bay

der **Bückling,** –s, –e bow

das **Bündel,** –s, – bundle, package; load

der **Bürgermeister,** –s, – burgo-
master, mayor

das **Bürgerskind,** –(e)s, –er citizen's child, child of a citizen

der **Bursch**(e), –n, –n lad, fellow,
young fellow, boy

der **Busch,** –es, ⸗e bush

die **Butter** butter

C

Capri Capri

der or das **Chor,** –s, ⸗e or –e choir
loft, elevated arch before the
altar

der **Christenmensch,** –en, –en Christian

die **Christin,** –nen Christian (girl)

das **Christkind,** –es Christ child;
Santa Claus

Christus Christ; nach Christi Geburt A.D.

D

da since; there, here, then; in that
case; when, as

dabei thereby; at the same time;
on hand, present

das **Dach,** –(e)s, ⸗er roof

dadurch thereby, by means of this

dafür for it; on the other hand

dagegen against it; on the other
hand

daheim at home

daher therefore, hence; thence;
from that place; as verb prefix
along

daher-kommen, kam daher, ist daher-
gekommen to come along

dahin thither, to that place; bis
— till then

dahin-fahren, (fährt dahin), fuhr dahin, ist dahingefahren to row
along, sail along

dahin-schreiten, schritt dahin, ist da-
hingeschritten to walk along

dahinter behind it

dahinunter down there

damalig of that time, then

damals then

die **Dame,** –n lady

damit with it, therewith, with
that, then; conj. so that

dämmerig twilight; dusky, dim

dämmern to dawn; to get dark;
to become twilight

die **Dämmerung,** –en dusk; dawn;
twilight

danach after that, afterwards,
thereafter; accordingly; towards, to that; for that

daneben beside it, close by

der **Dank,** –(e)s thanks

dankbar thankful, grateful

die **Dankbarkeit** thankfulness,
gratitude

danken to thank; danke no, thanks

dann then; — und wann now and
then

daran of, by, at, on, to it or
them

daran-liegen, lag daran, darangelegen
to lie near, lie close; to concern,
be of importance

darauf on it, to it, thereupon,
then, afterward, thereafter

darauf-malen to print on, paint
on

daraus out of it

darein-schauen to look, appear

darin in it

dar-stellen to represent

darüber about it, over it

darum about it; therefore, for
that reason

darunter under it, beneath it;
among them

das the; that; plu. those

daß that, so that

dauern to last; to be

davon of it, from it, thence,
hence; away

Vocabulary

davon=tragen, (trägt davon), trug davon, davongetragen to carry away; den Sieg — to win a victory

davor before it, of it

dazu for this purpose, also, in addition, for it

dazwischen (in) between; between them

die Decke, –n tablecloth, cover; ceiling

der Deckel, –s, – cover

decken to cover, conceal; to set

die Demut humility

demütig humble

denken, dachte, gedacht (an) to think (of), remember; sich — to imagine

denn for; then

dennoch nevertheless, still

die Deputation', –en deputation

der who, which, that; he; that person

der, die, das the; this; that; who, which

derjenige the one, that one

derselbe he, it; the same

deshalb therefore, accordingly, because of that

desto so much the; je . . . — the . . . the

deuten to point; — auf to point to

deutlich clear, distinct

deutsch German

das Deutschland, –s Germany

der Dezember, –s December

dicht dense, close, right, tight

dichtbelaubt very leafy

dichten to write, compose

der Dichter, –s, – poet

dick thick

das Dickicht, –(e)s, –e thicket, underbrush

der Dieb, –(e)s, –e thief

dienen to serve

der Diener, –s, – servant

die Dienerin, –nen servant girl

der Dienst, –es, –e service

das Dienstmädchen, –s, – maid, servant

dieser this; the latter

diesmal this time

Dillstedt Dillstedt

das Ding, –(e)s, –e thing, object; creature; vor allen —en above all

disharmonisch discordant

doch yet, still, however, really, anyway, just

der Donner, –s thunder

Donnerwetter good heavens, thunderation

doppelt double, twice

das Dorf, –(e)s, –er village, town

der Dorfbewohner, –s, – villager; peasant

der Dorn, –(e)s, –en thorn

dornig thorny

dort there

dorthin thither, there, to that place

drängen to press, come, crowd; sich — to come, force one's way

draußen outside, away, out in the world, abroad, out there

drehen to turn

drei three

dreimal thrice, three times

dringen, drang, hat or **ist gedrungen** to penetrate, force, come

drinnen in there, inside

dritt third

drohen to threaten

das Drohen, –s threatening

drüben over there, on the other side

drücken to press, oppress

du you (*familiar form singular*)

der Duft, –(e)s, –e fragrance, (sweet) smell

dulden to bear, stand for, tolerate

dumm stupid

dunkel dark

das Dunkel, –s dark, darkness

dunkelblau dark blue

die Dunkelheit, –en darkness, dark

dunkeln to grow dark, get dark

dünn thin

durch through, by means of, by

durch=bringen, brachte durch, durchge=bracht to bring through, support

200

Vocabulary

durcheinander intermingled, interlaced, in confusion

durchfliegen, –flog, –flogen to fly through

durch=gehen, ging durch, ist durchgegangen to go through, go on

durchleben, –lebte, –lebt to live through

durch=lefen, (liest durch), las durch, durchgelesen to read through

durchwandern to wander through, traverse

durchziehen, –zog, –zogen to pass through, drench

dürfen, (darf), durfte, gedurft to be permitted to, be allowed to, can, may, be able to, dare; — nicht must not

der Durst, –es thirst

E

eben just, just now; er wollte — gehen he was just about to go

das Ebenbild, –(e)s, –er image, likeness

ebenfalls likewise

ebenso just as; the same

echt genuine, real, true

die Ecke, –n corner

edel noble, lofty

ehe before

eher sooner

die Ehre, –n honor; in —n in honor; ihm zu —n in his honor

die Ehrenwache, –n guard of honor

die Ehrfurcht reverence

ehrfurchtsvoll reverent

ehrlich honorable, honest

ehrwürdig venerable, reverend

ei oh, ah, why, well

das Ei, –(e)s, –er egg

die Eiche, –n oak (tree)

der Eichenast, –es, ⸚e oak limb, branch of an oak tree

der Eichentisch, –es, –e oak table

der Eichschrank, –(e)s, ⸚e oak chest

der Eid, –(e)s, –e oath, vow; einen — tun to vow, swear, take an oath, make a vow

der Eifer, –s zeal, anger

eigen own, of one's own, peculiar

eigentlich really

die Eile haste

eilen (ist) to hasten, hurry

eilig hurried, rapid

ein a, an, one; as verb prefix in

einander one another, each other

ein=beißen, biß ein, eingebissen to bite into

ein=biegen, bog ein, eingebogen to bend in

ein=brechen, (bricht ein), brach ein, ist eingebrochen to break, approach

ein=dringen, drang ein, ist eingedrungen to penetrate

der Eindruck, –(e)s, ⸚e impression

einer someone, one

einfach simple, plain

ein=fallen, (fällt ein), fiel ein, ist eingefallen to fall in; to occur to; to interrupt

sich ein=finden, fand ein, eingefunden to put in an appearance, appear

der Einfluß, –flusses, –flüsse influence

ein=gehen, ging ein, ist eingegangen to go in, enter

einher=schreiten, schritt einher, ist einhergeschritten to walk along

einige some

ein=laden, (ladet ein or lädt ein), lud ein, eingeladen to invite; das Einladende (adj. decl.) that which is inviting

ein=lassen, (läßt ein), ließ ein, eingelassen to let in; sich — mit to let oneself in with, have dealings with, treat with

ein=laufen, (läuft ein), lief ein, ist eingelaufen to run in

einmal once, at one time, sometime, just, immediately; even; simply; auf — all at once; nicht — not even; noch — once more, again

ein=reden to talk into, persuade

einsam lonesome, lonely, alone

die Einsamkeit solitude, loneliness

ein=schlagen, (schlägt ein), schlug ein, eingeschlagen to grip, shake (hands)

ein=ſehen, (ſieht ein), ſah ein, einge=
ſehen to realize, recognize

ein=ſenden, ſandte ein, eingeſandt to
send in, submit

ein=ſinken, ſank ein, iſt eingeſunken
to sink in, sink down

ein=ſchreiten, ſchritt ein, iſt eingeſchrit=
ten to walk, walk into

einſt once

ein=ſteigen, ſtieg ein, iſt eingeſtiegen
to climb in, get in

einſtimmig unanimously

eintönig monotonous

ein=treten, (tritt ein), trat ein, iſt ein=
getreten to enter, go in; to oc-
cur; der Eintretende (*adj. decl.*)
the entering one

ein=weihen to consecrate

einzeln single, individual, separate

einzig single, only

die Eiſenbahn, –en train

der Eiſenſtab, –(e)s, ⸗e iron bar,
iron railing

eiſern (of) iron

eiskalt icy, ice-cold

elaſtiſch elastic

das Element, –(e)s, –e element

elf eleven

der Elf, –en, –en elf

Eliſabeth Elizabeth

empfangen, (–fängt), –fing, –fangen
to receive

empfehlen, (–fiehlt), –fahl, –fohlen
to recommend

empfinden, –fand, –funden to feel,
perceive

das Emporſchnellen, –s flying upwards

das Ende, –s, –n end; am —
finally, at last, after all; zu —
at an end, finished, done with,
gone

endlich finally

der Endreim, –(e)s, –e rhyme

eng narrow

der Engel, –s, – angel

die Engelſchar, –en angelic host,
host of angels

engelſchön beautiful as an angel

engliſch English; angelic

der Enkel, –s, – grandson; *plu.*
grandchildren

entdecken to discover

enterben to disinherit

entfernen to remove; ſich — go
out, withdraw, go away

entfernt removed, distant, remote

die Entfernung, –en distance

entgegen towards

entgegen=breiten to spread out,
open, stretch towards

entgegen=eilen (iſt) hasten towards

entgegen=gehen, ging entgegen, iſt ent=
gegengegangen to go toward, go
to meet

entgegen=halten, (hält entgegen), hielt
entgegen, entgegengehalten to hold
towards, hold out toward

entgegen=heben, hob entgegen, ent=
gegengehoben to lift towards

entgegen=kommen, kam entgegen, iſt
entgegengekommen to approach,
come toward

entgegen=laufen, (läuft entgegen), lief
entgegen, iſt entgegengelaufen to
run toward

entgegen=rufen, rief entgegen, entge=
gengerufen to call to, call toward

entgegen=ſchlagen, (ſchlägt entgegen),
ſchlug entgegen, iſt entgegengeſchla-
gen to come toward, meet, greet

entgegen=ſtrecken to hold out,
stretch out, extend

entgegen=tragen, (trägt entgegen),
trug entgegen, entgegengetragen to
bear toward, carry toward

entgegen=treten, (tritt entgegen), trat
entgegen, iſt entgegengetreten to
step toward, walk toward

enthalten, (–hält), –hielt, –halten
to contain

entkommen, –kam, iſt entkommen to
get away, escape

entlang along

entlang=gehen, ging entlang, iſt ent=
langgegangen to go along, walk
along

entlang=ſchreiten, ſchritt entlang, iſt
entlanggeſchritten to walk along,
go along, go on

(fich) **entlang=ftrecken** to stretch, extend along

entlang=wandern (ift) to wander along

(fich) **entfchließen**, –fchloß, –fchloffen to decide

entfchloffen resolute

der **Entfchluß**, **Entfchluffes**, **Entfchlüffe** decision, resolve

entfchuldigen to excuse; fich — to apologize, beg one's pardon

die **Entfchuldigung**, –en excuse, apology

entftehen, –ftand, ift –ftanden to arise

entweder either; — ... ober either . . . or

entziehen, –zog, –zogen withdraw; fich — to withdraw oneself, draw away, escape

er he; it

der **Erbe**, –n, –n heir

erbetteln to beg for, get by begging

erbliden to catch sight of, see

erblindet blinded, shuttered

die **Erbfe**, –n pea

die **Erdbeere**, –n strawberry

das **Erdbeerenfuchen**, –s strawberry search

die **Erdbeerenzeit**, –en strawberry time *or* season

der **Erdboden**, –s earth, ground

die **Erde**, –n earth, ground

erdig earthy

der **Erdrauch**, –(e)s ground mist, earth smoke

erfahren, (–fährt), –fuhr, –fahren to find out, learn

erfreuen to rejoice, gladden

erfrifchen to refresh; **erfrifcht** refreshed

erfüllen to fill, fulfill

die **Erfüllung**, –en fulfillment

ergreifen, –griff, –griffen to grasp, seize

erhalten, (–hält), –hielt, –halten to get, obtain, receive

fich **erheben**, –hob, –hoben to rise, arise

erhitzt heated, flushed, excited

erhoben elevated, raised

die **Erhöhung**, –en elevation

fich **erholen** to recover; to rest

die **Erholung**, –en rest; recreation

erhören to hear

Erich Eric

die **Erika**, *plu.* **Eriken** erica, heather

erinnern (an) to remind (of); fich — an to remember

die **Erinnerung**, –en recollection, memory, remembrance, reminder

erkennen, –kannte, –kannt to recognize

erklären to explain; to declare

die **Erklärung**, –en explanation

erlauben to permit, allow

die **Erlaubnis**, –fe permission

erleuchten to illuminate; **erleuchtet** lighted

erlöfen to redeem, release

der **Erlöfer**, –s Redeemer, Savior

ernft earnest, serious

der **Ernft**, –es seriousness, earnestness

ernfthaft serious, grave, earnest

eröffnen to open

erreichen to reach, arrive at, come to

erröten to redden; to blush

das **Erröten** blushing

erfcheinen, –fchien, ift –fchienen to appear

erfchreden, (–fchridt), –fchrak, ift –fchroden *or* –fchredt to be frightened, be startled, give a start

erfchroden frightened, startled

erfetzen to substitute, replace

erft first, for the first time; only, not until; der —e befte the first one that comes along; zum —en= mal for the first time

erftaunen to be astonished

erftaunlich astonishing

erftaunt astonished

der **erftere** the former

erwachen (ift) to awaken

erwähnen to mention

erwarten to await, expect

der **Erwartete** (*adj. decl.*) the person expected

die **Erwartung**, –en awaiting, expectation

erwidern to answer, reply

erzählen to tell, narrate, relate, tell a story

erziehen, –zog, –zogen to bring up, educate

der **Erz'herzog**, –(e)s, –e *or* ⸚e archduke

erzwingen, –zwang, –zwungen to force

es it, he, she; — ist there is; es sind there are

das **Essen**, –s, – meal, dinner, food

essen, (ißt), aß, gegessen to eat; zu Mittag — to dine, eat dinner

der **Eßsaal**, –(e)s, –säle dining room

etwa about, possibly

etwas somewhat, something

euer your

ewig eternal

die **Ewigkeit**, –en eternity

die **Exkursion'**, –en excursion

F

die **Fabrik'**, –en factory

der **Faden**, –s, ⸚ string, thread

fahren, (fährt), fuhr, ist gefahren to ride, go, travel; to row; in die Höhe — to start, be startled; — lassen to let go, pass up

die **Fahrt**, –en trip, ride

fallen, (fällt), fiel, ist gefallen to fall

falsch wrong, false

falten to fold

der **Falter**, –s, – butterfly

die **Fami'lie**, –n family

fami'lienweise by families

das **Fami'lienzimmer**, –s, – living room

die **Farbe**, –n color

das **Faß**, Fasses, Fässer barrel, cask

fassen to grasp, catch, seize, take, take hold; to set

fast almost

faul idle; lazy

der **Februartag**, –(e)s, –e February day

die **Feder**, –n pen

fehlen to be lacking, fail; es fehlt an there is a lack of; Was fehlt ihm? What is the matter with him?

der **Fehler**, –s, – mistake, error

fehlerhaft incorrect, faulty

feierlich solemn; festive

feiern to celebrate

fein fine, delicate, sharp

der **Feind**, –(e)s, –e enemy

feindlich hostile

feingebogen finely curved

das **Feld**, –(e)s, –er field

der **Fels**, –en, –en rock, cliff

die **Felseninsel**, –n rocky island

das **Felsenufer**, –s, – rocky shore

das **Felsstück**, –(e)s, –e piece of rock, boulder

das **Fenster**, –s, – window

das **Fensterchen**, –s, – little window

der **Fensterladen**, –s, – blind, shutter

die **Fensterscheibe**, –n window pane

die **Ferien** (*plu.*) holiday, vacation

die **Ferienzeit**, –en vacation time

fern(e) distant, away, afar, far

die **Ferne**, –n distance

fertig ready, finished, done; — bringen to complete; — werden mit to finish, have done with, get the better of

das **Fest**, –es, –e holiday, festival

fest firm, tight, solid, resolute

fest=halten, (hält fest), hielt fest, festgehalten to hold fast, hold on to

die **Festkleidung**, –en party clothes

der **Festkuchen**, –s, – holiday cake, Christmas cake

festlich festive

feucht moist

das **Feuer**, –s, – fire

feurig fiery

die **Figur'**, –en figure; image

das **Figür'chen**, –s, – little figure, little image

finden, fand, gefunden to find, discover; sich — to be, be found; sich — in (*or* hinein) to get on to, understand

204

Vocabulary

der **Finger**, –8, – finger

finster dark, gloomy, sullen

der **Fisch**, –es, –e fish

fischen to fish

das **Fischen** fishing

der **Fischer**, –8, – fisher(man)

die **Fischerei'**, –en fishery, fishing business

fix fixed

flach flat, smooth, low, shallow; die —e **Hand** the palm of the hand

die **Fläche**, –n surface, plane, plain, level ground

die **Flamme**, –n flame

flammend flaming

die **Flasche**, –n flask, bottle

flattern to flutter, flap

der **Flausrock**, –(e)s, ⸚e wool jacket

die **Flechte**, –n braid (of hair)

flechten, (flicht), flocht, geflochten to braid, weave

fleißig diligent, industrious, busy; often

der **Fliederbusch**, –es, ⸚e lilac bush

die **Fliege**, –n fly

fliegen, flog, ist geflogen to fly

fliehen, floh, ist geflohen to flee

fließen, floß, ist geflossen to flow

die **Flucht**, –en flight

der **Flügel**, –8, – wing

flügelschwingend swinging their wings, flapping their wings

der **Flur**, –(e)s, –e hall

der **Fluß**, Flusses, Flüsse river

flüssig fluid, liquid

flüstern to whisper

folgen (ist) to follow

folgend the following, as follows

die **Form**, –en form, shape, figure

–förmig -shaped, having the shape of

der **Forst**, –es, –e forest

der **Förster**, –8, – forester

fort away, off, out, gone; — und — continually

fort=bringen, brachte fort, fortgebracht to take away, remove, throw out

fort=eilen (ist) to hasten away, hurry away

fort=fahren, (fährt fort), fuhr fort, hat fortgefahren to continue

fort=gehen, ging fort, ist fortgegangen to go away

fort=jagen to chase out, drive out

fort=laufen, (läuft fort), lief fort, ist fortgelaufen to run away

sich fort=machen to get out, clear out

fort=müssen to have to go

fort=nehmen, (nimmt fort), nahm fort, fortgenommen to take away

fort=reißen, riß fort, fortgerissen to tear away

fort=schicken to send away

fort=schreiten, schritt fort, ist fortgeschritten to walk away, continue to walk

fort=schwimmen, schwamm fort, ist fortgeschwommen to swim on, keep on swimming, swim away

fort=setzen to continue

die **Fortsetzung**, –en continuation

fort=spielen to play, play on, continue to play

fort=treiben, trieb fort, fortgetrieben to drive on

fort=ziehen, zog fort, hat or ist fortgezogen to pull away; to go away

die **Frage**, –n question

fragen to ask, inquire, question; — nach to ask about, inquire about

fragend questioning

die **Frau**, –en woman; wife, lady; zur — as a wife, to be one's wife

die **Frauengestalt**, –en (female) figure

die **Frauenhand**, ⸚e lady's hand

frech fresh, impudent, insolent

frei open, free; — haben to have no school

Freiburg Freiburg, *city in Baden east of the Rhine*

das **Freie**, –n the open

freilich of course, to be sure, certainly

die **Freistunde**, –n free hour, leisure hour, spare time

205

Vocabulary

fremd strange, foreign

der Fremde (*adj. decl.*) stranger

die Freude, –n joy, pleasure

das Freudenfeuer, –s, – fire of joy, joyous fire

der Freudenschrei, –(e)s, –e cry of joy

freudestrahlend beaming (with joy)

freudig joyful, joyous

freuen to please, rejoice; **ich freue mich, es freut mich** I am glad; **sich — an** to delight in, be pleased with, take pleasure in; **sich — auf** to look forward to

der Freund, –(e)s, –e friend

die Freundin, –nen (female) friend

freundlich friendly

die Freundlichkeit, –en friendliness

freundnachbarlich neighborly, sociable

die Freundschaft, –en friendship

der Friede, –ns, –n peace

frisch fresh, vigorous

froh joyous, happy

fröhlich joyful, happy

der Frosch, –es, –e frog

der Frost, –es, –e frost, cold; **vor — zittern** to shiver with cold

die Frucht, –e fruit

der Früchtebaum, –(e)s, –e fruit tree

früh early; young; **morgen —** tomorrow morning

früher formerly, earlier, former, previous, sooner

der Frühling, –s, –e spring

der Frühlingsduft, –(e)s, –e fragrance of spring

der Frühlingsnachmittag, –(e)s, –e spring afternoon

die Frühlingssonne, –n spring sun

das Frühstück, –(e)s, –e breakfast; **zum —** for breakfast

(sich) fühlen to feel

führen lead; **vor Augen —** to present visually, set before one's very eyes

der Führer, –s, – guide, leader

füllen to fill, cover

fünf five

für for; **was — ein** what sort of a, what a

die Fürbitte, –n intercession; **— tun** to intercede

fürchten to fear; **sich — vor** to be afraid of

furchtlos fearless

der Fuß, –es, –e foot; **zu —** on foot

der Fußpfad, –(e)s, –e footpath

die Fußspitze, –n toe-tip

G

ganz whole, all, entire, quite, very; **im —en** on the whole; **— und gar** entirely

gar absolutely, very, at all, truly, even, much; **— kein** not any, no . . . at all; **— nicht** *or* **—nicht** not at all; **— nicht mehr** no longer at all; **— so gut** just as well

das Garn, –(e)s, –e yarn

der Garten, –s, – garden

die Gartenmauer, –n garden wall

der Gartensaal, –(e)s, –säle garden room, conservatory

das Gartentor, –(e)s, –e garden gate

die Gartentür, –en door leading to the garden

die Gasse, –n (narrow) street, alley

der Gast, –es, –e guest, visitor

das Gebäude, –s, – building

geben, (gibt) **gab, gegeben** to give; **es gibt** there is, there are; **recht — to admit one is right; von sich —** to emit; **was gibt's?** what's the matter? what's up?

das Gebet, –(e)s, –e prayer

das Gebirge, –s, – (range *or* chain of) mountains

geblendet blinded, dazzled

geboren born, né; **–e** née, maiden name

gebrauchen to use

gebräunt tanned

die Geburt, –en birth; **nach Christi — A.D.**

Vocabulary

das Gebüsch, –es, –e bushes, clump of bushes

der Gedanke, –ns, –n thought, idea; sich in den — finden to bring oneself to believe

gedankenlos thoughtless, absent-minded

das Gedicht, –(e)s, –e poem

gedrückt oppressed

die Geduld patience

geduldig patient

die Gefahr, –en danger

gefährlich dangerous

der Gefallen, –s, – favor

gefallen, (–fällt), –fiel, –fallen to be pleasing to; es gefällt mir I like it

gefroren frozen

das Gefühl, –(e)s, –e feeling, sensation

gegen against, towards, for

die Gegend, –en neighborhood, vicinity, locality, region

das Gegenteil, –(e)s, –e opposite

gegenüber across from

gegenüber=liegen, lag gegenüber, gegenübergelegen to be opposite, be situated opposite

gegenüber=stehen, stand gegenüber, gegenübergestanden to stand opposite to, facing; be opposite

die Gegenwart presence, present (time)

geheim secret; im — in secret

das Geheimnis, –ses, –se secret

der Geheimschreiber, –s, – private secretary

gehen, ging, ist gegangen to go, walk; einem durch den Sinn — to occur to one; — nach to face towards; vor sich — to take place, occur; Wie geht's Ihnen? How are you?

das Gehirn, –(e)s, –e brain; mind

der Gehoffte (adj. decl.) one hoped for

gehorchen to obey

gehören to belong to

die Geigenmusik' violin music

der Geigenspieler, –s, – violinist

der Geist, –(e)s, –er ghost, spirit

die Geisterhand, –⸗e spirit's hand

geistlich spiritual, clerical; —er Herr cleric, clergyman, divine, priest

der Geistliche (adj. decl.) clergyman

das Geläute, –s, – ringing

gelblich yellowish

das Geld, –(e)s, –er (sum of) money

das Geldstück, –(e)s, –e piece of money, coin

die Gelegenheit, –en opportunity, occasion

der Geliebte (adj. decl.) loved one

gelingen, gelang, ist gelungen to succeed; to be successful; es gelingt mir I succeed, I am successful

geloben to vow, swear

gelten, (gilt), galt, gegolten to be valid; es gilt mir it is (meant) for me

gemein general, common

das Gemüsebeet, –(e)s, –e vegetable bed

der Gemüsegarten, –s, –⸗ vegetable garden

genau exact

genießen, genoß, genossen to enjoy; to eat

genug enough, sufficient, plenty

geogra'phisch (of) geography

gerade just, exactly, straight, straightway; —aus straight ahead; straightforwardly

geräumig spacious, roomy; wide, large

das Geräusch, –es, –e noise

das Gerede, –s talk, gossip

gering small, little, trifling, low; im —sten in the least

Germelshausen Germelshausen

die Germelshauser people of Germelshausen

gern(e) gladly; — haben to like; etwas — tun to like to do something

Gertrud Gertrude

der Gesang, –(e)s, –⸗e song

das Geschäft, –(e)s, –e business

Vocabulary

die Geſchäftsreiſe, –n business trip

geſchehen, (geſchieht), geſchah, iſt ge=
ſchehen to happen, occur, take
place, be done

das Geſchenk, –(e)s, –e present,
gift

die Geſchichte, –n story, history

das Geſchrei, –es cry

die Geſellſchaft, –en company,
party, group; society

das Geſicht, –(e)s, –er face, features, countenance; aspect

das Geſichtchen, –s, – little face

das Geſindel, –s rabble

geſpannt anxious, eager, tense

das Geſpräch, –(e)s, –e conversation

geſprungen cracked, broken,
sprung

die Geſtalt, –en figure, form

geſtalten to form, shape

geſtern yesterday; — abend yesterday evening, last evening

geſund healthy, well, sound

geübt practiced, skilled

gewähren to grant, give, furnish,
allow

die Gewalt, –en force; mit —
forcibly

gewaltſam forcibly, with supreme
effort

das Gewäſſer, –s, – body of water

gewinnen, gewann, gewonnen to
win, gain, get

gewiß certain, sure, indeed

das Gewiſſen, –s, – conscience

die Gewohnheit, –en custom

gewöhnlich usual, ordinary, customary

gewohnt used to, accustomed to;
customary

das Gewölbe, –s, – arch, vault,
room with an arched ceiling,
vaulted room

der Giebel, –s, – gable

das Giebelhaus, –es, –er gabled
house

gießen, goß, gegoſſen to pour; to
water

der Gipfel, –s, – top

Giuſeppe (Ital.) Giuseppe, Joseph

der Glanz, –es glitter, luster,
brightness, splendor

glänzen to shine, gleam, glitter

das Glas, –es, –er glass

glatt smooth, slippery

der Glaube, –ns, –n belief, faith

glauben to believe, think; — an
to believe in

gleich immediately, at once, right
away; right; like; es iſt mir —
it's all the same to me

gleichbleibend remaining the same,
constant

gleichzeitig at the same time,
simultaneous

gleiten, glitt, iſt geglitten to glide,
slip, slide

das Glied, –(e)s, –er leg, limb,
member

die Glocke, –n bell

der Glockengießer, –s, – bell
founder

der Glockenton, –(e)s, –e tone of
the bell

die Glo'rie glory

das Glück, –es good fortune, good
luck, happiness; zum — fortunately, as luck would have it

glücklich happy, fortunate

glühen to glow

das Gold, –(e)s gold

golden golden

das Goldſtück, –(e)s, –e gold piece,
gold coin

der Gott, –es, –er God; mein —
Good Heavens

der Gottesacker, –s, – cemetery

der Gottesblick, –(e)s, –e divine
vision

der Gottesdienſt, –(e)s, –e church
(service), divine service

das Gotteshaus, –es, –er God's
house, house of God, church

göttlich divine

das Grab, –(e)s, –er grave

graben, (gräbt), grub, gegraben to dig

die Grabſchrift, –en epitaph, inscription

der Grabſtein, –(e)s, –e gravestone

das Gras, –es, –er grass

grau gray

208

graublond grayish-blond

greifbar tangible, capable of being touched

greifen, griff, gegriffen to grasp, reach; — nach to reach for, get one's hands on

die **Grenze, –n** limit, boundary, border

grob rude, coarse

groß large, great

die **Größe, –n** size, magnitude

die **Großmutter, ⸗** grandmother

der **Großvater, –s, ⸗** grandfather

grün green

der **Grund, –(e)s, ⸗e** bottom; reason

die **Gruppe, –n** group, company

der **Gruß, –es, ⸗e** greeting, salutation

grüßen to greet, salute, nod; to take leave of; to give one's greetings to; Grüß Gott How do you do; Good-bye

das **Gut, –(e)s, ⸗er** estate, property, possession

gut good, kind, well; ein —es one good thing; für etwas — stehen to be answerable for, warrant

gutmütig good-natured

H

das **Haar, –(e)s, –e** hair

haben, (hat), hatte, gehabt to have; was hast du? what is the matter with you?

der **Hafen, –s, ⸗** harbor

der **Hahn, –(e)s, ⸗e** rooster

halb half

halbgetrocknet half-dried

halbstündig half-hour's

die **Hälfte, –n** half

Halleluja hallelujah

Hallo hello, halloo, hey there

der **Hals, –es, ⸗e** neck; — über Kopf head over heels

der **Halt, –(e)s, –e** halt, hold

halten, (hält), hielt, gehalten to hold, have, keep a hold; — für to consider, take for; sich — an to stick to

halt⸗machen to stop, make a halt

der **Hammer, –s, ⸗** hammer

hämmern to hammer, pound

die **Hand, ⸗e** hand, handwriting; in die — hinein with a handclasp

der **Handel, –s** trade, commerce, business; affair

die **Handvoll, –** handful

das **Handwerk, –(e)s, –e** trade, craft, handiwork

der **Handwerksbursch(e), –en, –en** artisan, traveling workman, journeyman

der **Hänfling, –s, –e** linnet

hängen or hangen, (hängt), hing, gehangen to hang, be suspended, put, rest, set, be fixed

hart hard, harsh, strong; — daran close by

hartgefahren (made) smooth and solid (by passing vehicles)

hartnäckig stubborn, obstinate

die **Hartnäckigkeit** stubbornness

die **Hast** haste, hurry

hassen to hate

hastig hasty, hastily

der **Haufen, –s, –** heap, pile

das **Haupt, –(e)s, ⸗er** head

die **Hauptstraße, –n** main street

das **Haus, –es, ⸗er** house; nach —e (toward) home; zu —e at home

das **Häuschen, –s, –** little house

der **Häuserschatten, –s, –** shadow of the houses

der **Hausflur, –(e)s, –e** vestibule

die **Hausfrau, –en** matron, housewife

der **Hausgang, –(e)s, ⸗e** hallway, hall

die **Haushälterin, –nen** housekeeper

die **Hauskatze, –n** house cat

die **Haustür, –en** house door, front door, outside door

die **Haut, ⸗e** skin

heben, hob, gehoben to lift, raise

das **Heft, –(e)s, –e** notebook

heftig violent, impetuous, vehement

die **Heide, –n** heath

das Heil, –(e)s salvation, welfare, grace; happiness

heilen to heal

heilig holy, sacred, sainted

der Heilige (adj. decl.) saint

das Heiligenbild, –(e)s, –er shrine, image of a saint

heim home, homeward

die Heimat home, home town, home country, homeland

heimatlos homeless

heim=führen to lead home

heim=kommen, kam heim, ist heimgekommen to come home

heim=treiben, trieb heim, heimgetrieben to drive home

das Heimweh, –es homesickness

Heinrich, –s Heinrich, Henry

heiraten to marry

heiß hot

heißen, hieß, geheißen to be called; to bid, ask to; ich heiße my name is; das heißt that is, that means

heiter cheerful

die Heiterkeit gaiety

der Held, –en, –en hero

helfen, (hilft), half, geholfen to help, aid, assist

hell bright, clear, sparkling

hellerleuchtet brightly lighted

hellglänzend brightly gleaming

das Hemd, –(e)s, –en shirt

das Hemdchen, –s, – little shirt

her here, hither, this way; darüber — all around; schon lange her long ago

herab=fallen, (fällt herab), fiel herab, ist herabgefallen to fall off, fall down

herab=lächeln to smile down

herab=lassen, (läßt herab), ließ herab, herabgelassen to let down, degrade

herab=rinnen, rann herab, ist herabgeronnen to run down

herab=schauen to look down

heran=drängen to press forward

heran=eilen (ist) to hasten up

heran=kommen, kam heran, ist herangekommen to come on, approach, draw near

heran=schwimmen, schwamm heran, ist herangeschwommen to swim up

heran=treten, (tritt heran), trat heran, ist herangetreten to step, step up

heran=wachsen, (wächst heran), wuchs heran, ist herangewachsen to grow (along), grow up

herauf up

herauf=kommen, kam herauf, ist heraufgekommen to come up, rise, arise

herauf=steigen, stieg herauf, ist heraufgestiegen to come up, climb up, ascend

heraus=fallen, (fällt heraus), fiel heraus, ist herausgefallen to fall out

heraus=glänzen to gleam, shine forth

heraus=kommen, kam heraus, ist herausgekommen to come out

heraus=nehmen, (nimmt heraus), nahm heraus, herausgenommen to take out

heraus=schauen to look out, peep out

heraus=tönen to sound (out), sound forth

heraus=treten, (tritt heraus), trat heraus, ist herausgetreten to step out, come out, go out

heraus=wollen to wish to get out, wish to go out

heraus=ziehen, zog heraus, herausgezogen to pull out, draw forth, draw out

der Herbst, –es, –e autumn, fall

die Herdenglocke, –n herd bell, cow bell

herein in, in this way; Herein! Come in!

herein=bringen, brachte herein, hereingebracht to bring in

herein=dringen, drang herein, ist hereingedrungen to penetrate, come in

herein=fallen, (fällt herein), fiel herein, ist hereingefallen to fall in

herein=hangen or hereinhängen, (hängt herein), hing herein, hereingehangen to hang down

210

herein=kommen, kam herein, ist herein=
gekommen to enter, come in,
walk in

herein=schicken to send in

herein=streichen, strich herein, ist her=
eingestrichen to stream in

herein=strömen to stream in

herein=treten, (tritt herein), trat her=
ein, ist hereingetreten to enter,
come in

herein=werfen, (wirft herein), warf
herein, hereingeworfen to throw
in

her=führen to lead (this way)

her=gehen, ging her, ist hergegangen
to go along, walk along,' go on

hergelaufen vagabond, adventur-
ous

her=laufen, (läuft her), lief her, ist
hergelaufen to run along, run
hither; hergelaufen adventur-
ous, vagabond

der Herr, -n, -en sir; man, gentleman; master, Lord; Mr.

das Herrenhaus, -es, ="er manor
house, mansion

der Herrgott, -es the Lord, Lord
God

herrlich splendid, excellent

das Herrliche (adj. decl.) splendor

die Herrlichkeit, -en splendor, glory

herüber across, over

herüber=bringen, brachte herüber,
herübergebracht to bring over

herüber=fahren, (fährt herüber), fuhr
herüber, ist herübergefahren to
travel across, come across

herüber=kommen, kam herüber, ist
herübergekommen to come over,
come across

herüber=schallen to resound across,
sound (over)

herüber=strömen to stream across

herüber=tönen to sound (over),
sound across, ring across

herum=führen to lead around

herum=suchen to look around

herum=tanzen to dance around

herum=tragen, (trägt herum), trug
herum, herumgetragen to carry
around

herum=wandern to wander about

herum=werfen, (wirft herum), warf
herum, herumgeworfen to toss,
turn suddenly

herunter=gleiten, glitt herunter, ist
heruntergeglitten to glide down

herunter=holen to take down

herunter=kommen, kam herunter, ist
heruntergekommen to come down

herunter=langen to take down, get
down

herunter=nehmen, (nimmt herunter),
nahm herunter, heruntergenommen
to take down

herunter=sinken, sank herunter, ist her=
untergesunken to sink (down)

hervor forth

hervor=brechen, (bricht hervor), brach
hervor, hervorgebrochen to break
out, burst forth, utter, say

hervor=bringen, brachte hervor, her=
vorgebracht to bring forth, pro-
duce; to utter, say

hervor=holen to bring forth, get
out, take out

hervor=ragen to project, be prom-
inent

hervor=schießen, schoß hervor, ist her=
vorgeschossen to shoot forth

hervor=strömen to stream forth

hervor=treten, (tritt hervor), trat her=
vor, ist hervorgetreten to step
forth, step from

das Herz, -ens, -en heart; übers —
bringen to find it in one's heart
to, bring oneself to

das Herzblut, -s heart's blood

die Herzenslust, ="e heart's desire

herzhaft hearty, cordial

herzlich hearty, cordial

herzzerreißend heart-rending

heulen to howl

heute today, this day; — abend
this evening; — früh this morning; — mittag this noon

heutzutage today, in these days

hie und da here and there

hier here

hierher here, hither, this way

hierhin hither

211

Vocabulary

hiermit with this, herewith, "by these presents"

das Hiersein, –s being here, presence

hierzulande right here, among us, in our country

hiesig here, of this place

die Hilfe, –n help, aid

hilflos helpless

der Himmel, –s, – sky, heaven(s); **am —** in the sky, in the heavens

die Himmelsbraut, ⸚e bride of heaven, nun

die Himmelskönigin, –nen queen of heaven

die Himmelstochter, ⸚ daughter of heaven

himmlisch heavenly, celestial

die Himmlischen (*plu.*) the heavenly ones, heavenly hosts

hin away, forwards, on, to, thither; **— und her** back and forth, to and fro; **— und wieder** now and then

hinab down

hinab=fliegen, flog hinab, ist hinabgeflogen to fly down

hinab=führen to lead down

hinab=gehen, ging hinab, ist hinabgegangen to walk down, go down, walk along

hinab=laufen, (läuft hinab), lief hinab, ist hinabgelaufen to run down

hinab=schreiten, schritt hinab, ist hinabgeschritten to go down, walk down, descend

hinab=sinken, sank hinab, ist hinabgesunken to sink down

hinab=steigen, stieg hinab, ist hinabgestiegen to climb down, descend, go down

sich hinab=ziehen, zog hinab, hinabgezogen to go down, extend, reach

hinauf upward, up

hinauf=fliegen, flog hinauf, ist hinaufgeflogen to fly up

hinauf=führen to lead up (to)

hinauf=gehen, ging hinauf, ist hinaufgegangen to go up

hinauf=kommen, kam hinauf, ist hinaufgekommen to come up

hinauf=laufen, (läuft hinauf), lief hinauf, ist hinaufgelaufen to run up

hinauf=schauen to look up

hinauf=schreiten, schritt hinauf, ist hinaufgeschritten to walk up, stride up

hinauf=sehen, (sieht hinauf), sah hinauf, hinaufgesehen to look up

hinauf=springen, sprang hinauf, ist hinaufgesprungen to spring up

hinauf=steigen, stieg hinauf, ist hinaufgestiegen to climb, ascend, go up, mount, come up

hinauf=ziehen, zog hinauf, hat *or* ist hinaufgezogen to pull up; to go up

hinaus out

hinaus=fliegen, flog hinaus, ist hinausgeflogen to fly out

hinaus=führen to lead out

hinaus=gehen, ging hinaus, ist hinausgegangen to go out; to face

hinaus=jagen to chase out, drive out

hinaus=kommen, kam hinaus, ist hinausgekommen to come out (of), get out (of)

hinaus=laufen, (läuft hinaus), lief hinaus, ist hinausgelaufen to run out

hinaus=rufen, rief hinaus, hinausgerufen to call out

hinaus=schwimmen, schwamm hinaus, ist hinausgeschwommen to swim out

hinaus=sehen, (sieht hinaus), sah hinaus, hinausgesehen to look out

hinaus=steigen, stieg hinaus, ist hinausgestiegen to climb out, step out

hinaus=tragen, (trägt hinaus), trug hinaus, hinausgetragen to carry out

hinaus=treiben, trieb hinaus, hinausgetrieben to drive out

hinaus=treten, (tritt hinaus), trat hinaus, ist hinausgetreten to step out, walk out, go out

hinaus=wandern (ist) to walk on, walk away

hinaus=werfen, (wirft hinaus), warf hinaus, hinausgeworfen to throw out, cast out

hin=blicken to look over (toward)

hindern to prevent, hinder

das Hindernis, –ſes, –ſe obstacle, hindrance

hindurch=drängen to press through

hindurch=klingen, klang hindurch, hindurchgeklungen to sound through, resound through

hinein into; bis in die Nacht — till late at night, far into the night; in die Hand — with a handclasp

hinein=bauen to build in(to)

hinein=beißen, biß hinein, hineingebiſſen to bite (into)

hinein=biegen, bog hinein, hineingebogen to bend in

hinein=binden, band hinein, hineingebunden to bind (into)

hinein=bringen, brachte hinein, hineingebracht to bring (into)

htnein=dichten to write in, to add

hinein=führen to lead down, lead into

hinein=gehen, ging hinein, iſt hineingegangen to go in(to), enter

hinein=horchen to listen (into)

hinein=legen to lay in, put in

hinein=ſchreiben, ſchrieb hinein, hineingeſchrieben to write into

hinein=ſehen, (ſieht hinein), ſah hinein, hineingeſehen to look in, look on

hinein=ſpringen, ſprang hinein, iſt hineingeſprungen to jump in, hasten in, go in

hinein=ſteigen, ſtieg hinein, iſt hineingeſtiegen to climb in, get in

hinein=treten, (tritt hinein), trat hinein, iſt hineingetreten to enter, go in, come in

hin=fließen, floß hin, iſt hingefloſſen to flow, spread

hin=gehen, ging hin, iſt hingegangen to pass by, go along, go away; to go there

hin=gießen, goß hin, hingegoſſen to pour (forth)

hin=legen to put down, lay down

hin=müſſen, (muß hin), mußte hin, hingemußt to have to go (to)

hin=nicken to nod

hin=ſchauen to look to

hin=ſchreiten, ſchritt hin, iſt hingeſchritten to walk, walk along, walk along on

hin=ſehen, (ſieht hin), ſah hin, hingeſehen to look (toward); vor ſich — to gaze into space

ſich hin=ſetzen to sit down

hinten in the back, in the rear

hinter behind; rear, back

der Hintergrund, –(e)s, ⁼e background

das Hinterhaus, –es, ⁼er rear part of the house

hin=treiben, trieb hin, hat or iſt hingetrieben to drive along; to glide along

hinüber over, across, over to

hinüber=blicken to look across, look over

hinüber=fahren, (fährt hinüber), fuhr hinüber, hat or iſt hinübergefahren to take over; to row across

hinüber=gehen, ging hinüber, iſt hinübergegangen to go over

hinüber=reichen to pass, pass across

hinüber=rudern (hat or iſt) to row across

hinüber=ſchreiten, ſchritt hinüber, iſt hinübergeſchritten to walk (over)

hinüber=ſehen, (ſieht hinüber), ſah hinüber, hinübergeſehen to look over, look across

hinüber=tragen, (trägt hinüber), trug hinüber, hinübergetragen to carry over, carry across

hinüber=werfen, (wirft hinüber), warf hinüber, hinübergeworfen to throw (over), cast (over), throw (across)

hinüber=ziehen, zog hinüber, hinübergezogen to pull over

hinunter down

hinunter=hängen or **hinunter=hangen,** (hängt hinunter), hing hinunter, hinuntergehangen to hang down

213

Vocabulary

hinunter=laufen, (läuft hinunter), lief hinunter, ist hinuntergelaufen to run down

hinunter=müssen, (muß hinunter), mußte hinunter, hinuntergemußt to have to go down

hinunter=steigen, stieg hinunter, ist hinuntergestiegen to go down, descend

hinunter=winken to wave down

hinweg out

(sich) hin=wenden, wandte hin, hinge=wandt to turn (toward)

hin=wischen to wipe (across), rub (across)

hin=ziehen, zog hin, ist hingezogen to move along, pass along; sich — an to go along

hinzu=setzen to add

das Hirn, -(e)s, -e brain; mind

die Hitze heat

hm hm, well

hoch high, great

der Hoch'altar, -s, ⸚e high altar

das Hoch'amt, -(e)s, ⸚er high mass

hochangesehen highly regarded, highly respected

hochedel most noble

hochgegiebelt high-gabled

höchstens at the most, at best

hochweise most wise

die Hochzeit, -en wedding

der Hof, -(e)s, ⸚e farm, yard, court, courtyard

hoffen to hope, hope for

die Hoffnung, -en hope

hoffnungslos hopeless

der Hofraum, -(e)s, ⸚e court-yard

die Höhe, -n heights, hill, top; in die — up, upward; in die — fahren to start, be startled

hohl hollow

der Hokuspokus hocus-pocus

holen to bring, get, fetch

das Holz, -es, ⸚er wood

die Holzbank, ⸚e wooden seat

hölzern wooden

holzgeschnitzt (of) carved wood

der Holzkasten, -s, - or ⸚ wooden box

der Holzschneider, -s, - wood carver

der Holzschnitt, -(e)s, -e wood-cut

der Holzschuh, -(e)s, -e wooden shoe

hörbar audible

horchen to listen (to)

hören to hear

hübsch pretty

der Hügel, -s, - hill

der Humanist', -en, -en humanist

der Hund, -(e)s, -e dog

hundert hundred

hundertjährig 100-year

der Hunger, -s hunger

hungern to starve, be hungry

der Hut, -(e)s, ⸚e hat

J

ich I

ideal' ideal

die Idee', -n idea

ihr her, their, its; you

Ihr archaic polite form of address used in *Germelshausen* and *Höher als die Kirche* in place of the modern Sie-form

der ihrige hers, theirs, its

Immensee Immensee

immer always, continually; — *comparative*, e.g., — schneller faster and faster; — nicht never; etwas — noch tun to continue doing something

imstande sein, (ist imstande), war imstande, ist imstande gewesen to be able

in in, into, at

indem as

indessen meanwhile, however

Indien, -s India

inmitten in the midst of

innen inside; nach — inwardly; von — from within

inner inner

die Inschrift, -en inscription

die Insel, -n island

das Inselstädtchen, -s, - little island city

214

Vocabulary

das Instrument', –(e)s, –e instrument

das Interes'se, –s, –n interest

sich interessieren (für) to be interested (in)

inzwischen meanwhile

irgend any, some; — etwas anything at all

sich irren to err, make a mistake

Ita'lien Italy

J

ja yes; indeed

jagen to chase

der Jäger, –s, – hunter

das Jahr, –(e)s, –e year

jahrelang for years

die Jahreszahl, –en year, date

jawohl yes indeed

das Jawort, –(e)s consent (to marry)

je the; ever; just; each; — . . . desto the . . . the

jeder each, every, all

jedermann everyone, anyone

jedesmal each time, every time

jedoch however

jemals ever

jemand somebody, someone

jener that

jenseit(s) on the other side (of)

jetzt now

der Jubel, –s jubilation, merriment, hilarity

der Jubelchor, –s, –e chorus of jubilation

jubeln to rejoice, shout with joy

die Jugend, –en youth

jung young

der Junge, –n, –n boy, lad, fellow; plu. young folks

die Jungfrau, –en virgin, maid, miss; die heilige — The Virgin Mary

jungfräulich virginal

der Jüngling, –s, –e youth, young man

der Juni, –s June

der Juwelier', –s, –e jeweler

K

der Kaffee, –s coffee

der Käfig, –s, –e cage

der Kahn, –(e)s, –e boat

der Kaiser, –s, – emperor

der Kaiserbaum, –(e)s, –e emperor's tree

das Kaiserbäumchen, –s, – emperor's (little) tree

die Kaiserkrone, –n imperial crown

der Kalk, –(e)s, –e plaster

kalt cold

der Kampf, –(e)s, –e conflict, struggle, battle

kämpfen to fight, struggle; — mit to struggle against

der Kana'rienvogel, –s, – canary

das Kapital', –s, –e capital

das Käppchen, –s, – little cap

der Kartenspieler, –s, – card player

die Kartoffel, –n potato

käseweiß white as a sheet

Kaspar Caspar

der Kasten, –s, – or – box, chest

katho'lisch Catholic

kaufen to buy

kaum hardly, scarcely, barely

die Kegelbahn, –en bowling alley

kegeln to bowl

kehren to turn; to go; to sweep

kein no, not any; —er no one, none; —(e)s none, no one, neither; — . . . mehr not a . . . (any) more

der Keller, –s, – cellar

die Kellertreppe, –n cellar stairs

die Kellertür, –en cellar door

der Kellner, –s, – waiter

kennen, kannte, gekannt to know, be acquainted with

der Kerl, –(e)s, –e fellow; ruffian

kerzengerade straight as a candle = straight as a string

die Kette, –n chain

der Kiel, –(e)s, –e keel

das Kind, –(e)s, –er child

das Kinderauge, –s, –n child's eye

die Kinderei', –en childish thing, childishness

die Kinderstimme, –n child's voice
kindisch childish
kindlich child-like
das Kinn, –(e)s, –e chin
die Kirche, –n church
das Kirchenbild, –(e)s, –er church painting
die Kirchentür, –en church door
die Kirchhofmauer, –n churchyard wall
kirchlich (of the) church
der Kirchturm, –(e)s, ⸗e church tower, steeple
die Kirchturmglocke, –n church bell
klagen to complain, lament
der Klang, –(e)s, ⸗e sound, tone, ring
klar clear
die Klasse, –n class, species
klatschen (in) to clap
das Kleid, –(e)s, –er dress; *plu.* clothes
(sich) kleiden to dress
die Kleidung, –en clothing
klein small, little
die Kleine (*adj. decl.*) little one, little girl
das Kleinste (*adj. decl.*) smallest (detail)
klingen, klang, geklungen to sound, ring out
das Klirren, –s clatter
klopfen to rap, knock, pound, beat
der Klopfer, –s, – knocker
das Kloster, –s, ⸗ convent, cloister
klug wise, intelligent, clever
der Knabe, –n, –n boy
die Knabenstimme, –n boy's voice
das Knie, –s, – knee
knien to kneel
knistern to crackle
der Knopf, –(e)s, ⸗e button, knob
knöpfen to button
knüpfen to tie, fasten
kochen to cook, boil
komisch funny, comical
kommen, kam, ist gekommen to come; to go

das Kompliment', –(e)s, –e compliment, best regards
können, (kann), konnte, gekonnt to be able to, can, may; Was kann ich dafür? What can I do about it? What can I do to help it?
der Kopf, –(e)s, ⸗e head
das Köpfchen, –s, – little head
der Kopfhänger, –s, – crape-hanger
kopfschüttelnd shaking one's head
die Koral'le, –n coral
der Korb, –(e)s, ⸗e basket
das Körbchen, –s, – little basket
der Körper, –s, – body
körperlich bodily, physical
kosten to cost
die Kraft, ⸗e strength, force; recht aus Kräften with all his might, with might and main
kräftig vigorous, strong
die Krähe, –n crow
krähen to crow
krank sick, ill, troubled
die Krankheit, –en illness, sickness
der Kranz, –es, ⸗e wreath
das Kraut, –(e)s, ⸗er plant; vegetable; herb
die Kreide, –n chalk, crayon
der Kreis, –es, –e circle
kreisen to circle
das Kreuz, –es, –e cross
das Kreuzchen, –s, – little cross
kreuzen to cross
die Krone, –n crown
krönen to crown
die Krönung, –en crowning, coronation
krumm bent, crooked, curving
die Kruste, –n crust
der Kuchen, –s, – cake
der Kuckuck, –s, –e cuckoo
die Kugel, –n sphere, ball
die Kuh, ⸗e cow
kühl cool
kühlen to cool
kühn bold
der Kummer, –s sorrow, grief
kümmern to trouble, concern; sich — um to bother about,

trouble oneself about, care about

die Kunst, ⸚e art

der Künstler, -s, – artist

das Künstlerauge, -s, -n artist's eye

die Künstlervision', -en artist's vision

der Kunstschatz, -es, ⸚e art treasure

das Kunstwerk, -(e)s, -e work of art

kurz short, brief; close; low

kurzsichtig short-sighted

der Kuß, Kusses, Küsse kiss

küssen to kiss

die Küste, -n coast

L

lächeln to smile

das Lächeln, -s, – smile

lachen to laugh

das Lachen, -s laughing

der Laden, -s, – or ⸚ store

die Lampe, -n lamp

das Land, -(e)s, ⸚er country; an — on land; auf dem —e in the country

die Landleute (plu.) country folk

die Landschaft, -en landscape

lang long; eine Stunde — for an hour

langbeinig long-legged

lang(e) a long time, for a long time; so —e until; so —e . . . bis until; seit so — for such a long time

langsam slow

längst for a very long time

lassen, (läßt), ließ, gelassen to let, allow, leave; to have, cause to be done, e.g., ich lasse mir ein neues Haus bauen I am having a new house built; — von to leave, forsake, give up, leave alone

die Last, -en load, burden, weight; zur — fallen to become a burden

lästig burdensome, troublesome

das Latein', -s Latin

das Latei'nisch(e) (adj. decl.) Latin

das Laub, -es foliage

das Laubgewölbe, -s, – arch of leaves, arch of foliage

die Laubwand, ⸚e wall of foliage

das Laubwerk, -(e)s foliage

der Lauf, -(e)s, ⸚e course

laufen, (läuft), lief, ist gelaufen to run; er läuft mir in den Weg he crosses my path

das Lauffeuer, -s wildfire

Laurella (Ital.) Laurella (diminutive of Laura)

lauschen to listen to

das Lauschen, -s listening

laut loud, aloud

der Laut, -(e)s, -e sound, tone

die Laute, -n lute (a mandolin-like instrument)

läuten to ring, toll, sound

lauter nothing but, pure

lautlos silent, unbroken, soundless

leben to live; Leben Sie wohl farewell, good-bye

das Leben, -s, – life, spirit

lebendig lively, living, alive

lebensfrisch lively, strong, vigorous

die Lebensgröße life size

das Lebewohl, -(e)s, -e farewell

leblos lifeless

das Lebtwohl, -s farewell

die Lebzeiten (plu.) lifetime; bei — in his lifetime

leer empty, vacant

legen to lay, place, put; to spread

lehnen to lean, rest

der Lehnstuhl, -(e)s, ⸚e armchair, easy chair

die Lehre, -n teaching, doctrine, lesson

lehren to teach

der Lehrer, -s, – teacher

der Lehrling, -s, -e apprentice

die Lehrzeit, -en (time or period of) apprenticeship

der Leib, -es, -er body

die Leiche, -n corpse; funeral

der Leichenzug, -(e)s, ⸚e funeral procession

leicht light, easy

das Leid, –(e)s sorrow, hurt

leiden, litt, gelitten to suffer, bear, endure, permit, tolerate, put up with

das Leiden, –s, – suffering

leider unfortunately

leise gentle, softly

die Leiter, –n ladder

lenken to turn; to direct

die Lerche, –n lark

lernen to learn, study

lesen, (liest), las, gelesen to read

das Lesen, –s reading

letzt last; —er latter; zum —enmal for the last time

das letztemal last time; zum letztenmal for the last time

leuchten to shine, give off light

leugnen to deny

die Leute (plu.) people, folks

das Licht, –(e)s, –er light

lichtscheu light-shy

der Lichtstrahl, –(e)s, –en ray of light

lieb dear, esteemed; — haben to like, care for; etwas am —sten tun to like best of all to do something

das Lieb, –es darling, sweetheart, love, dear

das Liebchen, –s, – darling, sweetheart

die Liebe, –n love; — zu love for, affection for

lieben to love

das Lieben, –s love, loving

der Liebende (adj. decl.) the one in love, loving one, lover

lieber rather; etwas — tun to prefer to do something

die Lie'beseti'ket'te, –n etiquette of love

der Liebesfrühling, –s, –e springtime of love

das Liebeslied, –(e)s, –er love song

liebevoll affectionate, loving

lieb=haben, (hat lieb), hatte lieb, liebgehabt to love, like

die Lieblingsblume, –n favorite flower

der Lieblingsschüler, –s, – favorite pupil

der Liebste (adj. decl.) dearest (one)

das Lied, –(e)s, –er song, melody

liegen, lag, gelegen to lie, be situated, be; to stay in bed

die Lilie, –n lily

link left

die Linke, –n left hand; zur —n to the left

links left, to the left; nach — to the left

das Linnen, –s, – linen

die Lippe, –n lip

das Lob, –(e)s praise

die Locke, –n curl, lock, hair

lockig curly

der Löffel, –s, – spoon

los loose, free

das Los, –es, –e lot; prize in a lottery; das große — ziehen to get the grand prize

los=binden, band los, losgebunden to untie

löschen to quench

lösen to loosen

los=gehen, ging los, ist losgegangen to start, start up, begin

los=lassen, (läßt los), ließ los, losgelassen to let loose, leave, let go, free

los=machen to free; sich — to free oneself

los=reißen, riß los, losgerissen to tear away, tear loose

der Löwe, –n, –n lion

der Löwenkopf, –(e)s, ⁻e lion's head

die Luft, ⁻e air, atmosphere; breeze

lüften to air, ventilate; to lift

die Lunge, –n lung(s)

die Lust, ⁻e desire; — haben to have a desire, to want

lustig gay, cheery, merry, joyous; sich — machen (über) to make fun (of)

M

machen to make, do; to put, take; to cause to

Vocabulary

die Macht, ⸗e might, power, force

mächtig mighty, powerful; master of

das Mädchen, -s, – girl

das Mädchengesicht, –(e)s, –er girl's face

mädchenhaft girlish

die Mädchenstimme, –n girl's voice

der Magistrat', –(e)s, –e magistrate

das Mahl, –(e)s, –e meal

die Maiblume, –n lily of the valley

Mailand Milan

majestä'tisch majestic

die Makkaro'ni (plu.) macaroni

mal = einmal once, just

das Mal, –(e)s, –e time; zum ersten —e for the first time

malen to paint

der Maler, -s, – painter

man (Gen. eines, Dat. einem, Acc. einen) one, people, you, someone

manch(er) many (a), much

manchmal often, sometimes

der Mann, –(e)s, ⸗er man; husband; zum —e as a husband

die Männergestalt, –en form of a man, male figure

die Manschet'te, –n cuff

der Mantel, -s, ⸗ cloak, coat

das Manuskript', –(e)s, –e manuscript

die Mappe, –n portfolio, briefcase

das Märchen, -s, – tale, fairy tale

Mari'a Santis'sima (Ital.) Most holy Mary, Good Heavens

Marisfeld Marisfeld

matt dull, dim, pale

die Mauer, –n wall

die Mauernische, –n niche in the wall

das Maul, –(e)s, ⸗er mouth (not in good usage for humans)

das Meer, –(e)s, –e sea, ocean

mehr more; nicht — no longer, not any more, not any longer; kein — no longer any, no . . . any longer

mehrere several

die Meile, –n mile

mein my

meinen to think; to mean; to say, remark; das sollt' ich — well, I should say so

meinetwegen on my account

die Meinung, –en opinion

meist most

der Meister, -s, – master

die Melodie', –n melody, tune

die Menge, –n group, throng, crowd

der Mensch, –en, –en man, mankind, human being, person; plu. people

das Menschenbild, –(e)s, –er human image

das Menschenkind, –(e)s, –er human child, child of man

menschenleer devoid of people

die Menschenmasse, –n mass of people, crowd of people

die Menschenmenge, –n mass of people

menschlich human

merken to mark, note, notice; to remember

merkwürdig noteworthy, remarkable

die Messe, –n mass

messen, (mißt), maß, gemessen to measure

das Messer, -s, – knife

metallisch metal, metallic

mild mild, gentle

minder less

die Minute, –n minute

mischen to mix (in)

mißhandeln to mistreat, treat poorly, maltreat

mit with, along, also, too

mit-arbeiten to work, work too, cooperate

mit-bringen, brachte mit, mitgebracht to bring along

miteinander with one another, with each other, together

mit-geben, (gibt mit), gab mit, mit⸗gegeben to give to

mit-helfen, (hilft mit), half mit, mit⸗geholfen to help out, assist

mit=können, (kann mit), konnte mit,
mitgekonnt to be able to go
along

das Mitleid, –s compassion, pity;
— mit pity on

mitleidig compassionate, with
pity

mitleidsvoll full of pity, pitying,
compassionate

mit=nehmen, (nimmt mit), nahm mit,
mitgenommen to take along,
take with

der Mittag, –(e)s, –e noon, midday; zu — at noon

das Mittagessen, –s, – dinner,
midday meal

mittags at noon

die Mittagshitze midday heat

das Mittagsmahl, –s, –e midday
meal

die Mittagszeit, –en noontime

die Mitte, –n middle, midst

mitten: — in in(to) the middle
of; — auf in(to) the middle of

mitunter now and then, occasion-
ally, at times

die Mode, –n fashion, style

mögen, (mag), mochte, gemocht
may, can, want to, like

möglich possible

der Monat, –(e)s, –e month

der Mond, –(e)s, –e moon

die Mondesdämmerung, –en pale
moonlight

das Mondlicht, –(e)s moonlight

der Mondstrahl, –(e)s, –en moon-
beam

mora'lisch moralizing, moral

morgen tomorrow; — früh tomorrow morning

der Morgen, –s, – morning

die Morgendämmerung, –en morning twilight

das Morgenlicht, –(e)s morning
light

morgens in the morning, morn-
ings

die Morgensonne morning sun

müde tired

die Mühe, –n difficulty; pains,
trouble

der Mund, –(e)s, –e mouth

das Münster, –s, – minster, cathedral

der Münsterplatz, –es, ⸗e cathedral
square

munter cheerful, merry

die Musik' music

der Musiker, –s, – musician

müssen, (muß), mußte, gemußt
must, have to, be obliged to;
can't help

müßig idle

der Mut, –es courage, spirit,
mood; es ist mir weh zu —e (or
zumute) I feel sad

die Mutter, ⸗ mother

das Mütterchen, –s, – little old
woman

mutterlos motherless

die Mütze, –n cap

N

na well

nach toward, after, of, at, to, according to; — und — little by
little, gradually

der Nachbar, –s or –n, –n neighbor

das Nachbardorf, –(e)s, ⸗er neighboring village

die Nachbarin, –nen (female)
neighbor

der Nachbarort, –(e)s, –e or ⸗er
neighboring village

das Nachbarskind, –(e)s, ⸗er neighbor's child

nachdem after

nach=fahren, (fährt nach), fuhr nach,
ist nachgefahren to row after

nach=folgen (ist) to follow after,
follow, go after

nach=fragen to ask for, inquire

nachher afterward, later

nach=holen to bring too, bring
after

nach=kommen, kam nach, ist nachge=
kommen to come behind, come
after, follow

nach=können, (kann nach), konnte nach,
nachgekonnt to be able to follow,
be able to go after

Vocabulary

der Nachmittag, –(e)s, –e afternoon
nachmittags in the afternoon(s)
die Nachmittagsstille afternoon
quiet
nach=rufen, rief nach, nachgerufen to
call after
nach=schauen to look at, look after
nach=schicken to send after
nach=sehen, (sieht nach), sah nach,
nachgesehen to look after
nach=springen, sprang nach, ist nach=
gesprungen to spring (in) after,
jump (in) after
nächst next, close
die Nacht, ⸗e night; auf die — for
the night; bis in die — hinein
till late at night, far into the
night
der Nachtfalter, –s, – moth
der Nachthimmel, –s, – night sky
die Nachtigall, –en nightingale
der Nachtisch, –es, –e dessert
nachts at night
der Nachttau, –(e)s, –e night dew
die Nadel, –n needle
der Nagel, –s, ⸗ nail
nah(e) near, close
die Nähe vicinity; in der — close
at hand
naheliegend nearby
nähen to sew
das Näherkommen, –s coming
closer
sich nähern to approach, come
near to, come closer to
näher=rücken (hat or ist) to approach, come closer
der Nähtisch, –es, –e sewing table
der Name, –ns, –n name
der Narr, –en, –en fool
die Narrheit foolish thing
närrisch foolish
die Nase, –n nose
naß wet
die Natur' nature
natürlich natural, naturally, of
course
das Nea'pel, –s Naples
der Neapolita'ner, –s, – man from
Naples, Neapolitan

der Nebel, –s, – fog, mist
neben beside, alongside of
das Nebenzimmer, –s, – adjoining
room
nehmen, (nimmt), nahm, genommen
to take; sich nicht — lassen not
to allow oneself to be deprived
of the pleasure of
neigen to bend, incline, lean;
to bow
nein no, indeed not
nennen, nannte, genannt to call,
mention, name
das Nest, –es, –er nest
das Netz, –es, –e net
neu new, fresh, other; aufs —e
anew; von —em again, anew
neuaufgehend newly dawning
neuer recent, modern
die Neu'gier curiosity
neugierig curious, inquisitive
neun nine
nicht not; — einmal not even;
— mehr no longer, not any
more
nichts nothing; — als nothing
but
nicken to nod
nie never
nieder down; lower
nieder=biegen, bog nieder, nieder=
gebogen (hat or ist) to bend
down, stoop down
nieder=fallen, (fällt nieder), fiel
nieder, ist niedergefallen to fall,
fall down
niedergeschlagen cast down, downcast
nieder=hängen or nieder=hangen,
(hängt nieder), hing nieder, nieder=
gehangen to hang down
nieder=knien to kneel down
die Niederlande (plu.) Netherlands
der Niederländer, –s, – Nether-
lander
(sich) nieder=lassen, (läßt nieder),
ließ nieder, niedergelassen to let
down, sit down, alight
nieder=legen to lay down
nieder=schlagen, (schlägt nieder),

221

schlug nieder, niedergeschlagen to cast down; niedergeschlagen downcast

nieder=schreiben, schrieb nieder, niedergeschrieben to write down

nieder=sehen, (sieht nieder), sah nieder, niedergesehen to look down

nieder=sinken, sank nieder, ist niedergesunken to sink down, fall; to kneel

nieder=steigen, stieg nieder, ist niedergestiegen to climb down, descend, go down

nieder=strahlen to beam down

niedrig low

niemals never

niemand no one

nimmer never

nirgends nowhere

die Nische, –n niche

noch still, yet, as yet, even, too, besides, in addition, or, nor; — ein another; — einmal again, once more; etwas — immer tun to keep on doing something; — kein no . . . yet; — nicht not yet, not as yet; — nichts nothing as yet; weder . . . — neither . . . nor

der Norden, –s north

der Nordosten, –s northeast

die Not, =e need, trouble, want; mit — with difficulty

die Note, –n note

nötig necessary; — haben to be necessary, have to, need

das Notwendige (adj. decl.) that which is necessary

nun now; well, well then; why

nur only, but, even, just

Nürnberg Nuremberg

nutzen or nützen to make use of, be of use

nutzlos useless

O

ob whether, if; you ask me whether

oben above, upstairs, up there; nach — up, to the top

ober upper

die Oberfläche, –n (upper) surface

der Oberrhein, –(e)s upper Rhine (river)

obgleich although

der Obstbaum, –(e)s, =e fruit tree

obwohl although

oder or; entweder . . . — either . . . or

der Ofen, –s, = stove

offen open; candid, sincere

offenbar apparent, obvious

öffnen to open; sich — to open, be opened

oft often

öfter more often, more frequently, rather often

ohne without; — etwas zu tun without doing something

das Ohnesorge Sans Souci, without care

das Ohr, –(e)s, –en ear

der Onkel, –s, – uncle

ordentlich regular

ordnen to arrange, classify

die Ordnung, –en order, classification

der Ort, –es, –e or =er place, town

der Osten, –s east

das Ostermärchen, –s, – Easter story, Easter tale

die Ostern (plu.) Easter

P

paar couple, few; ein — a couple of, a few; ein —mal a couple of times; —weise in pairs, in groups

das Paar, –(e)s, –e pair, couple

ein paarmal a few times

paarweise in pairs

der Padre (Ital.) father; priest

Pah! Bah!

das Paket', –(e)s, –e package

das Papier', –s, –e paper

die Papier'rolle, –n roll of papers

der Papst, –es, =e Pope

das Pärchen, –s, – little couple

die Passa'ge, –n passage

Vocabulary

paſſen to be fitting, be suitable, fit, suit

die Pauſe, –n pause, recess

das Pergament', –(e)s, –e parchment

der Pergament'band, –(e)s, ⸚e parchment volume

die Perle, –n pearl

die Perſon', –en person

der Pfad, –(e)s, –e path

der Pfarrer, –s, – clergyman, minister, priest

die Pfeife, –n pipe; whistle

das Pferd, –(e)s, –e horse

die Pflanze, –n plant, herb

pflanzen to plant

das Pflanzenblatt, –(e)s, ⸚er plant leaf

pflegen to nurse, care for, tend; to be accustomed to, be in the habit of, be used to

die Pflicht, –en duty

der Pflug, –(e)s, ⸚e plow

pfui pshaw

die Phantaſie', –n imagination, phantasy

Pia'ſter piaster (*old Ital. coin*)

picken to peck

der Plan, –(e)s, ⸚e plan

der Plaſtiker, –s, – plastic artist, sculptor

die Platte, –n plate, slab; plate (for woodcuts)

das Plattenſchneiden, –s engraving woodcuts

der Platz, –es, ⸚e room, place, courtyard, square, seat

plötzlich sudden, all at once

das Porträt', –(e)s, –e portrait, picture

die Porzellan'vaſe, –n porcelain (china) vase

die Poſt, –en post, mail

der Poſtwagen, –s, – mail coach, stagecoach

preſſen to press

der Prieſter, –s, – priest

der Prinz, –en, –en prince

die Prinzeſ'ſin, –nen princess

der Prophet', –en, –en prophet

prüfen to test

das Publikum, –s public

das Pult, –(e)s, –e desk

der Punkt, –(e)s, –e point

putzen to polish; to adorn, decorate

R

Rachela (*Ital.*) Rachela, Rachel

der Rachen, –s, – throat, jaws

das Rad, –(e)s, ⸚er wheel

der Rahmen, –s, – frame

der Rand, –es, ⸚er edge, rim, brim

raſch rapid, quick

raſcheln to rustle

der Raſen, –s, – turf, sod

das Raſenſtück, –(e)s, –e piece of sod

der Rat, –(e)s, ⸚e advice; council; councilor, councilman

raten, (rät), riet, geraten to advise; to guess

das Rathaus, –es, ⸚er city hall

ratlos perplexed

der Ratsbuchhalter, –s, – book-keeper of the council

der Ratsdiener, –s, – servant of the council

der Ratsherr, –n, –en councilor, councilman

die Ratsherrntochter, ⸚ councilman's daughter

der Ratskeller, –s, – tavern, café, restaurant

die Ratsſitzung, –en session of the council, meeting of the council

die Ratstochter, ⸚ daughter of a councilor

der Rauch, –(e)s smoke, mist

rauchen to smoke

rauchgeſchwärzt smoke-stained, smoke-blackened, sooty

rauh rough, hoarse, rude

der Raum, –(e)s, ⸚e room, space

rauſchen to rustle

rechnen to calculate

recht right, correct; very, very much, quite; — haben to be right; etwas Rechtes something worthwhile, really something; nach dem Rechten ſehen to look after things

223

das Recht, –es, –e right; due; law
die Rechte, –n right hand
rechts right, to the right; nach — to the right
die Rede, –n speech, talk; eine — halten to make a speech *or* a talk; vom dem ist die — people are talking about that, there is a lot of talk about that
reden to speak, talk
der Reformationskampf, –(e)s, ̈e struggle of the Reformation
der Regen, –s, – rain
der Regenbogenglanz, –es glitter, *or* luster of the rainbow
der Regentropfen, –s, – rain-drop
reiben, rieb, gerieben to rub
reich rich
das Reich, –(e)s, –e nation
reichen to give, pass, hand, extend
die Reihe, –n row, series, line, row of people; der — nach in order, one after the other
der Reim, –(e)s, –e rhyme
rein clear, pure, clean
die Reine purity
Reinhard, –s Reinhard
die Reise, –n journey, trip
reisefertig ready for the journey
die Reisekleider (*plu.*) traveling clothes
reisen (ist) to go, travel
der Reisende (*adj. decl.*) traveler
reißen, riß, gerissen to tear
reiten, ritt, ist geritten to ride (on a horse)
reizen to provoke, irritate; to charm
reizend charming
der Respekt', –s respect; in — halten to restrain, keep within bounds
der Rest, –es, –e rest, remainder; *plu.* remains
das Restaurant', –s, –s restaurant
retten to save, rescue
die Rettung, –en escape, salvation
der Rhein, –(e)s Rhine (river)
richtig well, right, correct, sure
die Richtung, –en direction
riechen, roch, gerochen to smell

die Rinde, –n bark
der Ring, –(e)s, –e ring
ringen, rang, gerungen to wring
ringförmig ring-shaped, circular round
der Rock, –(e)s, ̈e coat; dress, skirt
das Röckchen, –s, – little coat; little skirt
rollen to roll
die Rose, –n rose
das Rosenbäumchen, –s, – little rose bush
das Rosenblatt, –(e)s, ̈er rose leaf
der Rosendorn, –(e)s, –e(n) rose thorn
der Rosenstock, –(e)s, ̈e rosebush
das Röslein, –s, – little rose
das Rot, –es red (color), blush
rotbäckig rosy-cheeked
die Röte redness, blush
röten to redden, blush
rotseiden red-silk
rücken (hat *or* ist) to move, push; an (dem Hut) — to touch *or* tip (one's hat); näher — to approach, come closer
der Rücken, –s, – back
die Rückfahrt, –en return trip
die Rückwand, ̈e back wall
rückwärts back, backwards
der Rückweg, –(e)s, –e way back, road back, return
das Ruder, –s, – oar; das — führen to handle the oar(s)
die Ruderbank, ̈e rowing seat
rudern to row, strike out
das Rudern, –s rowing
der Ruderschlag, –(e)s, ̈e stroke (of the oar)
rufen, rief, gerufen to call, cry, say
die Ruhe, –n rest, quiet
ruhen to rest
ruhig calm, quiet; nur — easy, take it easy
rühren to stir, move; vom Donner gerührt thunderstruck; vom Schlag gerührt touched with a stroke (of apoplexy)
rund round

der **Rundhut**, –(e)s, ⸗e round hat, soft hat

runzeln to wrinkle

S

der **Saal**, –(e)s, **Säle** room, hall

die **Saaltür**, –en door to the hall, door to the large room

die **Sache**, –n thing, affair, matter

die **Sage**, –n saying, legend, tale

sagen say, tell, talk

der **Sakristan'**, –s, –e sexton

der **Samen**, –s, – seed

sammeln to collect, gather

das **Sammetbarett**, –(e)s, –e velvet beret

der **Sand**, –(e)s, –e sand

sanft soft, gentle, placid

Sankt (*indeclinable adj.*) saint; — **Marien** St. Mary's

das **Sanssouci** = ohne **Sorge** carefree

der **Sarg**, –(e)s, ⸗e coffin

sauber neat

sauer sour; hard, difficult

schaden to harm, damage

der **Schade(n)**, –s, – *or* ⸗ harm, damage; loss

schaffen (*weak verb*) to make, do, procure; (*strong verb*) —, **schuf**, **geschaffen** to create; **sich an etwas zu — machen** to busy oneself with something

das **Schaffen**, –s creating

sich schämen to be ashamed of

scharf sharp, keen; shrill

der **Schatten**, –s, – shade, shadow

schattenlos shadeless, in full sunshine

schattig shady

der **Schatz**, –es, ⸗e treasure, sweetheart

schaudern to shudder

schauen to look, see; to stare

der **Schauer**, –s, – storm, shudder; wave

schaukeln to shake

die **Scheibe**, –n disk; windowpane

scheiden, **schied**, **ist geschieden** to part, separate; to depart

der **Schein**, –(e)s, –e light, glow

scheinen, **schien**, **geschienen** to seem, appear

die **Schelle**, –n bell

schelten, (**schilt**), **schalt**, **gescholten** to scold, rebuke, reprimand

schenken to give, present

der **Scherenschleiferkarren**, –s, – scissors grinder's cart

scheu shy, timid

schicken to send

schieben, **schob**, **geschoben** to push, shove

schießen, **schoß**, **geschossen** to shoot

das **Schiff**, –(e)s, –e boat

das **Schiffchen**, –s, – little boat

der **Schiffer**, –s, – boatman

der **Schimmer**, –s gleam

schimmern to sparkle, shine, glimmer, glisten, shimmer

der **Schimpf**, –(e)s, –e insult

das **Schlachtfeld**, –(e)s, –er battlefield

der **Schlaf**, –(e)s sleep

die **Schläfe**, –n temple

schlafen, (**schläft**), **schlief**, **geschlafen** to sleep

schläfrig sleepy

der **Schlag**, –(e)s, ⸗e stroke, beat, beating, blow; pulsation

schlagen, (**schlägt**), **schlug**, **geschlagen** to strike, beat, drive; to play; to sing

das **Schlagen**, –s striking, beating, tolling

schlank slender, slim

schlecht bad, mean

schließen, **schloß**, **geschlossen** to close, make, conclude

schlimm bad; —er worse

schlingen, **schlang**, **geschlungen** to sling, wrap

das **Schloß**, **Schlosses**, **Schlösser** castle

schluchzen to sob

das **Schluchzen**, –s sobbing

der **Schlüssel**, –s, – key

das **Schlüsselkörbchen**, –s, – little basket of keys

der **Schmerz**, –es, –en pain, ache, anguish, sorrow

Vocabulary

ſchmerzlich painful, sorrowful
die Schminke, –n rouge
ſchminken to rouge, redden
ſchmutzig dirty
ſchnallen to buckle, strap
der Schnallenſchuh, –(e)s, –e buckle shoe
der Schnee, –s snow
ſchneeig snowy
ſchneeweiß snow-white, snowy
ſchneiden, ſchnitt, geſchnitten to cut, carve; ein Geſicht — to make a face
der Schneider, –s, – tailor
ſchnell quick, fast
ſchnitzen to carve
die Schnitzerei', –en carving
das Schnitzwerk, –(e)s, –e carved work, carving
ſchon already; quite, indeed, very; surely, certainly, all right; even; right away
ſchön beautiful; fine, pretty; handsome, hearty
die Schönheit, –en beauty
der Schornſtein, –(e)s, –e chimney
der Schrank, –(e)s, ⸚e closet, cabinet
der Schreck, –s, –e fright, terror
der Schrecken, –s, – fright, terror
der Schrei, –(e)s, –e cry, shout
ſchreiben, ſchrieb, geſchrieben to write
das Schreiben, –s writing; letter
der Schreiber, –s, – writer, clerk, secretary
der Schreibtiſch, –es, –e writing desk
ſchreien, ſchrie, geſchrieen to cry, shout
ſchreiten, ſchritt, iſt geſchritten to stride, step; to walk, go
die Schrift, –en writing, lettering, script
der Schritt, –(e)s, –e step, stride; einen — tun to take a step
der Schuh, –(e)s, –e shoe; foot
der Schuhmacher, –s, – shoemaker
ſchuld guilty; — ſein (an) to be responsible (for)

die Schuld, –en guilt, blame; es iſt — daran it is to blame for the fact
ſchuldig guilty; owing; ich bin es dir — I owe it to you
die Schule, –n school
der Schüler, –s, – student
das Schulhaus, –es, ⸚er schoolhouse
der Schullehrer, –s, – (school) teacher
der Schulmeiſter, –s, – schoolmaster
die Schulter, –n shoulder
der Schulze, –n, –n mayor
die Schürze, –n apron
ſchütteln to shake; mit dem Kopf — to shake one's head
ſchützen to protect, shelter; — vor to protect from
ſchwach weak
ſchwanken to stagger, totter, waver
ſchwarz black
ſchwarzſeiden black silk
ſchwatzen to chat, gossip
ſchweigen, ſchwieg, geſchwiegen to be silent, become silent
das Schweigen, –s silence
ſchweigend silently, silent
ſchweigſam silent, taciturn
der Schweiß, –es, –e sweat, perspiration
ſchweißbedeckt sweaty, covered with perspiration
der Schweißtropfen, –s, – bead of perspiration
ſchwer heavy; hard, difficult; deep; strong
die Schweſter, –n sister
ſchweſterlich sisterly
der Schwiegerſohn, –(e)s, ⸚e son-in-law
ſchwimmen, ſchwamm, iſt geſchwommen to swim, float
das Schwimmen, –s swimming
ſchwinden, ſchwand, iſt geſchwunden to vanish, disappear
ſechs six
ſechzehn sixteen
der See, –s, –n lake
die Seele, –n soul

226

Vocabulary

der Seevogel, –s, ⸚ sea-bird

das Segel, –s, – sail

segelfertig ready to sail

segnen to bless, reward, bestow a blessing upon; sich — to be thankful

sehen, (sieht), sah, gesehen to see, look; vor sich hin — to gaze into space

(sich) sehnen to long (to), to long to be; — nach to long for

die Sehnsucht, ⸚e (nach) longing (for)

sehr very; much, very much

die Seide, –n silk

das Seidewickeln, –s silk-winding

das Seil, –(e)s, –e rope

sein, (ist), war, gewesen to be; es ist mir it seems to me; es ist mir wohl I like it, I feel well

sein (adj.) his, its, her

das Seine (adj. decl.) his (share)

die Seinen (plu.) his own folks, his people

seit for, since

seitdem since then; since

die Seite, –n side, page

der Seitengang, –(e)s, ⸚e side passage, side hall

der Seitenpfad, –(e)s, –e by-path, side path

die Sekunde, –n second

selber my-, your-, him-, her-, itself, our-, your-, themselves

selbst even; my-, your-, him-, her-, itself; our-, your-, themselves; — wenn even if

selig happy, blissful; deceased, late

die Seligkeit, –en bliss

selten infrequent, seldom

seltsam strange, odd, curious

senden, sandte, gesandt to send

senken to lower; to bow

servieren to serve

setzen to put, set; sich — to sit down, be seated

seufzen to sigh

der Seufzer, –s, – sigh

sich (3rd person reflexive pronoun)

him-, her-, it-, yourself; them-, yourselves; each other, one another

sicher certain, sure, secure

die Sicherheit safety

sicherlich certainly, surely

die Sicht sight

sichtbar visible

sie she, they, it

Sie you

sieben seven

siebenjahrelang seven-year-long

siebzehn seventeen

siebzehnjährig seventeen-year-old

der Sieg, –(e)s, –e victory

silbern silvery, (of) silver

der Silberstern, –(e)s, –e silver star

singen, sang, gesungen to sing

sinken, sank, ist gesunken to sink, fall, drop

der Sinn, –(e)s, –e mind; sense; plu. senses; die Sinne schwinden mir my senses reel

sitzen, saß, gesessen to sit, be situated

der Sitzungssaal, –(e)s, –säle session hall

so so, thus, then; such; as; in this manner, in such a way, in the same way, in this way; — ein such a

sobald so soon, as soon as

sogar even

sogleich at once

der Sohn, –(e)s, ⸚e son

solang(e) as long as

solch(er) such, that

sollen, (soll), sollte, gesollt ought to, should; to be to, shall, be obliged to; to be said to

der Sommer, –s, – summer

der Sommerabend, –(e)s, –e summer evening

die Sommernacht, ⸚e summer night

sommers in or during summer

sonderbar strange, queer

sondern but (on the contrary)

die Sonne, –n sun

sonnenbeschienen sunlit

der Sonnenbrand, –(e)s, ⁓e sun
  burn, sun's glare
der Sonnenglanz, –es sun's
  splendor, sunlight
sonnenheiß hot with the sun
der Sonnenschein, –(e)s sunlight,
  sunshine
der Sonnenstrahl, –(e)s, –en sun's
  ray
der Sonnenuntergang, –(e)s, ⁓e
  sunset
sonnig sunny, sunlit
der Sonntag, –(e)s, –e Sunday
sonst otherwise, formerly
die Sorge, –n care, worry, sorrow
sorgen to care, bother, worry;
  to take care, provide
die Sorgfalt care
sorgfältig careful
Sorrent' (town of) Sorrento
Sorrenti'ner of Sorrento
soviel as far as, as much as
spannen to hitch
sparen to save
spät late
der Spätherbstnachmittag, –(e)s,
  –e late autumn afternoon
spazieren=gehen, ging spazieren, ist
  spazierengegangen to walk, take
  a walk, stroll
der Spaziergang, –(e)s, ⁓e walk,
  stroll
der Spiegel, –s, – mirror
das Spiegelbild, –(e)s, –er image
spiegelglatt smooth as a mirror,
  smooth as glass
das Spiel, –(e)s, –e play, game
spielen to play
der Spielkamerad , –en, –en play-
  mate
die Spielsache, –n plaything
die Spindel, –n spindle (for winding yarn and thread for weaving
  or spinning)
das Spindelchen, –s, – little spindle
spinnen, spann, gesponnen to spin
die Spinnfrau, –en spinner, spinning woman
das Spinnrad, –(e)s, ⁓er spinning
  wheel

die Spitze, –n tip, top
die Sprache, –n language; speech
sprachlos speechless, silent
sprechen, (spricht), sprach, gesprochen
  to speak, say; dafür — to give
  testimony to it
der Sprecher, –s, – speaker
springen, sprang, ist gesprungen to
  spring, jump
die Spur, –en trace, mark, print
der Stab, –(e)s, ⁓e stick, staff,
  cane; wand
die Stadt, ⁓e city, town
das Städtchen, –s, – little city
das Stadtgespräch, –(e)s, –e talk
  of the town
der Stadtherr, –n, –en city gentleman
der Stamm, –(e)s, ⁓e trunk, stalk
das Stämmchen, –s, – small trunk
stammeln to stammer
stärken to strengthen
starr rigid, fixed
die Station', –en station
statt instead of
stattlich stately
der Staub, –es, –e dust
staunen to be astonished
das Staunen, –s astonishment
stecken to put; to be
stehen, stand, gestanden to stand;
  to be; es steht mir gut it is
  becoming to me; wie steht's
  how is everything
stehen=bleiben, blieb stehen, ist stehen=
  geblieben to stop, stand still,
  remain standing
stehlen, (stiehlt), stahl, gestohlen to
  steal; sich — to sneak, creep
steif rigid
steigen, stieg, ist gestiegen to climb,
  ascend, mount, rise, go
steil steep
der Stein, –(e)s, –e stone
steinern stone, of stone
der Steinmetz, –en, –en stone-
  cutter
die Steintreppe, –n stone stairs
der Steinwurf, –(e)s, ⁓e stone's
  throw
die Stelle, –n place, spot

Vocabulary

ſtellen to put, place, set

die Stellung, –en position

ſterben, (ſtirbt), ſtarb, iſt geſtorben
to die

der Sterbende (adj. decl.) dying
person

der Stern, –(e)s, –e star

ſternenhell bright with stars, starry

Stieglitz Stieglitz

ſtill still, quiet, on the quiet

die Stille, –n silence, stillness,
quiet

ſtill=ſchweigen, ſchwieg ſtill, ſtill=
geſchwiegen to be silent, become
silent

das Stillſchweigen, –s silence

ſtillſchweigend silent, silently

ſtill=ſtehen, ſtand ſtill, ſtillgeſtanden
to stop, stand still

die Stimme, –n voice; vote; mit
halber — softly, sotto voce

die Stirn(e), –(e)n brow, forehead

der Stock, –(e)s, –e stick, cane

der Stoff, (e)s, –e stuff, material

der Stolz, –es pride

ſtolz (auf) proud (of)

der Storch, –(e)s, –e stork

ſtören to bother, trouble

der Stoß, –es, –e push, thrust,
stroke; blast

ſtoßen, (ſtößt), ſtieß, hat or iſt ge=
ſtoßen to push, strike, thrust

der Strahl, –(e)s, –en ray, beam

ſtrahlen to radiate, beam

Straßburg Strasbourg

die Straße, –n street

die Straßenecke, –n street corner

der Stra'ßenmuſikant', –en, –en
street musician

ſtreben to strive

das Streben, –s striving, endeavor, ambition

die Strecke, –n stretch, distance

ſtrecken to stretch; ſich — to
stretch, extend

ſtreichen, ſtrich, hat or iſt geſtrichen
to stroke; to go

der Streit, –(e)s, –e quarrel, dispute

ſtreiten, ſtritt, geſtritten to quarrel,
dispute

ſtreng(e) strict, severe; auf das
—ſte most strictly

ſtreuen to strew, scatter

das Strohdach, –(e)s, –er straw
roof, thatched roof

der Strohhut, –(e)s, –e straw hat

der Strom, –(e)s, –e stream, cur-
rent

ſtrömen to stream, flow

das Stübchen, –s, – little room

die Stube, –n room

die Stubentür, –en door to the
room

das Stück, –(e)s, –e bit, piece

der Student', –en, –en (university)
student

der Studen'tentiſch, –es, –e student
table

das Studium, –s, Studien study

der Stuhl, –(e)s, –e chair

ſtumm silent, in silence; dumb,
mute, speechless

der Stümper, –s, – bungler

das Stündchen, –s, – (little) hour

die Stunde, –n hour

ſtundenlang for hours at a time

der Sturm, –(e)s, –e storm, wave

ſtürzen to dive, plunge, rush,
throw oneself, fall

ſtützen to prop, support; ſich — lean

ſuchen to look for, seek; — nach
to look for, seek after

das Suchen, –s looking, search

ſüddeutſch south German

der Süden, –s south

ſüdlich southern

die Summe, –n amount, sum

ſummen to hum

der Sumpf, –(e)s, –e swamp

ſumpfig swampy

das Sumpfwaſſer, –s, – boggy
water, water in the swamp

die Sünde, –n sin

ſündhaft sinful

ſündlich sinful

ſüß sweet, delicious

T

die Tafel, –n slate; table; — wird
gehalten they eat or dine

229

Vocabulary

der **Tag,** –(e)s, –e day; alle —e
every day; — für — day after
day; zu —e kommen to come
forth, come to light

der **Tagedieb,** –(e)s, –e loafer, idler

der **Tagesanbruch,** –(e)s, ⸚e break
of day, dawn

die **Tageszeit,** –en time of day

das **Tagewerk,** –(e)s, –e day's work

der **Takt,** –(e)s, –e tempo, beat

das **Tal,** –(e)s, ⸚er valley, dale

die **Tanne,** –n fir (tree)

der **Tannenbaum,** –(e)s, ⸚e Christmas tree; fir tree

das **Tannendunkel,** –s darkness of
the firs

der **Tannenwald,** –(e)s, ⸚er fir forest

die **Tante,** –n aunt

der **Tanz,** –es, ⸚e dance

tanzen to dance

der **Tänzer,** –s, – dancer, partner

der **Tanzsaal,** –(e)s, –säle dance
hall

die **Tasche,** –n pocket

das **Taschentuch,** –(e)s, ⸚er hand-
kerchief

der **Tau,** –(e)s, –e dew

die **Taube,** –n pigeon, dove

tauchen (ist) to dive

taugen to be good for, be worth,
be fit for, be fitting

das **Taunusgebirge,** –s the Taunus Mountains (*between the
Rhine and the Main Rivers*)

die **Tauperle,** –n pearl of dew

tausend (a) thousand; was tau=
send! what on earth!

tausendmal (a) thousand times

der **Teil,** –(e)s, –e part, section,
portion

teilen to share, divide

der **Telegraph',** –en, –en telegraph

der **Teller,** –s, – plate

das **Tempo,** –s, –s tempo

die **Terras'se,** –n terrace

das **Testament',** –(e)s, –e testament

der **Thy'mian,** –s, –e thyme

tief deep, low

tiefbewegt deeply moved

die **Tiefe,** –n depth(s)

tieftraurig very sad

die **Tinte,** –n ink

das **Tintenfaß,** –fasses, –fässer inkwell

der **Tisch,** –es, –e table, desk

die **Tochter,** ⸚ daughter

der **Tod,** –(e)s death

todesmüde dead tired, tired to
death

die **Toilet'te,** –n dressing, toilet

der **Ton,** –(e)s, ⸚e tone, sound

tönen to sound, resound; to ring

Toni'no (*Ital.*) Tonino, Tony

das **Tor,** –(e)s, –e gate

der **Torni'ster,** –s, – knapsack

tot dead, lifeless

der **Tote** (*adj. decl.*) the dead

töten to kill

totenähnlich death-like

die **Totenklage,** –n death lament

totmüde dead tired

die **Tracht,** –en style; costume;
dress

tragen, (trägt), trug, getragen to
carry, bear; to wear; sich — to
wear, dress

die **Träne,** –n tear

trauen to trust; to marry

der **Traum,** –(e)s, ⸚e dream

träumen to dream

träumerisch dreamily

traurig sad; depressed; gloomy

die **Traurigkeit,** –en sadness, grief,
sorrow, melancholy

treffen, (trifft), traf, getroffen to
meet, find; to catch; to touch,
strike; sich — to happen, occur

treiben, trieb, getrieben to drive;
to do, carry on; to send; to
get

trennen to cut off, separate

die **Treppe,** –n steps, stair(s)

treten, (tritt), trat, ist getreten to
step, walk; to go, come; mit
Füßen — to kick, kick around

treu true, faithful

treuherzig sincere, faithful

der **Treuliebste** (*adj. decl.*) most
dearly loved-one

trinken, trank, getrunken to drink

der Tritt, –(e)s, –e footstep

der Triumph'bogen, –s, – or ⁔ triumphal arch

trocken dry; –en Fußes without getting his feet wet

trocknen to dry

die Trompe'te, –n trumpet

tropfen to drip, drop

der Tropfen, –s, – drop

trotz in spite of

der Trotz, –es defiance

trotzen to defy; to struggle

trotzig defiant

der Trotzkopf, –(e)s, ⁔e hothead

Trudchen Trudchen, Trudy

das Tuch, –(e)s, ⁔er cloth; scarf; kerchief

das Tüchlein, –s, – kerchief

tun, tat, getan to do, act, make, work; to take, put; vor sich selbst — to act, make believe; was tut's what's the difference; weh — to hurt, pain, cause pain

das Tun, –s doing, activity

die Tür, –en door; ich höre eine — gehen I hear a door being opened; unter der — in the doorway

die Türglocke, –n doorbell

der Türke, –n, –n Turk

die Türklinke, –n latch

der Turm, –(e)s, ⁔e tower

sich türmen to tower

U

übel bad

üben to practice, exercise; to devote

über over, above, across; about, concerning; past; — und — all over

überall everywhere

der Überblick, –(e)s, –e view

überblicken to look over, take in

die Überfahrt, –en trip across, crossing

überfallen, (–fällt), –fiel, –fallen to overcome; to seize

überfliegen, –flog, –flogen to go through, permeate

übergeben, (–gibt), –gab, –geben to give over to, turn over to

über=hängen, hing über, übergehangen to hang over, overhang; —d overhanging

überhaupt in general, on the whole, at all; — nicht not at all

überlaut very loud

überlegen to consider, think over

übermannen to overcome, overwhelm

übermorgen day after tomorrow

übernehmen, (–nimmt), –nahm, –nommen to take over, assume, undertake

überraschen to surprise

die Überraschung, –en surprise

der Überrock, –(e)s, ⁔e overcoat

die Überschrift, –en heading, title

übersehen, (–sieht), –sah, –sehen to look over, look around; to fail to see, overlook

überströmend overflowing

übertragen, (–trägt), –trug, –tragen to turn over to, entrust to

überzweigen to branch over, cover with branches

übrig other, remaining

das Ufer, –s, – bank, shore

der Uferrand, –(e)s, ⁔er edge of the bank, edge of the shore

der Ufersand, –(e)s, –e sand on the shore

die Uferseite, –n (side of the) shore

die Uhr, –en clock; o'clock

um around, about; at; over; with; for; by; — ... her around, about, round about; — ... herum around; — meinetwegen on my account; — ... willen for the sake of; — ... zu (with infin.) in order to

um=biegen, bog um, umgebogen to bend over, bend around, curve

(sich) um=blicken to look around

umfassen to envelop, embrace

umgeben, (–gibt), –gab, –geben to surround, encircle

die Umge'bung, –en surroundings, environs

Vocabulary

um=gehen, ging um, ist umgegangen to go around (with), associate (with)

umher about, around

umher=liegen, lag umher, umher=legen to lie about, lie around

umher=schwimmen, schwamm umher, ist umhergeschwommen to swim around, swim about

umher=spazieren (ist) to walk around, walk about

sich umher=treiben, trieb umher, um=hergetrieben to wander about

das Umherwandern, –s wandering about

umher=werfen, (wirft umher), warf umher, umhergeworfen to cast around, cast about

um=kehren to turn upside down; sich — to turn around

um=schauen to look around

umschließen, –schloß, –schlossen to enclose, surround

(sich) um=sehen, (sieht um), sah um, umgesehen to look around

umsonst in vain, for nothing

(sich) um=wenden, wandte um, umge=wandt to turn around, turn over

um=werfen, (wirft um), warf um, umgeworfen to knock over, overturn

umwinden, –wand, –wunden to en=twine, encircle

unbeachtet unnoticed, unheeded

unbedeutend insignificant

unbefangen naïve, simple, unaf=fected, innocent

die Unbefangenheit simplicity, na=ivete

unbekannt unknown

unberühmt unknown (to fame)

unberührt untouched

unbeweglich motionless, still, im=movable

unbewußt unconscious

und and

undurchdringlich impenetrable

unerhört unheard of

unermüdlich untiring

unerschrocken unabashed, unafraid

unerwartet unexpected

unfreundlich unfriendly

ungehört unheard

ungestört undisturbed

ungeübt untrained, unskilled

ungewiß uncertain

die Ungewißheit, –en uncertainty

ungewohnt unaccustomed

ungläubig unbelieving, skeptical

das Unglück, –(e)s, –e misfortune, accident

unglücklich unhappy

unheimlich uncanny, weird

unhöflich impolite, rude

die Unhöflichkeit, –en discourtesy

das Universitäts'leben, –s univer=sity life

unmerklich unnoticeable, slight

unmöglich impossible

unnötig unnecessary

unnütz useless

unrecht haben to be wrong

die Unruhe, –n unrest

unruhig uneasy

unsanft none too gentle

unschlüssig undecided, uncertain, inconclusive

unser our

unsicher uncertain

unsichtbar invisible

unten (down) below, down, be=neath, on the bottom

unter under, beneath, among, amid, in the midst of

unterbrechen, (–bricht), –brach, –brochen to interrupt

unterhalten, (–hält), –hielt, –halten to entertain; sich — to converse

die Unterhal'tung, –en pastime, entertainment, amusement; con=versation

unternehmen, (–nimmt), –nahm, –nommen to undertake

das Unternehmen, –s, – undertak=ing, venture

unterrichten to instruct

unterscheiden, –schied, –schieden to distinguish, recognize, make out, discern; sich — to differ

unterwegs on the way

unverwundet unwounded, unin=jured

232

unwillkürlich involuntary

unzeitig untimely

uralt very old, ancient

der Urton, –(e)s, ⸚e primeval tone or sound

die Ur=Ur=Großmutter, ⸚ great-great-grandmother

usw. = und so weiter etc., et cetera, and so forth

V

der Vater, –s, ⸚ father

das Vaterland, –(e)s, ⸚er fatherland, own country

die Vaterstadt, ⸚e home town

sich verändern to change

die Veränderung, –en change

die Veranlassung, –en inspiration, motivation, cause

der Verband, –(e)s, ⸚e bandage

verbannen to banish, exile

verbergen, (verbirgt), verbarg, verborgen to hide, conceal

verbessern to correct, improve

die Verbesserung, –en betterment, improvement

verbieten, –bot, –boten to forbid, prohibit

verbinden, –band, –bunden to connect, join, unite; to bandage

die Verbindung, –en connection, contact

verbrauchen to use up, use completely

verbrennen, –brannte, –brannt to burn (up)

verbringen, –brachte, –bracht to spend (time), pass (time)

verdanken to owe, be obliged for; ich verdanke ihm alles I owe it all to him

verderben, (–dirbt), –darb, hat or ist verdorben to spoil, ruin

verdienen to deserve, earn

verdrießlich vexed, irritated, irritable

verdunkeln to darken, obscure

der Verein, –s, –e club

vereinen to unite

verfassen to write, compose

vergeben, (–gibt), –gab, –geben to forgive

das Vergeben, –s forgiveness

vergebens in vain

vergehen, –ging, ist vergangen to go by, pass, pass away, pass by

vergessen, (–gißt), –gaß, –gessen to forget

vergleichen, –glich, –glichen to compare

das Vergnügen, –s, – pleasure, enjoyment

vergnügt pleased

die Vergnügung, –en pleasure, amusement

vergoldet gilded

verheiraten, to marry, marry off; sich — (mit) to get married (to)

verhelfen, (–hilft), –half, –holfen to help; — zu to help one to

verherrlichen to glorify

die Verherrlichung, –en glorification

verhüllt wrapped, veiled

sich verirren to go astray, lose one's way

verkaufen to sell

verlangen to demand, require; to ask

verlassen, (–läßt), –ließ, –lassen to leave, desert

verleugnen to deny, disavow

verlieren, –lor, –loren to lose

der Verlust, –es, –e loss

die Vermehrung, –en increase

vermeiden, –mied, –mieden to avoid

das Vermögen, –s, – fortune

verraten, (–rät), –riet, –raten to betray

der Vers, –es, –e verse

versagen to deny, refuse, give out

versammeln to gather together, assemble

versäumen to miss (through neglect)

verschämt ashamed, bashful, shame-faced

verschließen, –schloß, –schlossen to close, seal

verschwinden, –schwand, ist ver=
schwunden to vanish

versengen to singe, burn, parch

versinken, –sank, ist versunken to
sink (away), sink out of sight,
lose

versprechen, (–spricht), –sprach,
–sprochen to promise, give
promise of

verstecken to hide, conceal

verstehen, –stand, –standen to understand, know how; — unter
to understand by

verstohlen stolen

verstummen to be silent, become
silent, die away

der Versuch, –(e)s, –e attempt

versuchen to try, attempt, tempt

verteidigen to defend

verteidigungslos defenseless

sich vertiefen to become absorbed
or engrossed; to bury oneself

vertieft engrossed, absorbed

der Vertrag, –(e)s, –e contract;
treaty

(sich) verwandeln to change,
transform

verwandt related, kindred

verwehen (hat or ist) to blow
away

verwelken to wither

verwunden to wound, injure

verwünschen to curse, confound;
to accurse, enchant

verwünscht enchanted, accursed;
confounded

verzaubern to bewitch, charm,
cast a spell on

verzweifeln to despair

der Vesuv', –(s) Vesuvius

der Vetter, –s, –n cousin

das Vieh, –(e)s cattle

viel much; —e many; —es a
good deal, much, a lot of; so —
as much as

vielleicht perhaps, probably

vielmals many times, very much

vier four

das Vierteljahr, –(e)s, –e quarter
of a year

das Viertelstündchen, –s, – less
than a quarter of an hour, a
short quarter of an hour

die Viertelstunde, –n quarter of
an hour

der Violin'bogen, –s, – violin bow

die Violi'ne, –n violin

der Vogel, –s, – bird

das Volk, –(e)s, –er people, nation

das Volkslied, –(e)s, –er folksong

voll full of; —e Glockentöne rich
tones of the bell

vollenden to complete; vollendet
completed, accomplished, perfect

Vollgut Vollgut

vollkommen complete; perfect;
finished

vollständig complete(ly)

von from, by, out of, about,
with; von . . . aus from; von
. . . her from

vor before, in front of, ago,
because of; — . . . hin in
front of; — sich hin straight
ahead, to oneself, off; — sich
hin sehen to gaze into space

voraus=sehen, (sieht voraus), sah
voraus, vorausgesehen to foresee,
foretell

vorbei past, over, by

vorbei=fliegen, flog vorbei, ist vorbei=
geflogen to fly by, pass by

vorbei=führen to lead by

vorbei=gehen, ging vorbei, ist vorbei=
gegangen to pass by, walk past;
er geht an mir vorbei he goes
past me

vorbei=sehen, (sieht vorbei), sah
vorbei, vorbeigesehen to look past

vorbei=tragen, (trägt vorbei), trug
vorbei, vorbeigetragen to carry
past, carry by

vorbei=ziehen, zog vorbei, ist vorbei=
gezogen to pass by, go by, go
past

vor=beugen to bend forward

vor=dringen, drang vor, ist vorge=
drungen to press forward, press
onward

Vocabulary

vorgestern day before yesterday

der Vorhang, –(e)s, ⸚e curtain

vorher previously, beforehand, before

vorhin before, previously

vor=kommen, kam vor, ist vorge= kommen to seem, appear

vor=legen to lay before, submit, present

vor=lesen, (liest vor), las vor, vor= gelesen to read aloud, read in public

der Vormittag, –(e)s, –e forenoon

vorn in front, forward

der Vorname, –ns, –n first name

vornehm distinguished, aristo- cratic

vor=nehmen, (nimmt vor), nahm vor, vorgenommen to take up, take out; to undertake; to have in mind

der Vorschlag, –(e)s, ⸚e proposal

vor=schlagen, (schlägt vor), schlug vor, vorgeschlagen to propose

vor=setzen to set before, serve

der Vorteil, –(e)s, –e advantage

vor=tragen, (trägt vor), trug vor, vorgetragen to lay before, ex- plain

vorüber over, past, by; ich gehe an ihm vorüber I go past him

vorüber=eilen (ist) to hasten past

vorüber=fahren, (fährt vorüber), fuhr vorüber, ist vorübergefahren to drive on, drive past

vorübergegangen bygone

vorüber=gehen, ging vorüber, ist vorübergegangen to go past, go by, pass by

der Vorübergehende (adj. decl.) the person passing by, passer-by

vorüber=heulen (ist) to howl past

vorüber=schießen, schoß vorüber, ist vorübergeschossen (an) to shoot (by), whiz (past)

vorüber=schreiten, schritt vorüber, ist vorübergeschritten to stride past, go past, go by, walk by

vorüber=ziehen, zog vorüber, ist vorübergezogen (an) to go past, go by, pass over

vorwärts forward(s)

vorwärts=rudern (ist) to row for- wards, row on

vor=ziehen, zog vor, vorgezogen to pull forth, pull out, draw out

W

wachen to wake, guard

wachsen, (wächst), wuchs, ist ge= wachsen to grow

die Waffe, –n weapon, arms

der Wagen, –s, – wagon, carriage; zu — by wagon, in wagons

wagen to venture, dare

das Wagenpferd, –(e)s, –e carriage horse

der Wahnsinn, –(e)s madness, insanity

wahnsinnig mad, insane

der Wahnsinnige (adj. decl.) mad- man

wahr true; nicht — isn't it true; cf. Sie ist krank, nicht wahr? She is ill, isn't she?

während during; as, while

wahrlich truly

der Wald, –(e)s, ⸚er woods, forest

die Waldblume, –n forest flower

der Waldbrand, –(e)s, ⸚e forest fire

die Waldeskönigin, –nen queen of the forest

die Waldpflanze, –n forest plant

der Waldvogel, –s, ⸚ forest bird

der Waldweg, –(e)s, –e forest road

die Waldwiese, –n clearing

die Wand, ⸚e wall

der Wanderer, –s, – wanderer, hiker

wandern (ist) to wander, hike, go

der Wanderstab, –(e)s, ⸚e walking stick

die Wanderung, –en walk

die Wandlung, –en transubstan- tiation

die Wange, –n cheek

wanken (hat or ist) to waver, sway, stagger; to tremble

wankend wavering

235

warm warm

warnen to warn

warten (auf) to wait (for)

warum why

was what, which; how; — für ein what a, what sort of a; was *is also used as an abbreviated form of* etwas something, that which, anything

waschen, (wäscht), wusch, gewaschen to wash

das Wasser, –s, – water

der Wasserkrug, –(e)s, ⸚e water jug

die Wasserlilie, –n water lily

der Wasserspiegel, –s, – surface of the water

der Webstuhl, –(e)s, ⸚e loom

der Wechsel, –s, – change, exchange

wechseln to change, exchange

wecken to awaken

weder neither; — . . . noch neither . . . nor

weg away

der Weg, –(e)s, –e way, road, path; distance

wegen because of, on account of; um meinetwegen on my account

weg=gehen, ging weg, ist weggegangen to go (away)

das Weggehen, –s going away, departure

weg=legen to put away

weg=schicken to send away

weg=schieben, schob weg, weggeschoben to push away, push aside

weg=schwimmen, schwamm weg, ist weggeschwommen to swim away

weg=sinken, sank weg, ist weggesunken to sink away, sink down

der Wegweiser, –s, – signpost

das Weh, –(e)s, –e woe, pain

weh sad, sorrowful; es ist mir — I am grieved, I am hurt; es tut mir — it hurts me, it pains me; er tut mir — he hurts me; es ist mir — zumute I feel sad

wehen to blow, wave, flutter; to waft

das Weib, –(e)s, –er woman; wife (*not in good usage today*)

weich soft

der Weihnachtsabend, –s, –e Christmas Eve

der Weihnachtsbaum, –(e)s, ⸚e Christmas tree

das Weihnachtslied, –(e)s, –er Christmas song *or* carol

die Weihnachtsstube, –n Christmas room

weil because

das Weilchen, –s, – while

die Weile while; noch eine — a while longer

der Wein, –(e)s, –e wine

der Weinberg, –(e)s, –e vineyard

weinen to cry, weep

die Weise, –n manner, way; tune; auf diese — in this manner

weisen, wies, gewiesen to direct

weiß white

weit far, wide, broad

weitab far off

weiter further, farther; ohne —es at once, without further ado

weiter=arbeiten to work further, work on, continue to work

weiter=fragen to continue to ask, ask further

weiter=gehen, ging weiter, ist weitergegangen to go on, go further, continue

weiter=kommen, kam weiter, ist weitergekommen to come farther, get ahead, advance, progress

weiter=rücken (ist) to move on, move further

weiter=sagen to say further, go on, continue

weiter=spielen to play on, continue to play, keep on playing

weithin far

welcher which, what

die Welle, –n wave

die Welt, –en world; auf der — in the world

die Weltkugel, –n world sphere

(sich) wenden, wandte, gewandt to turn; sich — an to turn to, apply to

wenig little; —e few; —er less

wenigstens at least

Vocabulary

wenn if, when, whenever; — auch even if

wer who, he who

werden, (wird), wurde, ist geworden to become, get, turn out; *with infinitive* = shall, will; *with past participle* = to be; — aus to become of

werfen, (wirft), warf, geworfen to throw, cast

das Werk, –(e)s, –e work

die Werkstatt, ⸚e workshop

Werner Werner

das Werratal, –(e)s Werra Valley

wert worth

der Wert, –(e)s, –e worth, value

das Wesen, –s manner; being

weshalb why

die Weste, –n vest

der Westen, –s west

das Wetter, –s, – weather

wettergrau weather-beaten

die Wetterseite, –n weather side

Wichtelhausen Wichtelhausen

wichtig important, weighty

wider against, contrary to

der Widerhall, –(e)s, –e echo

wie how, as, like, as if; so — like, such as; so ... — as ... as

wieder again

wieder=erkennen, erkannte wieder, wiedererkannt to recognize (again)

wiederholen to repeat

wieder=kommen, kam wieder, ist wiedergekommen to come (back) again, return

wieder=schallen to sound again, resound

der Wiederschein, –(e)s, –e reflection

wieder=sehen, (sieht wieder), sah wieder, wiedergesehen to see again

wiederum again

die Wiese, –n meadow

wieviel how much; —e how many

wild wild, fierce

der Wille, –ns, –n will, intention

willkommen welcome

das *or* **der Willkommen**, –s, – welcome

der Wind, –(e)s, –e wind

winden, wand, gewunden to wind; sich — to entwine

winken to beckon, wave, signal

der Winter, –s, – winter

das Wintergras, –es, ⸚er winter grass

die Winterluft, ⸚e winter air

winters in winter, in the wintertime

die Wintersonne winter sun

der Wipfel, –s, – top, tip (*of a tree or bush*)

wir we

wirklich really, indeed; true, actually, in reality

der Wirt, –(e)s, –e host

die Wirtin, –nen landlady, hostess

das Wirtschaftsgebäude, –s, – farm building

das Wirtshaus, –es, ⸚er inn, tavern

der Wirtstisch, –es, –e innkeeper's table, tavern table

wissen, (weiß), wußte, gewußt to know, know how; — ... zu to know how to

wo where, wherever, when; wo ... auch wherever; wo ... nur wherever

die Woche, –n week

woher whence, from where; where ... from

wohin whither, where (to), to what place; wohin ... auch wherever

wohl well; probably, I suppose; surely, to be sure, really

wohlbekannt well-known

wohlgekleidet well-dressed

wohl=tun to do good, help

wohnen to live, dwell

das Wohnhaus, –es, ⸚er house, dwelling, residence

die Wohnstube, –n living room

die Wohnung, –en house, dwelling, home

das Wohnzimmer, –s, – living room

wölben to arch

die Wölbung, –en arch, arching

237

Vocabulary

die Wolke, –n cloud

die Wolle wool

wollen woolen

wollen, (will), wollte, gewollt to
wish to, want to, will, be willing
to, be going to; to claim to;
er wollte eben gehen he was just
about to go

womit with what, with which

womöglich if possible

worauf whereupon

das Wort, –(e)s, ⸚er or –e word;
beim — at his word

der Wortführer, –s, – spokesman

der Wortwechsel, –s, – argument,
dispute

wozu why, for what purpose

die Wunde, –n wound, injury

das Wunder, –s, – wonder; miracle

wunderbar wonderful

wunderlich curious, strange, odd

(sich) wundern to wonder, marvel;
es wundert mich I wonder

wundervoll wonderful

das Wunderwerk, –(e)s, –e won-
drous work, miraculous work

wünschen to wish

die Würde, –n worth, dignity

würdig worthy, dignified

der Wurf, –(e)s, ⸚e throw

die Wurzel, –n root

3

zählen to count, number

der Zahn, –(e)s, ⸚e tooth

zart tender, delicate

der Zauber, –s magic, charm

der Zauberer, –s, – magician

das Zaubertränkchen, –s, – magic
potion

zehn ten

zehnmal ten times

zehren to prey, consume

das Zeichen, –s, – sign

zeichnen to draw, sketch

die Zeichnung, –en drawing,
sketch

zeigen to show, point out, dis-
play; her— to show, show here

die Zeile, –n line

die Zeit, –en time; die höchste —
high time; mit der — in time;
zur — at the time

die Zeitlang time, interval; eine
— for a time, for a while, a
short time

zerfallen dilapidated, tumble-
down

zerreißen, –riß, –rissen to tear
asunder, tear to pieces

zerrissen torn, battered

zerspringen, –sprang, ist zersprungen
to crack

zersprungen cracked

ziehen, zog, hat or ist gezogen to
draw, pull, haul; to lift; to
attract; to consort; to come,
go; to take; to thread (onto a
string)

das Ziel, –(e)s, –e goal, destina-
tion

ziemlich rather, fairly

zigeu'nerhaft gypsy-like

die Zigeu'nermelodie', –n gypsy
melody

das Zimmer, –s, – room; auf seinem — (up) in his room; auf
sein — (up) to his room

die Zinsen (plu.) interest

die Zither, –n zither

das Zithermädchen, –s, – zither-
girl

zittern to tremble

der Zitternde (adj. decl.) the trem-
bling one

zögern to hesitate

der Zorn, –(e)s anger, ire, wrath

zornig angry, mad; — auf angry
at

zu to, towards, in the direction
of; for; at; on; with; too

zucken to twitch, move, jerk; die
Achseln — to shrug one's shoulders

der Zucker, –s sugar, icing

der Zuckerbuchstabe, –n, –n sugar
letter

zu=drehen to turn towards

zuerst (at) first, for the first
time

Vocabulary

der Zufall, –(e)s, ⸚e chance

zu-fliegen, flog zu, ist zugeflogen to fly towards, run towards; er fliegt auf mich zu he runs toward me

zu-fliehen, floh zu, ist zugeflohen to flee towards

zu-flüstern to whisper to

zufrieden satisfied, contented

zu-führen to lead to

der Zug, –(e)s, ⸚e expression, feature; procession; *plu.* features

zu-gehen, ging zu, ist zugegangen to go towards

zugleich at the same time

zu-hören to listen, listen to, listen on, listen in

zu-kommen, kam zu, ist zugekommen to approach, come up; to be coming to, be due to, belong to; er kommt auf mich zu he comes toward me

die Zukunft future

zukünftig future

zuletzt at last, finally

zu-machen to close, shut

zu-müssen, (muß zu), mußte zu, zugemußt to have to go to

zumute *see* der Mut

zunächst first of all

die Zunge, –n tongue

zu-nicken to nod to(ward)

zurück back

zurück-arbeiten to work back, struggle back

zurück-behalten, (behält zurück), behielt zurück, zurückbehalten to save, keep back

zurück-bleiben, blieb zurück, ist zurückgeblieben to remain behind, leave behind, stay behind

zurück-blicken to look back

zurück-drängen to press back

zurück-eilen (ist) to hurry back

zurück-fahren, (fährt zurück), fuhr zurück, ist zurückgefahren to go back, return

zurück-geben, (gibt zurück), gab zurück, zurückgegeben to give back

zurück-gehen, ging zurück, ist zurückgegangen to go back

zurück-halten, (hält zurück), hielt zurück, zurückgehalten to hold back, restrain

zurück-kehren (ist) to return, come back

zurück-kommen, kam zurück, ist zurückgekommen to come back, return

zurück-lassen, (läßt zurück), ließ zurück, zurückgelassen to leave behind

zurück-legen to travel over, traverse

zurück-müssen, (muß zurück), mußte zurück, zurückgemußt to have to go back, have to come back

zurück-rufen, rief zurück, zurückgerufen to call back

zurück-schauen to look back

zurück-schicken to send back

zurück-schieben, schob zurück, zurückgeschoben to push back, shove back, put back

zurück-schreiten, schritt zurück, ist zurückgeschritten to walk back

sich zurück-sehnen to long to be back, long to return

zurück-wandern (ist) to wander back

zurück-wenden, wandte zurück, zurückgewandt to turn back

zurück-werfen, (wirft zurück), warf zurück, zurückgeworfen to throw back, toss back, cast back

zurück-ziehen, zog zurück, hat *or* ist zurückgezogen to draw back, withdraw; to disappear

zu-rufen, rief zu, zugerufen to call to

zusammen together

zusammen-ballen to clench

zusammen-binden, band zusammen, zusammengebunden to tie together, tie up

zusammen-bringen, brachte zusammen, zusammengebracht to bring together

zusammen-falten to fold together

zusammen-fließen, floß zusammen, ist zusammengeflossen to flow together

Vocabulary

zusammen=halten, (hält zusammen), hielt zusammen, zusammengehalten to hold together, keep together

zusammen=knüpfen to tie together, knot together

zusammen=kommen, kam zusammen, ist zusammengekommen to come together, assemble

zusammen=nehmen, (nimmt zusammen), nahm zusammen, zusammengenommen to gather together, gather up; sich — to compose oneself

zusammen=pressen to press together

zusammen=rollen to roll up

zusammen=rufen, rief zusammen, zusammengerufen to call together

zusammen=schlagen, (schlägt zusammen), schlug zusammen, zusammengeschlagen to strike together, clap

sich zusammen=setzen to sit down together

zusammen=sitzen, saß zusammen, zusammengesessen to sit together

zusammen=stehen, stand zusammen, zusammengestanden to stand together

zusammen=wachsen, (wächst zusammen), wuchs zusammen, ist zusammengewachsen to grow together

zusammen=ziehen, zog zusammen, zusammengezogen to draw together; to contract

zu=schauen to look (toward), look on

zu=schließen, schloß zu, zugeschlossen to close

zu=schreiten, schritt zu, ist zugeschritten to walk toward

zu=schwimmen, schwamm zu, ist zugeschwommen to swim toward

zu=sehen, (sieht zu), sah zu, zugesehen to look on, look at

zu=strömen (ist) to stream towards, flow out, join

zu=trauen to trust, expect of

das Zutrauen, –s trust, confidence

zu=trinken, trank zu, zugetrunken to drink to, drink a toast to

zuvor before, ahead of; previously

zuvor=kommen, kam zuvor, ist zuvorgekommen to get ahead of, anticipate, avoid

zu=wachsen, (wächst zu), wuchs zu, ist zugewachsen to grow together

zu=wenden, wandte zu, zugewandt to turn toward

zu=werfen, (wirft zu), warf zu, zugeworfen to throw to, throw toward

zuwider distasteful, objectionable, offensive, contrary to

zu=winken to wave to, beckon

zwanzigjährig twenty-year-old

zwar indeed, to be sure

zwei two

der Zweifel, –s, – doubt

zweifeln to doubt

zweifelnd dubious

der Zweig, –(e)s, –e branch

zweimal twice

zweistündig two-hour

zweit second

das zweitemal second time

zwingen, zwang, gezwungen to force, compel

zwischen among, between

die Zwischenzeit, –en interval, time between

zwölf twelve

Date Due

	1960		